Oscar saggi

George L. Mosse

Il razzismo in Europa

dalle origini all'olocausto

Editori Laterza

George L. Mosse

Il razzismo in Europa

dalle origini all'olocausto

Traduzione di Livia De Felice

Arnoldo Mondadori Editore

© 1978 George L. Mosse
© 1985 Giuseppe Laterza & Figli S.p.A., Roma-Bari

Titolo dell'opera originale:
Toward the Final Solution. A History of European Racism

I edizione Oscar saggi settembre 1992

ISBN 88-04-36452-1

Questo volume è stato stampato
presso Arnoldo Mondadori Editore S.p.A., Milano
Stabilimento Nuova Stampa - Cles (TN)
Stampato in Italia - Printed in Italy

Ristampe:

3 4 5 6 7 8 9 10 11 12

1998 1999 2000 2001

Il nostro indirizzo internet è:
http://www.mondadori.com/libri

INTRODUZIONE

Qualunque libro che si occupi dell'esperienza razzista vissuta dall'Europa deve cominciare dalla fine e non dal principio: sei milioni di ebrei uccisi dagli eredi della civiltà europea, da una burocrazia che finì col passare da un'efficiente gestione dello stato a un altrettanto efficiente e impersonale sterminio degli ebrei. Come è potuto succedere ciò? La storia del razzismo è essenziale per rispondere a questa domanda, che sembra porsi al centro più che ai margini della storia europea del XX secolo. Furono, sì, i nazisti a commettere il crimine, ma ovunque uomini e donne credettero nella distinzione tra le razze, bianca, gialla o nera, ariana o ebraica che fossero. In una certa misura, inglesi, francesi, polacchi, così come tedeschi o ungheresi, hanno usato inavvertitamente la parola «razza» nella loro vita quotidiana. E ciò accade anche oggi, malgrado l'olocausto, benché siano i neri anziché gli ebrei a trovarsi in questo momento al gradino più basso della scala razziale. Nel corso della storia, gli ebrei e i neri hanno sempre svolto il ruolo dell'«estraneo», del malvagio che minaccia la tribù. È da chiedersi se ai sei milioni di ebrei non si sarebbero potuti aggiungere altrettanti neri se essi si fossero trovati a vivere tra i popoli dell'Europa. Ma furono gli ebrei le vittime principali dell'esperienza europea della razza, ed essi dovevano essere sterminati radicalmente. Ciò non si è verificato, né in teoria né in pratica, con nessuna delle altre vittime del razzismo europeo, né con i neri, né con gli zingari, tra i quali alcuni si sono salvati in quanto ariani.

Come è stato possibile che un paese abbia potuto tentare lo sterminio deliberato di un intero popolo? La storia del razzismo ci suggerisce parecchie tracce da seguire. Il razzismo si è appropriato di ogni idea e movimento importanti dei secoli XIX e XV impegnandosi a proteggerli contro i loro avversari. Le

conquiste scientifiche, un atteggiamento puritano verso la vita
— la trionfante moralità della classe media —, la religione cristiana, l'ideale della bellezza in quanto simbolo di un mondo
migliore e più sano, furono tutti aspetti integranti del razzismo.
Esso difese l'utopia contro i suoi nemici. Nobili ideali come la
libertà, l'eguaglianza e la tolleranza sarebbero diventati realtà
solo se fosse stata difesa la razza e si fossero sconfitti i suoi
nemici. Il razzismo prometteva ogni sorta di benefici ai vari
gruppi di uomini e la mistica del nazionalismo, benché di enorme
importanza, non fu la sua sola forza di richiamo. Nel corso della
presente analisi la nostra attenzione sarà attratta dal vasto spettro
delle teorie razziste e insieme dalla loro penetrazione in ogni
paese e in ogni classe.

Il razzismo nelle sue varie forme non ha sempre seguito
eguali ispirazioni né ha condotto agli stessi risultati. Vi fu una
differenza tra il razzismo che respingeva ogni dato scientifico a
vantaggio di un impulso spirituale e il razzismo che tentava invece di tenere in un certo conto l'osservazione scientifica e l'influenza dell'ambiente. Perfino i nazisti alla fine compresero che
le idee razziste mancavano di una inconfutabile chiarezza: per
esempio, la razza poteva essere definita come un insieme di
mutazioni occasionali provocate dall'ambiente, oppure come una
sostanza organica determinante l'aspetto esteriore e l'anima del-
l'uomo, oppure come dovuta a fattori ereditari passibili di miglioramento. Inoltre, alcuni europei che credevano nella razza
classificarono gli ebrei tra i bianchi e persino tra gli ariani,
anche se per lo più essi furono considerati il nemico. Alcuni
difendevano i neri, negando che essi fossero necessariamente degli
esseri inferiori, sebbene la schiacciante maggioranza dei razzisti
li ponesse al livello umano più basso, o sostenesse addirittura
che essi non sono affatto uomini.

Nonostante ciò, pur con tutte queste differenze, vi erano
punti essenziali di accordo. Tutti i razzisti si attenevano a un
certo concetto di bellezza, quella bianca, classica, ai valori tipici
della classe media, cioè il lavoro, la moderazione, l'onore, e tutti
pensavano che questi valori si rivelassero tramite l'aspetto esteriore. La maggioranza dei razzisti attribuivano perciò alle razze
inferiori, nera o ebraica che fossero, numerose caratteristiche
identiche, per esempio la mancanza di bellezza, e le accusavano
di essere prive delle virtù della classe media e di essere incapaci

di profondità metafisica. Vi era qui una buona dose di chiarezza. Il razzismo non si è solo appropriato di tutti i movimenti e le tendenze dell'epoca, ma, malgrado conclusioni divergenti, esso li ha anche oggettivati mediante simboli efficaci e non ambigui. Gli stereotipi costituirono sia l'essenza del razzismo sia la sua capacità di attrazione. Il razzismo assegnava a ciascun individuo un ben preciso posto nel mondo, dando di ognuno, in quanto persona, una definizione e fornendogli, con una chiara separazione tra razze « buone » e « cattive », un'interpretazione dello sconcertante mondo moderno nel quale viveva. Chi poteva pretendere di più?

Eppure il mondo delle idee razziste all'inizio non aveva alcun rapporto con il mondo reale. Il razzismo sostituiva il mito alla realtà e il mondo da esso creato, con i suoi stereotipi, le sue virtù e i suoi vizi, era un mondo da favola, che faceva balenare l'utopia davanti agli occhi di chi anelava di trovare una via d'uscita dalla confusione della modernità e dal precipitoso scorrere del tempo. Esso aveva fermato il sole e abolito ogni cambiamento. Ogni male era imputato alle inquiete razze inferiori, incapaci di apprezzare uno stabile ordine di cose. Ma nessuna di queste promesse avrebbe potuto da sé sola dare al razzismo il suo spaventoso successo. La gente finisce col rimanere delusa nei riguardi di una favola la cui felice conclusione sembra non arrivare mai, e di un miraggio che deve essere incessantemente inseguito, e si rivolge ad altre promesse e a fedi concorrenti. La religione tradizionale può soddisfare le aspirazioni dell'uomo promettendo un paradiso dopo la morte; ma il razzismo, essendo una pseudo-religione, deve realizzare le sue promesse su questa terra e subito, ed esso inaspettatamente lo fece anche prima di diventare politica di governo: ciò costituì la sua forza ineguagliabile. Il razzismo trascese la consueta utopia trasformando il mito in realtà.

Il mondo creato dal razzismo fu realizzato perché così esso lo volle, benché non disponesse di alcun appiglio nella realtà storica, sociale e politica. È da queste realtà che noi partiamo per avere un quadro retrospettivo del mondo. Il razzismo invece reagì contro le situazioni sociali, economiche e politiche e rifiutò di servirsi di queste categorie per interpretare il mondo, e come sua interpretazione del presente e speranza per il futuro creò quei miti che in un secondo tempo cercò di realizzare concretamente.

Per spiegare come il mito possa diventare realtà conviene rifarsi a un esempio limite: i nazisti avevano creato nell'ambito del ministero dell'Interno un dipartimento incaricato di fare luce sulla supposta cospirazione mondiale ebraica. La burocrazia si comportò come se tale cospirazione esistesse realmente, e fece sì che fosse vera ponendola a fondamento della politica nazionale: il mito si era trasformato in realtà. Ma non è necessario ricorrere a esempi così spettacolari. Quando gli uomini cominciano a essere considerati degli stereotipi razziali, essi stessi finiscono per sentirsi tali. Bruno Bettelheim, rievocando nel suo libro *Il cuore che sa* (*The informed Heart*, 1960; trad. it.: *Il prezzo della vita*, Milano 1965) la propria esperienza nei campi di Dachau e di Buchenwald, può forse avere esagerato il successo dei nazisti nel trasformare gli ebrei dei campi di concentramento proprio in quel tipo di stereotipi che essi attribuivano loro, ma è tuttavia vero che gli ebrei stessi già molto tempo prima, come vedremo, avevano finito per accettare il loro poco lusinghiero stereotipo e avevano tentato di discostarsene. Anche i neri subirono un trauma analogo. Il mito accettato come realtà diventa la realtà.

Questo fatto sconvolgente è essenziale ad ogni razzismo, in qualunque varietà esso si presenti. Il mito da esso creato si rivelò così abbagliante perché era basato in parte su validi princìpi antropologici e in parte sulle evidenti differenze esistenti tra la maggioranza degli europei e le minoranze ebraica e nera. E infatti i neri avevano un diverso colore della pelle e una diversa cultura, e anche gli ebrei, pur con la pelle di colore eguale alla maggioranza, avevano avuto però nei primi tempi lingua, modo di vestire e aspetto diversi. I contrasti culturali furono essenziali al successo dei miti razziali, perché lungo l'intero corso della storia lo straniero estraneo alla tribù non è mai stato accolto con vero favore. L'uso di stereotipi e in genere le concezioni sulla superiorità e inferiorità delle razze tendono a precedere il razzismo come politica ufficiale, sia interna che estera. Per primi appaiono i concetti fondamentali della teoria razzista e ad essi si accompagnano atteggiamenti ostili nei confronti dei neri o dei bianchi. Nessuno nasce « sambo », o « Fagin », o, per restare in argomento, « perfetto inglese » o « tedesco ariano ». Il fatto che il razzismo oggi sia tanto profondamente radicato, anche se si manifesta solo con l'uso di parole e di immagini che servono a perpetuare quel mondo originariamente creato dal razzismo, è un'ulteriore prova che il mito si è trasformato in realtà.

Noi non ci troviamo di fronte a un racconto delle fate con il trionfo finale della virtù, ma a un'orgia di sangue che si è conclusa con le anonime tombe di più martiri di quanti l'Europa abbia mai avuto prima. Non è piacevole raccontare la storia del razzismo ed è forse per questo che essa è stata narrata così raramente nella completezza che essa merita: cioè non come storia di un'aberrazione del pensiero europeo o di sporadici momenti di follia, ma come elemento essenziale dell'esperienza europea. È un fatto che la maggior parte dei nostri libri di testo prestano poca attenzione a questo fenomeno così al centro dell'età moderna, forse perché è troppo penoso per gli storici ammettere che in questo caso il mito è diventato realtà, laddove materia prima della professione storica sono ancora considerati gli accadimenti passibili di una certa previsione. All'olocausto, in fin dei conti, viene dedicato solo un breve cenno persino in storie di tutto rispetto del regime nazista. Forse questo libro, malgrado le sue deficienze, può aiutare a stabilire un ricordo esatto dei fatti. Esso si manterrà fedele all'analisi storica e non includerà considerazioni di morale o di giustizia, che devono essere estranee alle preoccupazioni della storia. In questo caso comprendere non è perdonare. In realtà è solo un passo verso l'osservazione del male che, né unico né banale, dimostra come l'aspirazione dell'uomo a un mondo felice e sano possa essere piegata a una conclusione in origine assolutamente imprevista, ma tuttavia implicita a quel determinato mito. Scrivere questo libro è stato come percorrere un pericolante ponte di corda teso attraverso un abisso, ma forse la storia di cui queste pagine sono piene aiuterà a garantire che il ponte non crolli ancora una volta. Già milioni di persone sono cadute nell'abisso che circa quaranta anni fa il razzismo spalancò di fronte all'umanità. Sarebbe motivo di grande soddisfazione poter oggi annunciare la fine del razzismo in Europa, ma ciò non è possibile ed è per questo che arriveremo a una conclusione che non conclude.

È difficile decidere da quale data cominciare la storia del razzismo. Il termine è stato usato sin dal Rinascimento con una grande varietà di significati, comprese le caratteristiche familiari e le peculiarità delle nazioni e degli animali. Inoltre esso è stato usato con riferimento a gruppi non necessariamente costituiti sulla base del principio dell'ereditarietà. È certo che nella Spagna del XVI secolo il razzismo era presente nella sua accezione moderna, perché in quel paese il concetto di « purezza di sangue » era servito a giustificare la discriminazione verso chiunque fosse di ascendenza ebraica. È stato possibile infatti sostenere che i « *conversos* » spagnoli siano stati le prime vittime della persecuzione razziale in Europa. Eppure la politica spagnola verso i « cristiani ebrei » scomparve nel tempo e non costituì un precedente valido per il resto dell'Europa.

Le basi del razzismo europeo vanno individuate in quelle correnti intellettuali che nell'Europa occidentale e centrale acquistarono importanza durante il secolo XVIII, e cioè le nuove scienze dell'Illuminismo e il risveglio pietistico del cristianesimo. Il razzismo in realtà non è stato il frutto di un particolare sviluppo nazionale o cristiano, ma una visione del mondo che ha rappresentato una sintesi del vecchio e del nuovo, una religione laica che ha cercato di appropriarsi di tutto ciò cui l'umanità aspirava. Perciò l'inizio della storia del razzismo europeo si deve collocare nel secolo XVIII, qualunque precedente possa essere scoperto in epoche più lontane. Fu in questo secolo che la struttura del pensiero razzista si consolidò e assunse le precise connotazioni poi mantenute fino ad oggi.

RINGRAZIAMENTI

La Jewish National e la Hebrew University Library di Gerusalemme, la Wiener Library di Londra e la Bayerische Staatsbibliothek di Monaco mi hanno messo a disposizione la maggior parte del più importante materiale necessario per questo libro. Sono anche grato per l'aiuto ricevuto dalla Bibliothèque Nationale di Parigi, dalla British Library di Londra e dalla biblioteca dell'università del Wisconsin. Peter Shellard mi ha offerto l'opportunità di scrivere questo libro; Steven Uran mi ha aiutato in ogni aspetto del mio lavoro e l'opera editoriale di Ann Adelman e di Howard Fertig ha contribuito a dare al testo quella chiarezza di esposizione che esso forse ha raggiunto. Marilyn Baumgarten ha scritto e riscritto a macchina il libro con pazienza esemplare. Il colloquio con gli studenti del mio corso sulla Storia del razzismo all'università ebraica mi ha suggerito molte nuove intuizioni. A tutti questi amici e colleghi desidero esprimere la mia gratitudine: essi hanno contribuito a rendere la stesura di questo libro un'esperienza gradevole, malgrado la tragicità del suo argomento

G. L. M.

Madison, 1977

IL RAZZISMO IN EUROPA

Parte prima

LE ORIGINI

I

LE BASI SETTECENTESCHE

Culla del razzismo moderno è stata l'Europa del XVIII secolo, le cui principali correnti culturali hanno avuto un'enorme influenza sulle fondamenta stesse del pensiero razzista. Questo fu il secolo dell'Illuminismo, durante il quale un'élite intellettuale tentò di sostituire alle « vecchie superstizioni del passato » la valorizzazione della ragione e delle virtù innate nell'uomo. L'Illuminismo fu una rivoluzione nei gusti e nelle convenzioni estetici e intellettuali, ma trovò il suo punto di maggiore intensità nella rivolta contro il cristianesimo, considerato sinonimo di « antiche superstizioni »: l'appello di Voltaire, « *écrasons l'infâme* », trovò echi in numerosi altri scrittori. Gli illuministi cercavano nei classici ispirazione e sostegno alla loro rivolta, ma mentre essi affinavano il proprio pensiero sui modelli greci e romani, il cristianesimo dava prova di essere vitale e bene accetto dalla massa della popolazione.

Il secolo XVIII fu anche un'epoca di fervore e risveglio religioso. Il pietismo nell'Europa continentale e l'evangelismo in Inghilterra fiorirono durante tutto il secolo, sviluppandosi parallelamente all'Illuminismo. Questi movimenti sottolineavano la necessità di un impegno cristiano di tipo emotivo ed espressero il loro anelito verso una vera comunità con il concetto di fratellanza e di « religione del cuore ». La tensione tra l'Illuminismo e questo cristianesimo interiore caratterizzò gran parte del secolo, durante il quale nacque e maturò il razzismo moderno. Questo si alimentò di entrambe le correnti, malgrado il loro conflitto, e Illuminismo e atmosfera pietistica e moralistica avrebbero in eguale misura lasciato la loro impronta sul pensiero razzista.

L'Illuminismo fu anche caratterizzato da un serio tentativo

di definire il posto dell'uomo nella natura. Si pensò che la natura
e i classici fossero essenziali per una nuova comprensione della
posizione dell'uomo nell'universo di Dio e si ritenne quindi che
da essi dovessero derivare nuovi criteri di virtù e di bellezza.
Perciò sin da quando si cominciò a indagare con ampiezza di
prospettive la natura dell'uomo e dell'universo, scienza naturale
e ideali morali ed estetici degli antichi si trovarono a procedere
insieme. In effetti queste due componenti fondamentali erano
così legate fra di loro che è impossibile separare le indagini dei
philosophes illuministi sulla natura dalla loro analisi della moralità e del carattere dell'uomo [1].

La scienza e l'estetica si influenzarono reciprocamente. L'impegno scientifico fu in gran parte dedicato alla classificazione
delle razze umane sulla base del loro posto nella natura e delle
influenze dell'ambiente circostante. L'origine della nuova scienza
dell'antropologia durante la seconda metà del secolo ebbe come
fondamento il tentativo di determinare l'esatto posto dell'uomo
nella natura mediante l'osservazione, le misurazioni e i confronti
tra gruppi di uomini e di animali. Inoltre, la ricerca di unità e
armonia nelle vicende dell'uomo e dell'universo indusse a credere nell'unità del corpo e della mente e si ritenne che ciò a
sua volta si esprimesse in maniera tangibile, fisica, tale da poter
essere misurata e osservata. Sia la frenologia (lettura del cranio)
che la fisiognomica (lettura del volto) ebbero origine nell'ultimo
decennio del secolo.

Ma a queste osservazioni, misurazioni e confronti, fondamentali per le nuove scienze del Settecento, si univano giudizi di
valore secondo criteri estetici tratti dall'antica Grecia e si giunse
così alla fusione della passione illuminista per le nuove scienze
con la fiducia nell'autorità dei classici. Qualunque misurazione
o paragone si facessero, il valore dell'uomo in ultima analisi era
determinato dal grado di accostamento alla bellezza e alle proporzioni antiche. Questo continuo passaggio dalla scienza all'estetica è un aspetto fondamentale del razzismo moderno. Si giunse
a definire la natura umana in termini estetici, dando significativamente rilievo alle manifestazioni fisiche della razionalità e
dell'armonia interne. La classificazione scientifica fu basata sugli
ideali soggettivi dell'Illuminismo.

Sviluppandosi, il razzismo si sarebbe anche collegato con
l'evangelismo e il pietismo, che insieme costituirono la seconda

fondamentale corrente del secolo. In questo caso il bisogno di un'autentica e significativa esperienza di Dio trovò espressione in un cristianesimo caratterizzato dall'appello a darsi a Cristo, cui si aggiunse anche l'aspirazione a vivere una vita cristiana di amore per il prossimo come parte di un rinnovato senso di comunità. Mediante opuscoli a stampa e sermoni, fu creata un'atmosfera emotiva, molto diversa dall'Illuminismo razionalista degli intellettuali; dal nostro punto di vista ciò volle dire portare in primo piano gli istinti, l'intuizione e la vita sentimentale dell'« uomo interiore », ciò che alla fine avrebbe portato a formulare giudizi razziali a proposito dell'anima dell'uomo. Ma sempre al primo posto vi fu l'aspirazione alla coerenza, alla comunità e a un ideale, come reazione a un mondo che stava mutando.

In breve, il razzismo ebbe le sue fondamenta sia nell'Illuminismo sia nel risveglio religioso del XVIII secolo. Esso fu il prodotto del profondo interesse per un universo razionale, per la natura e per l'estetica, ma anche dell'esigenza di dare rilievo alla forza eterna del sentimento religioso e all'anima dell'uomo; esso d'altra parte rientrava nella tendenza a definire il posto dell'uomo nella natura e si accordava con la speranza in un mondo ordinato, sano e felice. Infine, il pensiero razzista fece un tutt'uno dell'aspetto esteriore dell'uomo con il suo posto nella natura e il corretto procedere del suo spirito. In tal modo il sentimento religioso fu integrato nel razzismo, come parte dell'« anima razziale ». Ciononostante in un primo tempo fu la concezione illuminista di Dio e dell'unità della natura umana a svolgere un ruolo predominante nella nascita del razzismo ed è per questo che dobbiamo intraprendere un'analisi più approfondita dell'Illuminismo prima di rivolgere la nostra attenzione ai contributi pietistici.

Malgrado tutta la sua avversione per il cristianesimo, l'Illuminismo non poté fare a meno di un Dio che ordinasse l'uomo, la moralità e l'universo in un unico grande disegno. Si disse che questo Dio è innato nell'uomo e nella natura, una deità che si rivela solo attraverso l'ordine della natura e il comportamento dell'uomo. La salute e la razionalità del mondo dovevano essere garantite da un essere superiore che si tenesse lontano dall'agitazione e dagli affanni della vita quotidiana. Tale deismo, come spesso è stato chiamato, incoraggiò la ricerca dell'unità tra l'uomo e la natura e anzi tra l'uomo e tutto ciò che ne determina l'esistenza. L'aspirazione a tale unità esisteva perché molti contemporanei pensavano che l'uomo corresse il rischio di essere atomizzato.

Secondo gli illuministi, comprendere l'universo di Dio significa anche vedere l'uomo come parte integrante della natura e un anello dell'ininterrotta « catena dell'essere ». Sin dai tempi antichi l'unità tra l'uomo, la natura e Dio è stata concepita come una gerarchia che, al pari di una catena, si estenderebbe dal cielo sino alla terra; questa sistemazione di tutte le creature del cielo e della terra, angeli, stelle, uomini, animali, presupponeva un ordine cosmico che passasse dalla creatura più alta a quella più bassa. Era un universo completo in cui all'uomo rimaneva solo scoprire e comprendere gli anelli della catena. Inoltre, come verso la metà del secolo affermò ripetutamente il famoso zoologo e botanico Georges Louis Leclerc de Buffon, in tale immagine era anche implicito che nella natura non esistono soluzioni di continuità. Perciò il compito dell'uomo è di capire il rapporto tra creature collegate ininterrottamente nell'ordine cosmico. Riecheggiando questo tema un poeta inglese scriveva proprio in quegli anni: « la mano paterna / di Dio, / dal mollusco boccheggiante sulla spiaggia / agli uomini, agli angeli, agli intelletti celesti, / per sempre guida le generazioni / verso più alti gradi dell'essere... » [2].

Il mito potente della « catena dell'essere » spiega perché gli scienziati si siano tanto preoccupati di trovare l'« anello mancante » della creazione che unisse l'uomo agli animali in un'ininterrotta catena della vita. E in realtà, durante il secolo XVIII, l'animale posto più in alto, che di solito si pensava fosse la scimmia, era collegato con il tipo di uomo posto più in basso, di solito ritenuto essere il nero. Così il concetto della catena fu conservato anche quando fu negata l'esistenza degli angeli e quando si pensò che Dio fosse innato nell'uomo e nella natura. La « catena dell'essere » ora cominciava e finiva sulla Terra, e Dio agiva non al suo vertice come durante il Medioevo, ma piuttosto all'interno di ciascun suo anello. I *philosophes* potevano sì avversare il cristianesimo, ma per la maggior parte di loro la provvidenza di Dio governava ancora, instaurando ordine e armonia.

È chiaro che la fede nell'unità cosmica portò anche a dare

rilievo all'unità interna all'uomo stesso: all'unità del corpo e della mente. Certo, secondo gli illuministi, tutto ciò sembrava significare a volte un'esaltazione della carne, dei piaceri mondani e della bellezza[3], ma nonostante ciò questa ricerca dell'unità portò anche alla convinzione che l'«uomo interiore» potesse essere decifrato attraverso il suo aspetto esteriore, una convinzione che doveva dimostrarsi fatale nell'incoraggiare il razzismo. Essa favorì il passaggio dalla scienza all'estetica, con le nuove scienze della fisiognomica e della frenologia.

Le inquietudini suscitate dalla ricerca dell'unità e dell'autorità avevano motivazioni anche più ampie. Il mondo dell'Illuminismo era un mondo senza illusioni, dove l'intelletto critico dell'uomo rifletteva le leggi presumibilmente chiare e razionali dell'universo. Il Dio personale che agiva per vie misteriose si era ritratto dietro le immutevoli leggi della ragione che l'uomo poteva scoprire e classificare. Alcuni *philosophes* identificarono la matematica col pensiero, mentre altri opposero alle menzogne della poesia le verità della scienza, e gli illuministi materialisti trasformarono in elogio l'osservazione scettica di Voltaire secondo la quale alcuni erano indotti a non riconoscere altro Dio che l'immensità delle cose[4]. Il risultato di questo modo di concepire l'universo fu la tendenza a considerare l'uomo stesso come un essere meccanico all'interno di un universo egualmente spersonalizzato. Non era questo l'intento dei *philosophes*, perché essi supponevano che dando rilievo all'intelletto critico avrebbero creato un dialogo tra gli uomini[5]; ma il loro mondo appariva troppo spoglio e alienante, un mondo in cui l'uomo era lasciato dipendere solo da se stesso nell'ambito di un preordinato sistema di leggi razionali.

Agli antichi miti di demoni personali e di un Dio che parlava agli uomini per mezzo di un cespuglio ardente furono contrapposte astratte leggi cosmiche; il deismo sembrò ridurre l'universo di Dio a una calcolabile formula matematica. Questa concezione dell'uomo e dell'universo poteva non soddisfare molti uomini e donne in un'epoca di rapido cambiamento. La rivoluzione francese aveva scosso la struttura politica dell'Europa, proprio quando mutamenti sociali ed economici stavano minacciando tradizioni consacrate. Lo stesso fluire del tempo sembrò assumere una cadenza più celere grazie al miglioramento delle comunicazioni e al più veloce ritmo della vita in un mondo in via di industria-

lizzazione. Verso il 1790 Goethe osservava che gli uomini si
affannavano quasi sovrappensiero e si rammaricava che non vi
fosse più il tempo per la meditazione[6]. In effetti alla concezione
teorica del mondo propria dell'Illuminismo si affiancavano mutamenti pragmatici che sembravano trascinare l'uomo alla deriva;
la stessa politica andò assumendo un carattere anche più astratto
quando in alcune parti dell'Europa il governo non fu più im-
personificato da un re o da un principe, ma se ne cercò la legit-
timità nel concetto di « nazione » o di « popolo » o, in Francia
durante il Terrore, nella « Dea Ragione » o nell'« Essere Supremo ». La conseguenza fu che molta gente sentì ansietà e
solitudine non placabili da un mondo sempre più impersonale,
e aspirò ad aggrapparsi alla sicura àncora delle vecchie tradizioni, di una fede personale e di un universo che le parlasse
attraverso i suoi miti e i suoi simboli.

I miti narrano gli svariati modi attraverso i quali il sacro
penetra nel mondo, sono soprannaturali storie sacre che inter-
vengono per offrire modelli ai riti umani e anzi a tutta l'attività
umana[7]. Questi modelli tuttavia non rimangono astratti, ma sono
concretizzati in simboli, siano essi riti commemorativi rievocanti
una storia sacra, oppure pitture o edifici che rappresentano un
passato sacro e lo proiettano in modo tangibile nel presente.
La natura stessa può divenire simbolo delle storie sacre di cui
è testimone, per esempio con la montagna sacra e il torrente
sacro. Il mito e il simbolo creano un mondo senziente e vivente,
non astratto, ma oggettivato mediante un rituale che la gente
può svolgere o grazie ad oggetti familiari che essa può vedere
e toccare.

I miti e i simboli che rendevano concrete le idee astratte di
Dio e dell'uomo dovevano la loro vitalità non all'Illuminismo,
ma al mondo del rituale e delle emozioni caratteristico del pietismo e dell'evangelismo. Anche questa seconda importante corrente del secolo anelava all'unità dell'uomo e dell'universo, ma
lo faceva sottolineando la fondamentale importanza delle emozioni umane anziché della ragione. Queste emozioni erano suscitate dalla pietà cristiana ed erano espresse in forma concreta col
canto comune, la preghiera e la vita in una comunità di persone
di eguale sentire. Un cristianesimo di questo tipo si confaceva
particolarmente alle divise regioni di lingua tedesca, dove l'Illuminismo era diventato sinonimo di dominazione francese. At-

traverso il concetto di comunità e l'anelito all'unità, il pietismo cominciò a prendere interesse per la patria. Nel 1774, per esempio, l'eminente pietista Justus Möser esclamava: « Chi non ama la patria visibile, come può amare la Gerusalemme celeste che egli non può vedere? » [8]. L'impulso, di tipo profondamente emotivo, del pietismo suscitò il bisogno di simboli tangibili che potessero placare lo spirito inquieto. In tal modo, la patria interiore di Cristo fu proiettata all'esterno nella comunità nazionale.

Ai pietisti non bastò proclamare che la patria si trova dentro l'uomo: essi ebbero bisogno dei miti e dei simboli per personalizzarla e così darle realtà. Verso la fine del XVIII secolo apparvero in quasi tutta Europa simboli come la bandiera, la sacra fiamma e l'inno nazionale, rappresentanti le nuove nazioni. Questi simboli nazionali furono accompagnati dall'impulso a dare una personalità al mondo nel quadro di un universo visto con occhi romantici e perciò opposto all'arida costruzione sistematica propria dell'Illuminismo. Si pensò che la natura simboleggiasse i sentimenti dell'uomo: si ricorse a piante ed animali per rappresentare varie leggende e miti. Fu così creato un mondo fondato sul mito e sul simbolo nell'ambito del quale si sarebbe in seguito sviluppato il pensiero razzista.

L'astratto fu reso concreto istituendo una corrispondenza tra il « regno interiore » dell'anima e il « regno esteriore » del mondo tangibile. Qui Illuminismo e pietismo si intrecciarono; furono accolti insieme i risultati delle nuove scienze e l'ideale della bellezza classica, gli uni e l'altro ritenuti simboli di un animo rettamente operante, radicato non nell'intelligenza razionale, ma nel mondo emotivo del cristianesimo e del patriottismo.

Il mondo fondato sul mito e sul simbolo fu strettamente posto in rapporto con la natura e la storia, e si ritenne che entrambe racchiudessero forze permanenti non mutabili per opera dell'uomo. La natura fu considerata opera diretta di Dio; essa si muoverebbe in cicli regolari corrispondenti alle stagioni e avrebbe un proprio ordine, essendo integrata nel grande disegno dell'universo divino. Dio dirigerebbe la natura dal vertice della « catena dell'essere » e la sua presenza sarebbe innata in tutte le sue manifestazioni. Ma la natura stessa fu interpretata in chiave romantica ed emotiva, essendo considerata simbolo di saldezza e vitalità ed essendole attribuito il compito di disciplinare le passioni umane senza abolirle. Così la natura fu presa

a simbolo dei più genuini sentimenti dell'uomo, ed essa divenne
perciò una forza « genuina », i cui ritmi servirebbero a unificare
tutto ciò che vive in essa. Ne conseguì una glorificazione del
contadino e una crescente diffidenza verso la vita della città.
L'idea che vi dovesse essere una corrispondenza tra i sentimenti
dell'uomo e la natura fu alla base di quasi tutta la letteratura
pietistica e romantica.

La storia fu considerata come indipendente dalla volontà
umana e parte invece di un disegno divino; anzi sarebbe essa a
fissare il corso dell'uomo e della natura: sarebbe così un'altra
forza organica, l'oggettivazione del destino attraverso il tempo.
Come si espresse all'inizio del XIX secolo il poeta romantico
Novalis: « niente perisce di ciò che la storia ha santificato » [9].
In questo modo natura e storia finivano per essere la realizzazione concreta delle eterne e genuine potenzialità dell'universo
(della dimensione storica in sé parleremo in un prossimo capitolo
perché nel secolo XVIII sia l'Illuminismo che il movimento del
risveglio religioso, nella loro ricerca della verità, misero in risalto
la natura anziché la storia). Essere « genuini » significò essere
vicini alla natura e in opposizione con la modernità disorganiz-
zata che si era distaccata dall'organico disegno divino del mondo.
Anche qui Illuminismo e pietismo concordavano fra loro perché
entrambi esaltavano il primitivo in quanto genuino: ai *philosophes*
della prima metà del Settecento il primitivo appariva puro, non
ancora contaminato dal cristianesimo e dalla superstizione; secondo i pietisti, il primitivo viveva all'unisono con la natura.

Il paradiso laicizzato prospettato dall'*Emilio* di Rousseau e
dal romanzo *Robinson Crusoe* di Defoe affascinò uomini ai quali
erano già familiari le Arcadie dei tempi più antichi, e in questo
contesto il primitivismo assumeva un sapore di « innocenza »,
grazie alla quale l'uomo era ritenuto « virtuoso, sensibile e morale » [10]. Il « nobile selvaggio » dei racconti di viaggio serviva
anche per criticare la società contemporanea, perché egli viveva
eguale tra eguali e in una società dove tutti avevano da nutrirsi.
Talvolta fu portato in Francia un « indigeno », perché esprimesse
le critiche di un figlio della natura posto a giudice della civiltà
europea e ciò in un'occasione implicò anche una condanna del-
l'ineguaglianza e della povertà esistenti a Parigi e un cenno di
biasimo per la presenza dei cortigiani. L'innocenza primitiva

esprimeva, a proposito della società contemporanea, quella verità che altri non osavano formulare [11].

La maggior parte delle notizie sui popoli primitivi era ricavata dai libri di viaggi e dalle numerose escursioni in terre sconosciute molto in voga durante il secolo XVII. La prima delle famose relazioni di Hakluyt, Purchas, Hulsius e de Bry apparve tra il 1590 e il 1610. Nel XVII secolo si tese a far passare questo genere di letteratura come continuazione della storia biblica, ciò che ovattò l'incontro tra l'Europa e il mondo extraeuropeo facendolo rientrare nell'ambito del dramma della salvezza. Gli indigeni furono visti come i simboli viventi del racconto della creazione della Genesi o identificati con le famose tribù perdute di Israele. Tuttavia, con la prosecuzione, durante il secolo XVIII, di questo tipo di letteratura, le analogie sacre svolsero un ruolo minore e l'incontro con i pagani divenne più immediato e traumatizzante [12].

Ben presto l'idealizzazione del primitivo cedette il passo a una più accentuata ostilità. I racconti di viaggio costituirono ancora un importante complesso di materiali documentari che permetteva agli antropologi di procedere con le loro classificazioni. Il fascino esercitato dal nobile selvaggio su uomini come Swift, Pope o Rousseau, i quali piegavano gli elementi esotici dei racconti dei viaggiatori ai loro propositi critici, non era destinato a durare. Presto il concetto della superiorità e del predominio intellettuale dell'Europa ebbe il sopravvento e la seducente innocenza fu considerata atavismo, un regresso cioè dell'uomo moderno all'uomo non ancora toccato dalla civiltà. L'immagine del primitivo come lo stadio più basso della catena dell'essere fu contrapposta al progresso raggiunto dalle creature superiori.

Nel secolo XVIII il primitivismo fu attribuito agli individui di quei remoti paesi con i quali l'Europa stava per la prima volta entrando in contatto. Il contadino, il pastore europeo e tutti coloro che in patria vivevano vicino alla natura erano considerati esempi di schiettezza e di superiorità da situare a un livello più alto della catena; ma gli indigeni fuori dell'Europa che vivevano vicino alla natura furono presto bollati come barbari. Specialmente nella seconda metà del secolo XVIII, la mentalità primitiva venne considerata il contrario della ragione. Bernard

Fontenelle, per esempio, credeva che l'intelletto primitivo fosse affetto da atavismo e infantilismo e paragonabile solo a quello di ottusi contadini o di bambini bugiardi. John Locke considerava l'intelletto primitivo capace di afferrare solo nozioni semplici e concrete [13], affermazione importante perché da allora si convenne in genere che l'intelletto umano, progredendo da uno stadio più basso a uno superiore, passerebbe dal concreto all'astratto. Si pensò che l'intelletto primitivo si fosse bloccato a un'iniziale fase di sviluppo e gli indigeni ora furono giudicati non tanto dei nobili selvaggi quanto dei bambini da educare e governare.

L'immagine del nero incapace, pigro e indisciplinato si impose nel XVIII secolo un po' ovunque e fu un'immagine destinata a durare; in futuro il nero, da fanciullo delizioso, ma indisciplinato, si sarebbe trasformato in un bambino pericoloso, anarchico o nel sanculotto della rivoluzione francese.

Ben presto però questo concetto del primitivismo entrò in urto con l'ideale illuministico di moderazione e di ordine. I *philosophes* avevano sfidato la tradizione e creduto appassionatamente nell'intelletto critico, ma avevano anche sentito bisogno di autorità, tanto maggiore forse perché avevano sfidato vecchie verità. Una di queste autorità erano le leggi della natura, l'altra i classici: ambedue simboleggiavano la legge e l'ordine. Repressione delle passioni, moderazione e serenità furono i messaggi diffusi dal risveglio classico verificatosi nel secolo XVIII.

L'ideale classico della bellezza accoglieva tutti questi elementi e insieme ad essi l'aspirazione all'unità. A sua volta tale bellezza corrispondeva all'ordine della natura regolato da leggi naturali. I giardini e i parchi settecenteschi costringevano la natura a uniformarsi a questo concetto e l'esempio della scultura greca applicava questi ideali all'uomo stesso. Armonia e proporzione (l'ideale greco) dovevano pervadere l'intera figura umana e non potevano essere relegate a una sua sola parte. La *Storia dell'arte antica* di J. J. Winckelmann, opera che ebbe un'enorme influenza, definiva la bellezza nobile semplicità e serena grandiosità. « Come la profondità dell'oceano rimane sempre calma per quanto agitata possa essere la superficie, così l'espressione delle raffigurazioni greche rivela un animo grande e composto in mezzo alle passioni » [14]. Secondo Winckelmann e altri scrittori a lui successivi un simile stato d'animo era esemplificato dalla statua di Laocoonte strangolato da due serpenti e pur tuttavia sereno in volto nonostante così atroci sofferenze.

Bellezza voleva dire ordine e serenità e rispecchiava perciò un mondo immutabile e genuino di salute e felicità sottostante al caos dei tempi. La bellezza greca offrì l'ideale-tipo, che stabiliva i criteri estetici cui l'uomo doveva riferirsi. La bellezza simboleggiava un mondo incorrotto, metteva gli uomini in contatto con Dio e la natura. Non si trattava più del primitivismo del nobile selvaggio, ma piuttosto di un concetto di bellezza offerto al mondo da un popolo estremamente raffinato e che derivava da concetti astratti quali l'unità e la grandiosità.

L'ideale della bellezza colmò il vuoto creatosi tra il razionalismo e l'organizzazione sistematica che si voleva imporre alla nuova era e l'impulso emotivo, spirituale che si rivolgeva ai simboli per sconfiggere il senso di atomizzazione e confusione dell'uomo. La bellezza classica simboleggiava la perfetta forma umana entro cui un'anima ben equilibrata avrebbe dovuto trovare la sua sede. Anche secondo i *philosophes* queste leggi classiche della bellezza erano leggi naturali allo stesso titolo di quelle che governavano la natura e la moralità. Ciò spiega perché anche gli studiosi di scienze naturali di quel tempo abbiano elogiato la moderazione e perché alcuni abbiano classificato l'uomo non secondo princìpi scientifici ma secondo criteri estetici. Bellezza e bruttezza divennero princìpi di classificazione umana alla stessa stregua di criteri concreti quali la misurazione, il clima e l'ambiente. Christian Meiners nel suo influente *Compendio della storia dell'umanità* (*Grundriss der Geschichte der Menschheit*, 1785) dopo aver classificato l'umanità secondo il colore della pelle e i fattori geografici, aggiungeva: «Una delle caratteristiche principali delle tribù e dei popoli è la bellezza o la bruttezza dell'intero corpo o della faccia» [15]. Tuttavia queste caratteristiche non erano considerate qualità connaturate all'anima razziale, ma conseguenza del clima sotto il quale tali tribù vivevano. Nel 1784 uno dei fondatori della moderna antropologia, Johann Friedrich Blumenbach, elogiava il volto simmetrico e bello, ma affermava che i volti delle nazioni erano determinati dal clima in cui ciascuna di esse vive, per cui più moderato è il clima, più bello è il volto [16]: bizzarra anche se premonitrice applicazione dell'ideale della moderazione.

Nell'ambito della concezione incentrata sull'ambiente, ebbero un primo posto i valori estetici, che, pur non essendo ancora considerati innati e immutabili, già svolgevano un loro ruolo nella formulazione di un ideale-tipo al quale avrebbe dovuto conformarsi la classificazione razziale. Tale ideale-tipo implicava anche alcuni modi di comportamento che ancora una volta insistevano sulla moderazione. Meiners, per esempio, se la prendeva con l'ingordigia, la spudoratezza e la lussuria, vizi che pensava si accompagnassero con l'irritabilità, l'egoismo e la mancanza di pietà; ed è sotto questa luce che egli vedeva la razza « mongola », mentre i superiori « caucasici » erano considerati coraggiosi, amanti della libertà, compassionevoli e moderati [17]. Non sorprende che questo atteggiamento verso la moderazione fosse condiviso anche da altri; in questo campo, ancora una volta, l'Illuminismo e i movimenti religiosi popolari del secolo procedevano uniti.

Le nuove preoccupazioni morali erano in gran parte frutto del movimento evangelico e di quello pietista, ma anche dell'impressione suscitata in tutta Europa dalla rivoluzione francese, considerata in realtà da alcuni come una punizione per la vita dissoluta della nobiltà. Su questo punto il rilievo dato a una moralità basata sulla moderazione e l'austerità corrispondeva chiaramente all'ideale illuminista della bellezza e dell'ordine.

Già in epoche precedenti i non europei erano stati giudicati brutti e il negro era stato considerato talvolta un uomo-bestia [18]; non c'era però mai stato un criterio unico di giudizio nei riguardi dei popoli inferiori né era mai stato definito un ideale comune cui la razza superiore dovesse conformarsi. Dal secolo XVIII in poi, per un secolo e mezzo, l'ideale-tipo e il suo contrario non sarebbero molto cambiati né avrebbe avuto molta importanza stabilire se la razza inferiore fosse la nera o l'ebraica: era l'ideale-tipo simboleggiato dalla bellezza classica e da una morale rispettabile a stabilire gli atteggiamenti verso tutti gli uomini.

Le fondamenta del razzismo furono rafforzate da due fattori supplementari: il più frequente contatto tra bianchi e neri e la diffusione in Europa degli ebrei come minoranza recentemente emancipata. Grazie ai viaggi erano aumentate le conoscenze sull'Africa e le Indie Occidentali, e inoltre un certo numero di neri aveva per un certo tempo vissuto in Inghilterra. Gli ebrei, naturalmente, avevano sempre vissuto in Europa, ma sino al secolo XVI essi erano stati radunati nei ghetti e separati dal resto della popolazione. In effetti la « nazione » ebraica (come di solito e in modo rivelatore era chiamata), con i suoi costumi, abiti, religione e lingua diversi, costituiva l'unico consistente gruppo di popolazione straniera nell'Europa cristiana. Ma verso l'inizio del secolo XIX, grazie all'Illuminismo e alla rivoluzione francese, caddero le mura di numerosi ghetti e gli ebrei entrarono nella vita europea proprio quando i contatti con i neri si stavano facendo più frequenti.

Ciò che contò fu la crescente frequenza di contatti con altri popoli, perché sino a che gli stranieri furono rari in Europa e i loro luoghi di dimora pochissimo conosciuti, essi furono considerati con benevola curiosità. Fu così che al cinese si attribuì un po' il carattere del saggio, un'immagine resa popolare dai gesuiti. I cinesi in Europa costituivano una novità ed erano oggetto di grande rispetto ovunque andassero, e per di più, verso la metà del secolo, erano stati favoriti dalla moda per tutto ciò che era cinese, dai giardini cinesi alla porcellana cinese e persino ai finti villaggi cinesi. Sembrava che il cinese completasse e ampliasse l'illusorio mondo del rococò e del barocco. Per un certo periodo di tempo anche il « nobile selvaggio » aveva svolto questa funzione, ma la maggiore familiarità e i più frequenti contatti con lui produssero disprezzo e paura nei riguardi degli onnipresenti neri ed ebrei. Alla fine anche i cinesi rientrarono nella visione razzista. Fu il conte Joseph-Auguste de Gobineau, uno dei più famosi teorici della razza della metà dell'Ottocento, a dare il tono alle opinioni ostili verso le razze gialle, ma a quel tempo i contatti tra l'Europa e l'Oriente erano già in atto da lunga data [19]. Non è vero perciò che i pregiudizi sull'inferiorità della razza nera avrebbero potuto prender piede anche senza il verificarsi di contatti diretti con i neri o che i sentimenti antiebraici avrebbero potuto persistere anche là dove gli ebrei non erano conosciuti. In realtà è vero il contrario. La gente aveva bisogno di vedere con i suoi occhi lo spaventoso straniero, ritenuto tanto differente da lei stessa.

Vi era per esempio un nesso diretto tra come gli inglesi giudicavano i neri in patria e come li giudicavano fuori di essa, nell'Impero [20]. Il numero dei neri presenti a Londra aumentò durante il XVIII secolo e il timore, diffuso in Inghilterra, per i matrimoni misti e le violenze rifletteva l'immagine che ci si era fatta dei neri in Africa e nelle Indie Occidentali. Essi erano giudicati non tanto degli individui esotici, quanto degli oggetti

da educare e disciplinare. Si tentò di inculcare loro una moralità adeguata e di infondere loro il vangelo del lavoro. Se a volte
gli inglesi in patria riducevano il nero al livello di una bestia
ignorante e ne tenevano persino alcuni come schiavi [21], il concetto dello schiavo come proprietà, già diffuso in Africa e nelle
Indie Occidentali, si era andato via via modificando grazie agli
sforzi fatti per convertirli al cristianesimo. Ciononostante vi
furono chiari segni di una cristallizzazione dei sentimenti razzisti
e il timore che il sangue inglese si potesse corrompere con
matrimoni misti si andò sempre più diffondendo.

Analoghe concezioni sui negri prevalsero tra gli antropologi,
buoni conoscitori della narrativa di viaggio. Per esempio Blumenbach, scrivendo dalla Germania, accusava i negri di estremismo, mancanza di cultura e di senso della misura, ma era
ancora convinto che il negro, come chiunque altro, fosse stato
creato a immagine di Dio e non dovesse perciò essere trattato
con brutalità [22]. Questi sentimenti di pietà erano condivisi dai
missionari cristiani. L'atteggiamento razzista verso il nero non
era ancora chiaramente definito, pur tuttavia, ogni qualvolta si
procedeva alla classificazione degli uomini, esso era sistematica-
mente posto a un livello inferiore.

Durante quasi tutto il secolo XVIII gli ebrei o furono ignorati dagli antropologi o considerati appartenenti alla razza cau-
casica e ancora suscettibili di assimilazione nella vita europea.
Persino un fautore della loro emancipazione come Wilhelm
Christian Dohm pensava che gli ebrei fossero di origine asiatica.
Ma nel 1781 Dohm dichiarava che gli ebrei erano suscettibili di
educazione e che perciò avrebbero dovuto essere assimilati [23].
A favore degli ebrei erano applicate, al contrario che per i neri,
le idee di cosmopolitismo, eguaglianza e tolleranza, perché, in
fondo, gli ebrei erano dei bianchi. È tipico per quei tempi il
fatto che Johann Kaspar Lavater, classificando verso la fine del
secolo XVIII le facce umane, attribuiva agli ebrei nasi aquilini
e menti appuntiti, ma ammetteva che anche così non sapeva
come classificarli esattamente, e alla fine vi rinunciò [24]. In realtà
fu solo con la seconda metà dell'Ottocento che si cominciò ad
applicare anche agli ebrei, con una certa sistematicità, i princìpi
razzisti.

Nessuno invece sembrava nutrire simili incertezze sul conto dei
neri. Questi, a differenza degli ebrei, occupavano una prestabi-

lita posizione di inferiorità nella grande « catena dell'essere » e ormai non erano più considerati dei nobili selvaggi « carichi di virtù »[25], ma sempre più frequentemente si prospettò l'idea che fossero strettamente legati al regno animale; non si attribuì a semplice coincidenza il fatto che il gorilla avesse la sua dimora in Africa, fianco a fianco con il nero. I viaggiatori resero popolare l'idea che vi dovesse essere uno stretto rapporto tra le scimmie e i neri, e gli antropologi l'accolsero con favore, specialmente dopo che cominciarono a imporsi criteri estetici. Peter Camper, scrivendo nel 1792, non fu l'unico antropologo a confrontare i crani delle scimmie con quelli dei negri. Ma qui si intromise anche la « grande catena dell'essere »: era forse il nero l'« anello mancante » tra l'animale e l'uomo? Era necessario completare la catena: se vi era un vuoto, per riempirlo si dovevano fare avanzare di un gradino le creature inferiori e perciò, ad esempio, le scimmie sarebbero potute diventare il tipo più basso di uomo e costituire così l'« anello mancante »; « gli ordini inferiori salgono l'uno di seguito all'altro per riempire il vuoto innanzi a loro »[26].

L'antropologo inglese Edward Tyson aveva supposto nel 1699 che questo anello fosse costituito dai pigmei e aveva criticato gli antichi per aver considerato i pigmei degli esseri umani, mentre in realtà essi sarebbero più simili agli animali. È significativo che Tyson, medico e membro della Royal Society, ponesse a fondamento del suo ragionamento la mitologia classica[27]. Il concetto dell'uomo-bestia non era mai scomparso dall'Europa, dove era diffusa la credenza che le scimmie fossero effettivamente non un genere totalmente differente, ma una specie inferiore di uomo, che si rifiutava di parlare per non essere ridotta in schiavitù[28]. Secondo Tyson i pigmei erano delle scimmie perché avevano i nasi schiacciati e una statura piccola, e quest'ultima osservazione fu ripetuta anche da altri come prova della natura animalesca di questo tipo di neri anche quando studiosi come Camper e Buffon tentarono di dimostrare che le scimmie erano una specie diversa dall'uomo. Malgrado però le differenze fondamentali tra l'uomo e la scimmia, Camper era ancora convinto che il negro fosse più vicino alle scimmie del resto della razza umana[29], e citava a sua giustificazione le sembianze del negro e le misure del suo cranio; tuttavia in lui, come in Tyson, avevano in realtà il sopravvento i criteri estetici. La maggioranza

degli antropologi identificava la piccola statura con l'inferiorità
razziale: « l'alta statura è una caratteristica della nobiltà cauca-
sica », scriveva Christian Meiners [30]. Anche la forma del naso
era un elemento determinante per il nero, il cui naso schiac-
ciato era portato, ancora una volta, a riprova della sua affinità
con il regno animale, mentre il così detto naso adunco degli
ebrei divenne anch'esso un segno esteriore della loro mancanza
di grazia interiore.

La ricostruzione della « catena dell'essere » divenne un esercizio cui si applicarono molti antropologi del Settecento. Così
Meiners fissò una scala gerarchica che partendo dalle creature
più basse, attraverso le scimmie e il leggendario « nero della
foresta », giungeva agli « ottentotti », ai « negri della boscaglia »
e agli aborigeni, e poi ancora alle razze gialle e agli slavi e si
concludeva infine con la razza bianca, signora del mondo. Il fatto
che egli credesse nell'inevitabile declino della razza superiore
attraverso incroci razziali lo rende in realtà un precursore di
Gobineau [31]. Sempre la bellezza esteriore delle forme fu addotta
come uno dei criteri più importanti per classificare le specie
nell'ambito della gerarchia dell'universo.

Come dimostrano questi esempi, è caratteristico che in tali
classificazioni si mescolassero concetti diversi: l'ordine naturale,
la mitologia antica, i racconti dei viaggiatori e i pregiudizi estetici.
Contemporaneamente, il cosmopolitismo proprio dell'Illuminismo
e la sua inclinazione verso teorie che ritenevano il comportamento umano influenzato dall'ambiente, tendevano a neutralizzare pregiudizi idealistici e romantici. L'uomo è parte della natura,
alle cui leggi devono farsi risalire le differenze che si osservano
tra i gruppi umani. Se, come asseriva Locke, tutte le idee sono
acquisite e non ereditate, le differenze razziali sono mutazioni
casuali. Poiché la natura, l'uomo e anzi il mondo intero sono
fatti secondo l'immagine di Dio e sono ricchi di possibilità
diverse, il negro non poteva essere condannato o ritenuto inferiore. Blumenbach non fu l'unico antropologo dei tempi passati
a sostenere questa opinione, perché anche Lamarck e Buffon la
avallarono con la loro autorità.

Malgrado l'ambivalenza di questi scienziati e a causa di
spinte egualmente forti verso giudizi soggettivi di superiorità e
inferiorità permanenti, per un certo tempo scienza e presupposti
estetici convissero affiancati. Al mondo dei tipi ideali, del mito

e del simbolo, fu conferito un proprio dinamismo mediante concetti diametralmente opposti all'Illuminismo: pietismo, evangelismo e pre-romanticismo. Il legame tra l'Illuminismo e questa visione del mondo fu creato da quegli antropologi che nelle loro classificazioni sarebbero passati dalla scienza all'arte.

II

DALLA SCIENZA ALL'ARTE:
LA NASCITA DEGLI STEREOTIPI

L'antropologia ha avuto origine dalla curiosità per paesi remoti e per i loro abitanti ed essa a sua volta ha suscitato domande sulle origini dell'uomo, sui primordi della cultura, del linguaggio e della religione umane. La classificazione delle varie razze costituenti l'umanità fu in un primo tempo una delle principali preoccupazioni degli antropologi e un mezzo per prendere conoscenza delle sorprendenti varietà della specie umana recentemente scoperte. Sino a oggi per antropologia s'intende, nella maggior parte delle nazioni — oltre che lo studio dei costumi e dei comportamenti — la classificazione delle razze e dei popoli[1]. Al centro dei dibattiti sulla classificazione vi era il quesito se l'ambiente potesse in una certa misura influenzare il formarsi e lo svilupparsi di una razza, o se la maggior parte delle caratteristiche di questa fossero ereditarie. Si tratta di problemi di vitale importanza, perché sono questi fattori a determinare quanto profondo e ampio sia il divario che separa le differenti razze: se esso sia connaturato e perciò permanente, o dovuto all'ambiente e perciò soggetto a mutamento.

In passato i popoli esotici erano stati considerati come un elemento del sacro dramma biblico, ma col XVIII secolo si mise da parte la supposta ascendenza biblica del selvaggio, che fu invece fatto oggetto di ricerca profana. Ciononostante l'insistenza sul metodo descrittivo non offuscato da pregiudizi biblici come base per la classificazione si accompagnò con l'utilizzazione di modelli che si discostavano dai princìpi che devono regolare l'osservazione empirica. Malgrado il progressivo imporsi di una coscienza storica laica, furono formulati giudizi non scientifici circa l'evoluzione storica di una razza e come abbiamo visto il problema del primitivismo fu largamente dibattuto facendo ricorso a spiegazioni di carattere razziale. Ma il modello più infausto cui durante il secolo XVIII ci si rifece ai fini di una classificazione razziale era costruito sulla base di preferenze estetiche che non potevano non essere estremamente soggettive. Il tono era dato dalla recente rivalutazione della bellezza classica, dalla quale derivò uno stereotipo che da quel momento in poi non si sarebbe più disgiunto dal razzismo.

Continuarono però, in opposizione ai princìpi estetici di classificazione, ad essere sottolineati e invocati fattori materiali e ambientali. Jean-Baptiste-Antoine de Lamarck (1744-1829) divenne il più autorevole fautore di questa teoria e « lamarckismo » è tuttora il termine usato per designare la concezione secondo la quale l'ambiente determinerebbe il carattere e la mutazione di ciascuna specie. Lamarck, nella sua *Filosofia zoologica* (*Philosophie zoologique*, 1809), sosteneva che qualunque specie può conservare la sua continuità di forma per tutto il tempo in cui l'ambiente è costante e che finché prevale tale stabilità essa acquista caratteristiche che possono essere trasmesse ereditariamente. Così, se la giraffa ha il collo allungato perché altrimenti non potrebbe raggiungere il cibo, anche i suoi discendenti devono avere il collo allungato; questa situazione cambierebbe col mutare dell'ambiente, per esempio, se il suo cibo, invece di crescere sugli alberi, cominciasse a crescere per terra[2]. Nessuna razza è perciò destinata a conservare in eterno le sue caratteristiche attuali.

Lamarck fu anche uno dei più intransigenti materialisti del suo tempo, convinto che i corpi viventi avessero, sì, un'anima, ma che questa fosse costituita da elettricità, calore e fluido nervoso. Egli sosteneva che « in tutti gli atti dell'intelligenza il fluido nervoso è l'unico fattore attivo »[3] e inoltre che l'intelligenza, come il corpo, si sviluppa con l'esercizio. Le razze sarebbero, a suo parere, mutazioni casuali, determinate da fattori materiali, per cui nell'ambito del suo schema di classificazione non c'è traccia di presunte superiorità innate. Pigrizia, negligenza, mancanza di successo non sono delle qualità razziali (benché altri attribuissero queste precise caratteristiche al negro), ma piuttosto la conseguenza dell'abitudine acquisita sin dalla prima infanzia a sottomettersi a una autorità.

I temi della libertà, dell'eguaglianza e della possibilità di mutamento ricorrono in tutta l'opera di Lamarck. L'uomo può comprendere se stesso e l'universo, perché è capace di avere idee chiare e distinte, in perfetta consonanza — concetto questo tipicamente illuminista — con le leggi della creazione divina. Nel concetto della razza di Lamarck non vi era nulla di « interiore », spirituale o mistico: esso si collocava nell'ambito dell'Illuminismo ed era basato sulla ragione e sul pensiero critico che tentava di respingere giudizi preconcetti. Strano a dirsi, attraverso questo tentativo Lamarck giunse a un informe materialismo e a una discutibile teoria dell'ereditarietà. Alcuni famosi contemporanei di Lamarck non ne accettarono il materialismo, ma cominciarono invece a introdurre nel loro sistema di classificazione razziale alcuni elementi spirituali. Il futuro sarebbe stato appannaggio della loro scienza soggettiva, del loro modo di riflettere, in una definizione pseudo-scientifica della razza, pregiudizi e speranze del momento.

Anche Georges-Louis Leclerc de Buffon (1707-1788) formulò nella sua famosa *Storia naturale dell'uomo* (*Histoire naturelle de l'homme*, 1778) teorie ambientali, ma queste, come il suo materialismo, erano sfumate, mentre si cominciavano ad avvertire, anche se non ancora in modo predominante, influenze estetiche. Egli era convinto che la razza sia determinata dal clima, dal cibo, dalle usanze e dai costumi; la pelle del negro è scura a causa del calore del clima tropicale e cambierebbe se il clima divenisse più freddo. Ma a differenza di Lamarck, Buffon si sentì costretto a uscire, anche se in modo ambiguo, dai limiti di una discussione sulle sole forze materiali e scrisse che « la nostra esistenza è un'organizzazione di materia e spirito » [4]. Da una parte egli sosteneva che l'apparenza fisica rispecchia il carattere, per cui, per esempio, i negri del Senegal essendo ben proporzionati sono anche una popolazione buona e dotata d'ingegno; dall'altra parte però questi suoi giudizi erano sempre basati su un vago ambientalismo, poiché anche lui, come Lamarck, stabiliva uno strettissimo nesso tra il regno dello spirito e l'azione dei nervi. Pur essendo interessato a concetti di bellezza e di aspetto fisico, Buffon riteneva che le razze non fossero altro che mutazioni casuali.

Buffon e Lamarck rappresentano una corrente dell'Illuminismo che prevalse nella seconda metà del Settecento; in alcuni dei pensatori che ne fecero parte non solo troviamo un più accentuato materialismo, ma anche una radicata fiducia nell'osservazione e nella sperimentazione. Oltre che da questa tendenza, questi scienziati furono influenzati sempre più da un modo più emotivo e spirituale di considerare il mondo. L'emotività che caratterizzava il risveglio pietistico ed evangelico a poco a poco soppiantò in gran parte della società le idee illuministe, non necessariamente sotto forma di un ritorno alla fede religiosa, ma come bisogno di afferrare l'aspetto sentimentale e spirituale della natura umana. All'inizio del secolo XIX, un'« epoca di tempesta e assalto » (*Sturm und Drang*, come l'hanno chiamata i tedeschi), il saldo attaccamento illuministico alla ragione andava incrinandosi e Buffon, affiancando elementi spirituali al materialismo scientifico, mostra di avvertire il vento del cambiamento.

Anche il naturalista svedese Carl von Linné (1707-1778) abbinò l'osservazione e la descrizione a giudizi soggettivi; come uno tra i più influenti pionieri della classificazione razziale egli riflette quella tendenza al soggettivismo che, nel procedere alla classificazione delle razze, avrebbe costituito l'orientamento del futuro. Linneo giudicava la razza bianca ricca d'inventiva e piena di ingenuità, ordinata e retta da leggi; essa era a suo parere la razza superiore perché rispecchiava i valori della classe media. All'opposto ai negri erano attribuite tutte quelle qualità negative che facevano di essi un preciso punto di riferimento per mettere in risalto la razza superiore: erano considerati pigri, infidi e incapaci di autogoverno, erano degli incoscienti *sans-culottes*, e tali sarebbero rimasti nel pensiero razzista, in contrasto con l'immagine degli europei, ordinati, onesti e industriosi [5].

Queste opinioni razziali sostituirono i valori tipici della morale della classe media alle teorie dell'ambiente e così le valutazioni sociali presero il posto di quelle scientifiche. L'importanza estetica di una appropriata apparenza esteriore aveva riassunto in sé i valori della legge e dell'ordine che Linneo stimava; egli però manteneva intatti i fattori ambientali e non attribuiva alcuna causa ereditaria alle mutazioni umane. Tra la teoria fondata sull'ambiente e simili criteri soggettivi di classificazione razziale esistevano evidenti contraddizioni, forse causate dal suo profondo convincimento dell'origine comune di tutte le razze, convincimento che lo portava a non credere all'esistenza di un

eccessivo divario tra esse. Linneo concepiva le razze come semplici mutazioni casuali e perciò nel suo pensiero il materialismo
conviveva con presupposti sociali ed estetici [6].

Anche Johann Friedrich Blumenbach (1752-1840), che è ritenuto uno dei fondatori dell'antropologia moderna, credeva nel-
l'unità della razza umana e dava inoltre importanza, per spiegare
la diversità di colore e di forma, a fattori ambientali quali il
clima. Sembra che egli negasse l'importanza decisiva delle caratteristiche razziali: per esempio, non fu in grado di trovare nei
neri una sola caratteristica somatica distintiva che non potesse
essere rilevata anche in molte altre razze. Nel 1775 Blumenbach
scriveva che tutti i negri sono « più o meno diversi l'uno dal-
l'altro... e attraverso ogni sorta di graduazioni si confondono
impercettibilmente con le sembianze di uomini di altre specie
sino ad assumere le fattezze più piacevoli » [7].

L'espressione « fattezze piacevoli » indica un criterio estetico
di classificazione in conflitto con le idee di eguaglianza e di mutamento razziale. Blumenbach credeva all'esistenza di caratteristiche
nazionali atte a determinare la struttura facciale e attribuiva
queste variazioni al clima e al cibo; malgrado ciò nei suoi scritti
scientifici cominciò a prevalere la parola « bellezza »: vi si diceva
che il volto simmetrico è il più bello perché il più vicino alle
opere « divine » dell'arte greca, e tale volto, secondo Blumenbach, è più probabile che appaia nei climi moderati che non
in quelli con temperature eccessive [8]. In questo concetto di bellezza era implicito l'ideale di moderazione e ordine con tanta
forza sostenuto anche da Linneo. La scultura greca fissò le giuste
proporzioni anatomiche e anche l'assenza di irritabilità e passione era elemento essenziale per il raggiungimento di questa
« serena grandezza », ricca di fascino per un secolo pieno di
sovvertimenti politici e sociali. Bellezza era sinonimo di un mondo
borghese stabile, felice e sano, senza sconvolgimenti violenti, un
mondo raggiungibile solo dai bianchi europei. Nessuno poteva
affermare che i negri avessero volti rispecchianti l'ideale estetico
greco.

L'eguaglianza che Blumenbach concedeva ai negri con una
mano, era sottratta loro con l'altra. Nel 1775 egli era ancora
largamente ambientalista, ma a partire dal 1789 egli cominciò
a porre il dato scientifico in secondo piano rispetto al giudizio
estetico, pur non diventando ancora fautore della superiorità raz-

ziale di un qualunque particolare tipo nazionale. Egli sosteneva che la bella razza bianca si estendeva dall'Europa occidentale al Mar Caspio e al Gange e così pure alla Finlandia e all'Africa settentrionale. Anzi egli pensava che i georgiani in Russia possedessero le proporzioni più gradevoli di tutti [9].

Blumenbach citava Peter Camper, anatomista olandese i cui libri più importanti sull'antropologia umana furono pubblicati nel 1792 e nel 1793. A differenza di Blumenbach, Camper fa solo un rapido cenno alla classificazione scientifica prima del suo definitivo decollo verso le astrazioni estetiche. Grazie alle sue opere l'ideale tipo assurse a una posizione di primo piano, conservando solo vaghe connessioni con l'osservazione scientifica. La durevole influenza di Camper fu indubbiamente il risultato della importanza da lui attribuita al concetto di « fisicamente bello » individuabile mediante il cosiddetto metodo scientifico di comparazioni craniche e misurazioni facciali. Già il suo contemporaneo Johann Kaspar Lavater aveva rinunciato a ogni pretesa scientifica inventando la fisiognomica, la « scienza della lettura del volto umano »; i suoi *Frammenti di fisiognomica* (*Physiognomische Fragmente*, 1775-78) precorrevano Camper. Eppure è molto importante per il nostro tema mostrare la progressione da uno scienziato come Blumenbach a uno pseudo-scienziato come Camper e infine a Lavater, che si limitava a sostenere la necessità di un addestramento nella intuizione visiva. Deve perciò essere chiaro che nel secolo XVIII noi troviamo come in un microcosmo un'evoluzione che si riprodurrà ripetutamente lungo tutta la storia del razzismo.

Camper aveva studiato per diventare pittore, e non scienziato e il suo proposito non era in realtà quello di dare un contributo alla nuova scienza dell'antropologia, bensì quello di istruire i giovani artisti e scultori nella storia naturale e nell'amore per l'antichità; in effetti egli vinse nel 1770 la medaglia d'oro della Scuola d'Arte di Amsterdam [10], precedente significativo non per il solo Camper, dato che molti futuri teorici della razza sarebbero stati pittori e scrittori piuttosto che scienziati.

La « scoperta » più importante di Camper fu quella dell'« angolo facciale » calcolabile mediante il confronto delle teste dei calmucchi e dei negri con quelle degli europei, le une e le altre poste a loro volta a confronto con la testa della scimmia. Camper dapprima tracciava una linea di congiunzione tra il labbro

superiore e la radice del naso e una linea che attraversava oriz-
zontalmente la faccia, poi misurava gli angoli risultanti dall'incontro di queste due linee. Se l'angolo risultante dall'incrocio
della linea verticale con quella orizzontale fosse di 100 gradi
allora si avrebbe l'ideale tipo, quello che lui definiva il « *beau
idéal* » greco secondo i canoni di Winckelmann [11]. Ma nella realtà
una simile perfezione non esiste e per fissare dei limiti estremi
di variazione egli stabilì che ogni angolo dai 70 gradi in giù
caratterizzasse il negro, e che questa cifra fosse più vicina ai
lineamenti delle scimmie e dei cani che a quelli degli uomini.
Gli europei avrebbero avuto un angolo di circa 97 gradi, che si
avvicinava maggiormente all'ideale tipo della scultura greca [12].

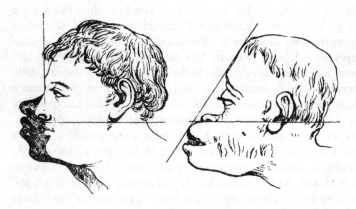

1. L'« angolo facciale ». Da Robert Knox, *The Races of Men*, London
1862, p. 404.

    Gli antropologi accettarono l'« angolo facciale » come misu-
razione scientifica, ma così facendo essi accettarono anche un
modello ideale di bellezza come punto di riferimento per una
classificazione razziale. Camper tentò di vincere i propri pregiudizi, ma con scarso successo. Egli era convinto che il concetto
di bellezza fosse legato a tradizioni nazionali, per cui ciò che i
negri consideravano bello potesse apparire come brutto agli
europei [13]: in effetti anche Winckelmann aveva affermato la stessa
cosa. Ma oltre a dare al concetto di bellezza un valore relativo,
Camper insistette anche sull'importanza del clima e del cibo come

cause determinanti il tipo ideale europeo. Tuttavia l'adesione alle teorie ambientali non costituisce la parte centrale del pensiero di Camper (come lo fu per esempio per Lamarck) e in lui l'accento andò sempre sull'ideale della bellezza greca così come descritto da Winckelmann. Perciò egli credeva che non solo fossero determinanti le misure dei crani, ma che si potesse procedere a una classificazione delle teste in base a gradi di bellezza con riferimento al loro profilo. Inoltre, descrivendo la bellezza, egli abbandonò la sua precedente affermazione che anche i neri avessero propri modelli estetici, accantonando perciò ogni possibile dubbio sulla superiorità dell'ideale tipo europeo. La bellezza classica era diventata un principio generale valido per tutti i tempi.

Perché, si chiedeva Camper, una persona alta è tanto più bella di una bassa?, ripetendo così il pregiudizio che era affiorato quando, riducendo i pigmei ad animali, si era individuato in loro l'« anello mancante ». Secondo Camper, le proporzioni e la statura antiche erano belle perché escludevano ogni imperfezione e una simile bellezza era vicina a quella natura genuina che rappresentava la suprema verità di Dio. Il volto bello e il corpo bello sono in piena consonanza con la natura bella e lo stesso Winckelmann aveva scritto che la bellezza deve rappresentare una totalità. Secondo Camper in questa unità rientra anche l'anima dell'uomo. L'apparenza esteriore rispecchia la grazia interiore e qui di nuovo viene messa in risalto la moderazione, esemplificata, come aveva già affermato Winckelmann, dalla statua di Laocoonte, sereno pur nelle sofferenze dello strangolamento [14]; l'esigenza estetica aveva avuto il sopravvento sul sapere scientifico, nonostante un ulteriore sforzo di dimostrazione empirica mediante misurazioni.

Malgrado il rilievo da lui dato all'ideale tipo, Camper non pensava ad alcuna particolare nazione d'Europa e in ciò continuava ad essere un uomo dell'Illuminismo. Egli non attribuiva nemmeno un ruolo allo sviluppo storico, anche se nel pensiero di alcuni suoi contemporanei questo cominciava ad assumere importanza. Inoltre Camper non sapeva che trattamento riservare agli ebrei che, in fin dei conti, erano europei. Egli credeva che avessero proprie caratteristiche, come per esempio una particolare curvatura del naso, e abbastanza tipicamente citava come sua fonte il pittore americano a lui contemporaneo Benjamin

West [15]. Ma al di là di queste posizioni personali di Camper, il concetto di razza superiore abbracciava tutti gli europei e non era ancora considerato un monopolio nazionale.

La fisiognomica diede un valido contributo a valorizzare l'apparenza esteriore. I tentativi di spiegare il carattere di un uomo osservandone il volto, le membra, i gesti risalgono almeno al secolo XVI. A quel tempo alcune caratteristiche come i capelli crespi o i nasi adunchi già erano considerate indizi di un'indole malvagia, anche se esse erano viste come conseguenze di fattori accidentali quali il cambiamento d'aria o la malattia [16]. Ma fu con la pubblicazione nel 1775-78 dei *Frammenti di fisiognomica* che Lavater (1741-1801) divenne il vero padre della nuova scienza della fisiognomica. Sebbene fosse un convinto teologo protestante, Lavater era pur sempre un uomo dell'Illuminismo, intimo amico di Goethe, che lo aiutò a redigere e pubblicare le sue scoperte fisiognomiche. Lavater, scrivendo sull'importanza di conoscere gli uomini mediante la lettura dei loro volti, non aveva certo propositi razzisti; sostenitore della rivoluzione francese, scoppiata parecchi anni dopo che egli aveva fondato la « nuova scienza », egli non era davvero un reazionario né in campo religioso, in cui tese verso una visione tipicamente spiritualizzata del cristianesimo, né in politica. Certo, sembra che egli fosse convinto che gli ebrei avessero calunniato Gesù, ma è difficile poter dare significato razzista a un tale atteggiamento ostile; egli ammirava Mendelssohn, famoso filosofo ebreo e fautore dell'emancipazione ebraica, ed era certo che questo saggio ebreo fosse ormai pronto ad accogliere il cristianesimo [17]. Sui negri poi aveva pochissimo da dire. Eppure, in ultima analisi, la sua pseudo-scienza della fisiognomica si dimostrò un'arma potente contro l'uno e l'altro di questi popoli così diversi. Anche Lavater sosteneva concetti classici di bellezza, in base ai quali classificò e sistemò in ordine gerarchico le specie umane. Ma per far ciò non erano necessari studi scientifici, bastavano solo capacità visive e gusto.

Non si cade mai nell'esagerazione quando si accenna all'importanza che per il pensiero razzista ebbe l'insistenza sul fattore visivo. A differenza di Camper, Lavater non era un pittore, ma per lui « l'arte del dipingere » era « madre e figlia » della fisiognomica [18]. Uno dei primi curatori dell'opera di Lavater ha giustamente affermato che il vero linguaggio della fisiognomica è la pittura, perché essa parla per mezzo di immagini e si rivolge in egual modo all'occhio e allo spirito [19].

Come si doveva procedere nell'osservare un volto? Lavater ha scritto: fidati della prima impressione immediata, perché vale più di quello che di solito si chiama osservazione [20]. È possibile giudicare l'uomo completo osservando intuitivamente il suo aspetto esteriore, perché esso è in totale armonia con la sua anima. L'esteriore non è altro che la continuazione dell'interiore e viceversa. Tutti coloro che si occuparono di classificazione umana credevano in queste cose, ma pochi lo affermarono con un'eguale stimolante chiarezza. Quali si dovevano considerare gli elementi costituenti un bel volto e di conseguenza una bella anima? Secondo Lavater l'omogeneità del corpo e della faccia, l'uniformità del contorno, le dimensioni della figura e l'« onestà » manifesta nel ciglio e nella fronte. In breve, i suoi modelli erano quelli che avevano ispirato la scultura greca [21]. Ma per quanto riguarda il volto, Lavater entrò ancor più nei dettagli, sottolineando la necessaria regolarità delle tre principali sezioni in cui esso è suddiviso — fronte, naso, mento; la fronte doveva essere orizzontale (corrispondente cioè all'angolo di 100 gradi di Camper), con folti sopraccigli quasi orizzontali; erano poi preferibili occhi celesti, naso largo e quasi dritto, ma un po' curvo all'indietro, mento rotondo e corti capelli neri [22].

Di un simile concetto di bellezza non si offriva alcun modello, tranne l'esempio degli antichi (e qui di nuovo Winckelmann influenzava l'ideale-tipo). La bellezza era per Lavater ciò che ci attrae a prima vista, ma si trattava sempre di una uniformità al di sotto della quale vi era varietà, un'armonia completa in cui non un solo membro o parte fosse squilibrato [23]. I greci erano stati più belli dei popoli da lui osservati durante la vita; essi, è vero, non erano stati cristiani, ma Dio aveva egualmente voluto così nel suo imperscrutabile procedere. Ma se i suoi contemporanei fossero diventati dei veri cristiani, allora, mediante l'umiltà e l'amore, sarebbe stato possibile superare la bellezza greca [24]. È evidente che l'ammirazione suscitata dalla bellezza greca minacciava di disorientare il teologo cristiano.

Lavater cercò di classificare le fisionomie nazionali, sostenendo che mori e inglesi, italiani e francesi dovessero ciascuno avere una sorta di carattere nazionale, ma confessò di non avere l'abilità necessaria per precisare queste distinzioni. Egli per esem-

pio distingueva i tedeschi in base ai denti e al riso, i francesi
per il loro naso, ma i suoi sforzi finirono per ridursi in futilità
e con evidente sollievo egli tornò ad occuparsi di ideali universali, perché per lui erano questi e non le caratteristiche nazionali
ad avere un'importanza decisiva. Tutti gli uomini, egli scriveva,
sono modellati dalla natura secondo un'unica norma fondamentale,
passibile però di innumerevoli variazioni [25]. Eppure, malgrado
queste tracce residue di universalismo illuministico, permaneva
ancora in lui la contrapposizione tra l'animo nobile, il Dio
greco, e la faccia brutta, il corpo brutto e il criminale. Un solo
lineamento sbagliato del volto avrebbe distrutto la bellezza e,
data l'identità tra interiore ed esteriore, sarebbe diventato indizio di malvagità. Lavater esclamava: quanti crimini si potrebbero impedire solo se gli uomini potessero leggere il vizio sui
volti [26]; egli avrebbe risposto negativamente alla domanda retorica formulata da Lessing in *Nathan il saggio* (1779): « non si
rassomigliano forse i volti tra loro? » [27]. In realtà Lavater dete-
stava Lessing e il suo dramma che, egli obiettava, favoriva gli
ebrei mentre dipingeva i cristiani come mascalzoni e furfanti
(l'intolleranza di Lavater era il frutto del suo fervore missionario,
non segno di razzismo) [28].

Con Lavater ci troviamo di fronte a uno stereotipo indipendente da ogni dimostrazione scientifica e immerso nell'irrazionalità. Lavater ebbe tra i contemporanei molti colti imitatori,
così come aveva avuto un lontano precursore nel napoletano,
Giambattista Della Porta, che fin dal 1583 nel trattato *De
humana physiognomonia* (pubbl. 1586) aveva elaborato una sua
teoria speculativa della fisiognomica, basandosi addirittura sul
concetto che la rassomiglianza di un volto umano con quello
di una bestia indica sino a che punto il carattere dell'individuo risente delle caratteristiche principali di quell'animale.
Così gli uomini non solo potrebbero somigliare alle pecore, ai
buoi o ai leoni, ma averne anche gli istinti prevalenti [29]. In tal
modo la fisiognomica stabiliva un nesso diretto tra alcune persone e il mondo animale, proprio come Camper aveva stabilito
un confronto tra i crani dei neri e quelli delle scimmie. Tali
analogie con gli animali sarebbero diventate l'argomento principale del pensiero razzista.

La teoria di Lavater colpì, tra i suoi contemporanei più
famosi, non solo Goethe, ma anche il tanto più giovane Sir

Walter Scott, i cui romanzi abbondano di interpretazioni fisiognomiche. Scott ricavava ogni sorta di giudizi dall'aspetto dei suoi personaggi: onestà e risolutezza, gentilezza e bontà; per esempio Rowena, l'eroina dell'*Ivanhoe*, aveva quell'amabile aspetto cui, secondo i « fisiognomisti », corrisponderebbe un temperamento dolce, timido e gentile[30]. È chiaro che simili idee non erano diffuse tanto da trattazioni erudite quanto dalla letteratura popolare nella quale si erano quasi immediatamente imposte.

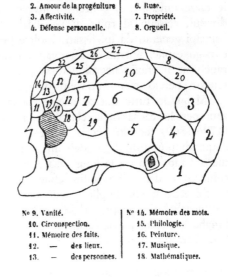

N° 1. Propagation.
2. Amour de la progéniture
3. Affectivité.
4. Défense personnelle.

N° 5. Meurtre.
6. Ruse.
7. Propriété.
8. Orgueil.

N° 9. Vanité.
10. Circonspection.
11. Mémoire des faits.
12. — des lieux.
13. — des personnes.

N° 14. Mémoire des mots.
15. Philologie.
16. Peinture.
17. Musique.
18. Mathématiques.

2. Rappresentazione di una testa secondo la frenologia di Lavater e Gall con l'indicazione delle diverse parti del cervello e le loro funzioni. Da *Physiognomie et Phrénologie*, a cura di A. Ysabeau, Paris 1810, p. 271.

La frenologia di Franz Joseph Gall (1758-1828) diede alla lettura delle facce una dimensione pseudo-scientifica. Il concetto base di Gall era che il carattere di un individuo potesse essere determinato sulla base della configurazione della testa. La frenologia si basava su tre princìpi: che il cervello fosse l'organo dell'intelletto; che esso fosse costituito da una grande varietà di organi, ognuno con una sua specifica funzione; e in ultimo che il cervello determinasse la forma del cranio[31]. Furono questi i concetti fondamentali proposti da Gall nel 1796, quando affermò che le varie funzioni del cervello possono essere individuate e giudicate sulla base della forma del cranio umano.

Come Lavater, Gall fu molto preciso sul significato dei tratti
distintivi della testa. Per esempio, una fronte eccessivamente
arcuata denoterebbe attitudine per la speculazione metafisica,
mentre un cranio arcuato verso l'indietro denoterebbe amore per
la gloria. La base del cervello era considerata la sede di tutte
le forze animali e vitali, e i criminali avrebbero un cervello
largo alla base e lateralmente dove, secondo Gall, risiederebbero
gli impulsi e le inclinazioni più bassi [32]. Esisterebbero perciò segni
esteriori di predisposizioni interiori. Eppure Gall respingeva l'idea
che potessero esistere « crani nazionali », rifiutò di classificare
le razze umane e si concentrò invece sulle teste dei singoli individui, ciascuna fornita di peculiari variazioni nell'ambito dei
princìpi generali da lui fissati. Inoltre Gall non era ostile ai neri
e negò esplicitamente l'idea avanzata da alcuni suoi contemporanei che il cranio negroide fosse particolarmente stretto e con-
tenesse perciò meno cervello di quello dell'europeo bianco [33].

Malgrado tutte queste riserve, la frenologia fu subito utilizzata per la causa della classificazione razziale. Anders Retzius
(1796-1860) fece in Svezia misurazioni frenologiche più precise
e quindi più utili. Egli ideò una formula elementare per esprimere il rapporto tra la lunghezza e la larghezza della testa (indice
cefalico) e denominò dolicocefale le teste lunghe e strette, e
brachicefale quelle larghe [34], tale terminologia entrò a far parte
del vocabolario proprio del razzismo che considerava le teste
lunghe e strette particolarmente belle e tratto caratteristico del-
l'europeo superiore.

Ma vi fu chi cercò di modificare alcuni concetti peculiari
della frenologia per farne un punto d'appoggio di quel razzismo
che Gall aveva sempre respinto. Per esempio, Carl Gustav Carus,
che scrisse in Germania verso la metà del secolo XIX, apprezzò
i tentativi pioneristici di Gall miranti all'interpretazione del cranio, ma per parte sua tentò di dare alla frenologia un fondamento
idealistico, intuitivo. Nel suo *Simbolismo della forma umana*
(*Symbolik der Menschlichen Gestalt*, 1853) egli affermò che allo
stesso modo in cui una colonna architettonica viene valutata
nella sua totalità (cioè secondo la base, l'altezza e la solidità)
così devono essere misurate anche le proporzioni dell'intero
corpo umano; il responso andrebbe cioè cercato non nel cranio,
ma nell'intero scheletro dell'uomo [35]. Ancora una volta furono
ritenuti superiori a tutti gli altri i canoni di proporzione adottati

dalla scultura greca e Carus interpretò il volto umano secondo le analogie animali di Della Porta. Ma Carus ben presto abbandonò questa pseudo-scienza per l'irrazionalismo romantico e stabilì che tra i popoli superiori e quelli inferiori intercorre un rapporto analogo a quello tra il Sole e la Terra. Vi sarebbero dei popoli « diurni » come gli europei, dei popoli « notturni » come i negri, e dei popoli « crepuscolari » come gli asiatici e gli indiani di America. Di conseguenza il colorito biondo, causato dal sole, sarebbe un segno di superiorità insieme con gli occhi blu che rifletterebbero il cielo. La superiorità simboleggiata dal colore della pelle trovava conferma nelle misurazioni e nei princìpi della fisiognomica [36].

Il miscuglio di romanticismo e nuove scienze doveva avere un futuro promettente e lo stesso Carus, professore di anatomia e pittore romantico, incarnò questa promessa. Egli fu un razzista, convinto che il popolo superiore fosse anche di razza superiore. Il mondo, secondo Carus, sarebbe organizzato gerarchicamente, e l'umanità quindi necessariamente strutturata secondo un ordine ascendente, con al vertice il « popolo diurno », la cui bellezza sarebbe dono diretto di Dio. A questo punto, con l'aggiunta del colore alla struttura e alla forma, lo stereotipo ariano era completo [37].

Carus scrisse anche sul naso adunco come caratteristica ebraica, ma senza espungere l'ebreo dall'ambito dei « popoli diurni » [38] Il « naso ebraico », che avrebbe svolto un ruolo tanto importante nella caratterizzazione dello stereotipo ebraico, risale al secolo XVIII, quando fu descritto da Johann Schudt di Francoforte nelle sue *Peculiarità ebraiche* (*Jüdische Merkwürdigkeiten*, 1711). Winckelmann lo descrisse nel 1764 e gli contrappose la simmetria del naso greco. Ma il concetto di naso ebraico entrò nella coscienza popolare anche attraverso altri e forse più efficaci canali, cioè i numerosi manifesti e vignette pubblicati tra il 1753 e il 1754 in concomitanza con il tentativo di emancipazione degli ebrei in Inghilterra. Il « Jew bill » (come fu chiamato popolarmente il provvedimento per l'emancipazione del 1753) portò gli ebrei al centro dell'attenzione. Benché approvato e immediatamente revocato dal parlamento sotto la pressione popolare, esso fu il primo serio tentativo di emancipare gli ebrei in Europa. Prima di allora gli ebrei in Inghilterra erano stati rappresentati realisticamente, ma ora, tanto per fare un esempio,

i caricaturisti, che ben conoscevano quale fosse il vero aspetto
del banchiere ebreo Samson Gideon, gli attribuirono un naso
che nella vita reale egli non aveva. Nello stesso tempo, mentre
in precedenza i venditori ambulanti ebrei erano stati dipinti in
un modo molto vicino alla realtà, ora erano rappresentati come
esseri sgradevoli, con grandi nasi e sguardo infido. Nel 1754
questa immagine dell'ebreo fu resa popolare da Hogarth, seguito
da Rowlandson, Gillray e Cruikshank [39].

Il naso è effettivamente l'elemento più pronunciato del volto
e non dovrebbe meravigliarci il fatto che l'attenzione si sia ap-
puntata su di esso. Lavater aveva una teoria completa sui nasi
basata sulle loro forme; secondo tale teoria i nasi rivolti all'insù
indicherebbero un uomo collerico, i nasi camusi significherebbe-
ro prudenza e discrezione e i nasi rivolti all'ingiù crudeltà [40].
I frenologi accolsero questa classificazione, e individuarono un
naso romano, uno greco, uno ebraico, uno camuso e uno « cele-
stiale »: quelli romano e greco indicherebbero il conquistatore,
l'uomo dai gusti raffinati; il naso ebraico invece un carattere
sospettoso e circospetto [41].

La stessa frenologia — che durante il secolo XIX ebbe vasta,
anche se intermittente, popolarità specialmente in Inghilterra,
in Francia e negli Stati Uniti — intervenne con la sua autorevolezza in appoggio della dottrina della razza. I crani indicanti
maggiore buona disposizione furono trovati, a seconda dei casi,
tra gli inglesi e i francesi, mentre all'Africa e ai suoi abitanti
veniva attribuita, a causa delle conformazioni craniche, miseria
morale e intellettuale [42]. Specialmente quando prevalse sulla fisiognomica, la frenologia tese a dare avallo a questi stereotipi razziali ed è in questo senso, per esempio, che i nazisti finirono
per adottarla: nel 1935 un periodico popolare berlinese dichiarò
che « le facce sono come un libro; la frenologia può leggerne i
lineamenti ». I nazisti mescolarono insieme Lavater e Gall, ma
quel che importava era che « la natura ha scritto sulla nostra
faccia il nostro destino e la nostra personalità » [43]. Per essi la
cosa più importante era il naso, seguito dalla fronte, con la sua
ampiezza, le sue sporgenze e i suoi avallamenti. Un naso che
spiccasse sulla faccia era ritenuto indizio di coraggio, un naso
scialbo segno di una forte personalità nascosta. Da questa analisi
manca il naso ebraico, ma è ben noto il grosso ruolo da esso
svolto nello stereotipo nazista dell'ebreo [44].

Fu così creato uno stereotipo in cui l'estetica prevaleva sulla scienza, mentre i fattori ambientali svolgevano un ruolo relativamente secondario. Eppure il concetto illuminista dell'osservazione scientifica e dell'importanza dell'ambiente rimase e servì per comprovare giudizi estetici e morali più vicini all'emotività del movimento romantico. Ma non fu sempre così, come stanno a dimostrarlo, per esempio, l'intuizionismo di Lavater e la teoria razziale di Immanuel Kant. Quest'ultimo, trascurando completamente i fattori ambientali, poté formulare sulle specie umane delle teorie destinate ad avere grande influenza. Fu lui infatti ad affermare chiaramente l'immutabilità e la permanenza della razza. In *Le differenti razze dell'umanità* (*Von den Verschiedenen Rassen der Menschen*, 1775) egli affermò che si possono definire ' razza ' quegli animali che conservano la loro purezza malgrado le migrazioni da una regione all'altra e malgrado la tentazione di mescolarsi con altri animali, e che la stessa cosa si applica agli esseri umani: « così i negri e i bianchi non sono certo due differenti tipi di specie, ma nondimeno due razze differenti » [45].

Kant perciò faceva una netta distinzione tra specie e razza. Egli sosteneva che le specie che sembrano svilupparsi in conseguenza di peculiarità climatiche locali non sono altro che mutazioni casuali e si spinse sino a dimostrare che Dio ha creato tutti gli uomini per tutta la terra e che essi sono liberi di vivere dappertutto. Se le razze hanno proprie dimore specifiche (come l'Africa per i neri), ciò avviene perché sono i fattori geografici che le spingono in una regione. Kant propose quattro razze principali (bianca, nera, mongola o calmucca, e indù), ma ritenne che tra queste le razze basilari (*Grundrassen*) siano la bianca e la nera perché presentano chiare differenze di personalità e carattere [46]. Sebbene Kant insistesse sull'origine comune di tutti gli uomini, per evitare di criticare il racconto biblico della creazione, egli nondimeno formulò un concetto di razza che sarebbe rimasto immutato. Il carattere razziale diventa una sostanza immutabile e fondamento di qualsiasi aspetto fisico e sviluppo umano, compresa l'intelligenza.

Le razze considerate indipendenti da influenze esterne non possono, evolvendosi, mutare: e in linea con questa tradizione un titolo nazista avrebbe proclamato « la razza immutata per migliaia di anni ». Come può mai cambiare uno stereotipo?

È un punto importante questo, perché di solito si è pensato che il razzismo fosse parte integrante del darwinismo sociale. Indubbiamente la razza lotta contro i suoi nemici e si sforza, per poter sopravvivere, di mantenersi pura; ma in contrasto con la teoria di Darwin sulla sopravvivenza del più adatto, essa non cambia nel corso della sua lotta; una razza non può evolversi perché deve perdurare così come è stata creata; essa permane al di là del tempo.

Lo stereotipo che cominciava a profilarsi aveva effettivamente radici profonde. Per esempio l'ideale della bellezza personale nella letteratura inglese dei secoli XIII e XIV sembra anticipare il tanto più tardo modello di Winckelmann. L'aspetto fisico decantato nei romanzi medievali si accordava perfettamente con la statuaria greca, la fisionomia era ritenuta un elemento importante e una « pelle di abbagliante bianchezza » esemplificazione concreta della bellezza ideale. E questo tipo di bellezza a sua volta era assunto a simbolo di bontà, mentre il colore scuro della pelle, la statura bassa e un corpo mal proporzionato significavano turpitudine e malvagità. Walter Clyde Curry, scrivendo nel 1916, sosteneva che a questi esempi medievali inglesi si erano immediatamente conformate l'Italia, la Germania e la Francia medievali [47]. La rinascita del classicismo nel secolo XVIII può perciò aver corrisposto a una profonda e abbastanza costante tendenza dei concetti europei di bellezza e bruttezza. Forse questo è uno dei motivi per cui fu riconosciuta tanta autorevolezza agli antichi. Ma noi ci troviamo di fronte anche a un ideale tipo umano posto al di là del mutamento storico come qualcosa di durevole e permanente per un lungo periodo di storia.

La classificazione razziale si appropriò di simboli che in un mondo caratterizzato da mutamento e inquietudine indicavano stabilità e quiete. La scienza credeva nel cambiamento, l'estetica no, e non si può comprendere il razzismo se si esclude il fattore della continuità nel tempo. Più che del cambiamento ci si interessava delle origini, perché erano queste a determinare le qualità della razza. Senza dubbio, l'interesse per la storia che acquistò sempre maggiore rilievo a mano a mano che il secolo XVIII si avviava verso la fine, fece convergere l'attenzione sull'importanza delle origini e dei primordi dei popoli e delle nazioni. Sebbene per Johann Gottfried von Herder (1744-1803) contasse la continuità storica e non la razza, le sue opere, che ebbero un'enorme influenza, resero popolari le teorie delle origini e dei primordi di cui si appropriarono entusiasticamente coloro che dividevano l'umanità in razze.

Herder esaltava la giovinezza di un popolo come il tempo della spontaneità e della genuina espressione nazionale. A suo parere le leggende, le saghe e i racconti fiabeschi rappresentano il patrimonio eterno di un popolo, concetto ben distante dalla tendenza scientifica e moderna a dar rilievo al presente. I canti creati nel tempo della sua giovinezza da un popolo, dice Herder, riflettono un mondo genuino e sensibile [48]; di conseguenza il *Volksgeist* (lo « spirito di un popolo ») trova espressione nelle mitologie, nei canti e nelle favole. Un analogo impulso a risalire alle origini pervade anche le *Confessioni* di Rousseau (1782), cui arrise enorme popolarità: tra i popoli deve prevalere il sentimento della natura e le folli istituzioni create dalla storia devono essere eliminate.

Ritornare alle origini significava cimentarsi con l'origine delle razze, perché esse mantengono per sempre i caratteri acquisiti all'inizio. Kant e la maggioranza di coloro che si occuparono della classificazione razziale si mantennero fedeli al racconto della Genesi, che proclamava l'origine comune di tutta l'umanità. Fu solo dopo il diluvio che Sem, Cam e Iafet fondarono nazioni separate. Alcuni autori, dal XVI secolo in poi, pensarono che la maledizione di Dio contro Cam o il suo figlio Canaan bastasse da sola a spiegare la pelle nera del negro e la sua condizione di inferiorità [49]. In ogni caso i capitoli 10 e 11 della Genesi potevano essere interpretati come una spiegazione della differenza razziale malgrado il fatto che tutta l'umanità abbia un padre comune. Questi monogenisti, come furono chiamati, potevano credere ancora nelle razze inferiori e superiori, ma in qualche modo essi dovevano riconciliare questa convinzione con il fatto che Dio ha creato tutti gli uomini, un punto che Blumenbach amava ricordare, anche se, come abbiamo visto, non gli aveva impedito di formulare giudizi estetici e morali sui bianchi e sui negri.

Una volta compiute le classificazioni e formulati sulla base di esse giudizi di valore, suscitò una certa impressione ignorare la Genesi e separare le razze sin dai loro esordi. Christoph Meiners, per esempio, poggiò la sua credenza nella superiorità razziale europea sull'affermazione che le razze sarebbero state

create separatamente, ciascuna con caratteristiche eterne ed ereditarie[50]. Questa teoria delle origini separate delle singole razze
fu denominata poligenismo. I poligenisti credevano che la razza
bianca fosse discesa da Adamo, e le razze nere, invece, dovessero
la loro origine a eventi indipendenti dal racconto biblico della
creazione. Secondo i monogenisti la razza poteva essere considerata una mutazione casuale, per i poligenisti le differenze tra le
razze non potevano non essere assolute.

La poligenesi contrastava con l'ortodossia religiosa e per
questo attrasse dei *philosophes* come Voltaire. Al poligenismo
dette inoltre alimento la classificazione delle specie dall'animale
all'uomo, al punto che antropologi come Camper pretesero di
dimostrare che i negri fossero più simili alle scimmie che agli
europei. Già nel 1831 fu pubblicata un'opera in più volumi in
cui gli orangutan erano classificati come esseri umani e immessi
nella « catena dell'essere »[51]. Ma sebbene il monogenismo e il
poligenismo si siano sviluppati parallelamente nel secolo XVIII,
la poligenesi ebbe una importanza relativa sino alla seconda metà
del secolo XIX, quando fu risuscitata da antropologi come Paul
Broca in Francia. Ciononostante essa fu quasi immediatamente
soffocata dal concetto darwiniano di evoluzione. Darwin sosteneva che vi fosse stato un unico atto creativo, valido per tutte
le specie ora esistenti, che anche se non tutte presenti all'inizio,
si sarebbero sviluppate in seguito secondo un grande piano originario. Si trattava di un monogenismo non biblico, che ebbe
grande influenza scientifica[52].

Il poligenismo attirò soprattutto l'attenzione dei viaggiatori
e degli esploratori, ma lasciò poche tracce nel pensiero razziale
europeo. Perché mettere a confronto la Bibbia con la posteriore
dottrina darwinistica quando il farlo era irrilevante per teorie
sulla permanenza o superiorità razziale? La monogenesi e la
poligenesi rivestivano, quali linee di divisione tra le razze, minore
importanza della crescente coscienza nazionale che durante la
seconda metà del secolo XVIII avanzava ondeggiando e quasi
seppelliva il cosmopolitismo illuminista. Il moderno nazionalismo
ebbe come sue fondamenta storia, lingua e sentimenti comuni,
cose tutte che restringevano la visuale dell'uomo alla comunità
nativa di ciascuno. L'*homo europeus* di cui avevano scritto gli
antropologi del Settecento sarebbe diventato il tedesco, lo slavo
o il francese.

In realtà fu solo con la metà del secolo XIX che il razzismo e il nazionalismo cominciarono a fondersi e solo in questi anni lo stereotipo umano ideale fu completato, perché se a partire dal secolo XVIII erano state fissate la statura e le proporzioni del corpo e della faccia, mancava ancora il colorito; questo fu aggiunto verso la metà del secolo XIX, particolarmente da Carl Gustav Carus, quando finalmente l'ariano — biondo e con gli occhi azzurri, costruito a somiglianza delle statue greche di Winckelmann — fu pronto ad affrontare il mondo e a dar battaglia. Eppure, in realtà, le basi per un'unione più stretta tra razzismo e nazionalismo erano state già poste da molto tempo. Allo sviluppo nel secolo XVIII dell'antropologia, della fisiognomica e della frenologia si deve aggiungere l'interesse per la storia e la linguistica nato alla fine del secolo XVIII e all'inizio del XIX. Il risveglio della coscienza nazionale in molte parti dell'Europa si estese alla storia e alla linguistica, cosicché al momento opportuno si dimostrò facile integrarle con gli stereotipi che antropologi, frenologi e fisiognomici avevano già proposto

III

NAZIONE, LINGUA E STORIA

Il risveglio della coscienza storica, avvenuto nel secolo XVIII, ebbe un'importanza fondamentale per lo sviluppo dell'ideale razziale. Essa formulò leggi di sviluppo organico che furono applicate anche all'antropologia e alla linguistica. Il cammino di un popolo attraverso il tempo fu giudicato d'importanza decisiva e la vera causa della distinzione di un popolo dall'altro. Secondo Lamarck e Buffon lo sviluppo storico era stato condizionato da fattori ambientali come il clima e la geografia, e a loro giudizio le differenze tra i popoli non sarebbero che semplici mutazioni casuali. Ma ora tra popoli e nazioni fu scavato un abisso più profondo, dato che non ci si limitò a considerare che ciascun popolo ha una sua storia peculiare. Uomini come Herder credettero che la storia di un popolo non fosse opera dell'uomo, ma seguisse un piano divino. La storia si trasformò in mito nazionale.

A questo punto acquista importanza il sottofondo pietistico del secolo XVIII in quanto contrapposto all'Illuminismo. Esso fu più diffuso e nello stesso tempo penetrò più a fondo nella coscienza popolare. Il pietismo ricostituiva i legami personali che l'Illuminismo con la sua preoccupazione per i princìpi astratti tendeva a cancellare. I « cristiani galoppanti » (come erano spesso chiamati gli evangelici) si sentivano in un rapporto personale con Cristo, e lo esprimevano con la preghiera e una vita che costituiva un segno esteriore della rinascita interiore. Le fratellanze e le conventicole pietistiche o addirittura il culto quotidiano in casa spingevano la gente a unirsi in una vera comunità di impegno comune e di cosciente rinascita.

Una simile concezione della vita tendeva a respingere lontano il mondo esteriore e a concentrarsi sul ritmo di una pietà individuale e condivisa con altri. Ma l'universo pietistico non era statico, perché il rapporto tra Dio e la sua creazione era dinamico, e coinvolgeva la lotta quotidiana e la rinascita, l'una e l'altra aventi come fine un'unione sempre più perfet.: degli uomini con Dio e degli uomini tra loro. Dio modella ed estende la creazione sin dall'interno dell'uomo e questa tensione, pur essendo soprattutto interiore, deve anche proiettarsi all'esterno del mondo. È a questo punto che acquista importanza l'ideale della patria [1].

Come abbiamo visto in precedenza, la patria — specialmente in Germania — era considerata come un prodotto dell'intima tensione dell'uomo verso l'unità nell'ambito del disegno divino. Nel 1776 lo scrittore pietista Justus Möser scriveva che la continuità della storia non subisce deviazioni perché Dio non cambierebbe mai improvvisamente la direzione impressa ad essa. La storia adempie a un disegno divino e il mezzo per attuare questo adempimento è la patria. A questo punto l'ideale pietistico di comunità assumeva una nuova dimensione. I pietisti avevano sempre desid. ato vivere in una vera comunità, essere amati e diffondere amore, e tale desiderio aveva condizionato il loro ideale di « popolo ». La patria deve essere una comunità colma di amicizia ed entusiasmo [2]; per un patriota come Lavater, erede del pietismo, questa aspirazione alla comunità fu decisiva [3].

Il tedesco Herder esercitò un'influenza di grande importanza sui popoli divisi dell'Europa che anelavano all'unità nazionale. Nel suo pensiero, il carattere di un popolo si esprime attraverso il *Volksgeist*, l'immutabile spirito di un popolo affinato dalla storia. Ciò che dà unità alla vita e alla cultura di un popolo è la persistenza di quei succhi originari che costituiscono la sua forza fondamentale. Herder paragonava la storia a un albero. Radice e albero sono in un rapporto analogo a quello di Dio con le cose create: essi sono i princìpi che governano un popolo e le sue mutevoli espressioni storiche [4]. In questa organica visione, mutamento e continuità esistono come propaggini parallele dell'« albero della vita ». La continuità deriva dalle radici, che rappresentano il *Volksgeist* e i cui succhi sempre fluenti devono essere conservati da un popolo attraverso i mutamenti della storia.

Il *Volksgeist* si rivelò a Herder nelle mitologie, nei canti e nelle saghe di un popolo; essi risalgono alle sue origini e se sono conservate ne ringiovaniscono lo spirito. Herder non negava il mondo moderno, perché non poteva certo opporsi al disegno divino che regola il corso della storia. Ciononostante nel suo atteggiamento vi è una certa ambivalenza: per esempio, egli elogiava il progresso verificatosi nei tempi moderni nel campo della moralità, del comportamento e della cultura, ma metteva in guardia contro la condanna delle età più antiche. Ogni fase dello sviluppo storico riflette la volontà divina. Tuttavia le radici di un popolo rappresentano un'intatta genuinità di sentimento, spontaneità e forza.

A prescindere dai dettagli della sua filosofia, Herder assegnava a ciascun popolo un particolare *Volksgeist*, esprimentesi attraverso la sua cultura e abbracciante perciò l'intera comunità. A volte lo spirito interiore sembra generare un tipo ideale mai mutato al di sotto dell'organico sviluppo storico. I tedeschi, egli scriveva nel 1787, avevano rappresentato una barriera contro la penetrazione dei barbari e avevano così conquistato, protetto e fertilizzato una gran parte dell'Europa. La loro comunità guerriera e il loro carattere tribale erano stati il fondamento della libertà, della cultura e della sicurezza dell'Europa. La lunga resistenza contro i romani aveva rafforzato il loro carattere. I tedeschi possiedono spirito eroico e forza fisica, con la loro « alta, robusta e bella corporatura, e quei terribili occhi blu... da cui sprigiona spirito di moderazione e lealtà » [5]. Herder era anche un ammiratore di Winckelmann e del suo tipo ideale greco, ma era ancora un uomo dell'Illuminismo e certamente non razzista, sebbene sia facile capire come mai il suo *Volksgeist* abbia potuto poi servire per definire le qualità innate della razza.

Herder respinse esplicitamente la classificazione razziale; egli pensava che non vi fosse alcun reale legame biologico tra i popoli, ma solo legami culturali e linguistici: « una scimmia non è tuo fratello, ma un negro sì e non devi depredarlo e opprimerlo ». Egli fece analoghe osservazioni sugli slavi contro i quali i tedeschi si erano macchiati di gravi colpe e sperava che gli ebrei fossero presto pienamente assimilati in tutta l'Europa. In nessun altro continente, ci dice Herder, i popoli si sono mescolati tanto quanto in Europa [6] e si ha l'impressione che l'esigenza di totalità, di unità, lo portasse a stabilire tra popoli diversi, in nome di una cultura comune, lo stesso rapporto esistente tra un albero e i suoi rami.

Ciononostante Herder diede un valido contributo al risveglio della coscienza nell'Europa centrale e orientale. Crescita, vitalità e originalità sono tutte caratteristiche della comunità nazionale e si manifestano attraverso la lingua nazionale. Una lingua comune, secondo Herder, è il fattore fondamentale che nell'oscuro passato ha unito la comunità. La lingua è espressione della spontaneità del *Volksgeist*, è il « succo della vita » di un popolo. La lingua tedesca è pura, sorellastra della più perfetta tra le lingue, 'a greca[7]. Così le leggende, le saghe e l'antica poesia germaniche sono manifestazioni concrete di quello spirito che scaturisce dalle radici del *Volk*. La cultura era considerata imperniata sulla lingua nazionale e sulla letteratura nazionale tradizionale. Anche qui Herder non intendeva denigrare i popoli non germanici, di cui anzi apprezzava grandemente la letteratura. I contatti culturali tra le nazioni sono importanti e nessuna nazione dovrebbe imporre la propria cultura su un'altra; per esempio egli condannava gli sforzi dell'imperatore austriaco Giuseppe II miranti a diffondere la lingua tedesca in tutti i suoi domini. Il principio « eguale ma separato » definisce come Herder concepisse un mondo di nazioni.

In un certo senso Herder era un cosmopolita, non solo per l'influenza che aveva avuto su di lui l'Illuminismo, ma anche a causa del suo cristianesimo, che considerava la diversità tra gli uomini come parte di un disegno divino. Egli era un democratico che odiava i despoti e un ottimista che credeva possibile la pace universale. Il suo ideale di una coscienza nazionale, raggiunta attraverso la letteratura creata dal popolo stesso, era diretto a democratizzare il nazionalismo, ma questo, a sua volta, creava un baratro ancora più profondo tra i diversi popoli. La nazione non è rappresentata da un governante capace di raccogliere molti popoli diversi sotto la sua bandiera, né è limitata a quel popolo cui è toccato vivere in un determinato territorio. La nazione è piuttosto una comunità separata dalle altre in virtù del suo stesso spirito interiore, così come esso si esprime attraverso la sua lingua e la sua cultura. Lo stimolo costituito dal pensiero di Herder fu determinante durante il secolo XIX per il risveglio nazionale non solo dei tedeschi, ma anche, tanto per fare pochi esempi, dei cechi, dei magiari, dei polacchi[8].

In principio, questo nazionalismo moderno fu tollerante e così, quando i tedeschi celebrarono l'anniversario della vittoria su Napoleone nella battaglia di Lipsia del 1815, gli ebrei assistettero ai servizi di ringraziamento insieme con i protestanti e i

cattolici, cantando fianco a fianco con i cristiani gli inni patriottici [9]. Si ha la sensazione che l'esultanza per la liberazione nazionale avesse rinsaldato una comunità che Herder avrebbe approvato (egli era morto dodici anni prima). Ma già nel 1815 esistevano dei sintomi che la classificazione razziale sarebbe penetrata
nella coscienza nazionale e la lingua sarebbe diventata un mezzo
per condurre ricerche sulle radici razziali. E nemmeno il tipo
ideale sarebbe stato dimenticato. Qui non vi sarebbe stato posto
per la tolleranza: solo una linea sottile separa le lotte per la
liberazione nazionale dalle idee di predominio nazionale.

L'importanza attribuita da Herder alla lingua come espressione di un passato comune fu condivisa da un'intera generazione
di filologi verso la fine del XVIII e l'inizio del XIX secolo.
Questi filologi concentrarono le loro ricerche sulle origini delle
lingue nel tentativo di scoprire le radici della razza, e giunsero
alla conclusione che il sanscrito era stato la base di tutte le lingue
occidentali e che esso era stato importato in Europa dall'Asia
con la migrazione di popoli ariani. È a questo punto che fa la
sua prima apparizione l'infausto termine di « ariano ».

Tale radice linguistica fu collegata intimamente con il romantico culto allora in voga dell'India, esaltata per le sue religioni
misteriche e per la grandiosità e la durevolezza dei suoi monumenti. Si pensava che l'Egitto fosse stato una colonia dell'India
e nel secolo XVIII le piramidi erano diventate di moda non
solo come motivo ornamentale nei giardini, ma anche come tombe,
che molti sentivano come « misteri di granito », come più tardi
le avrebbe chiamate Théophile Gautier [10]. Le forme piramidali
inoltre furono usate per dare dimensioni più grandi alle strutture
architettoniche classiche e greche. Vi è sicuramente un nesso tra
il culto per tutto ciò che era egiziano (e quindi anche indiano)
e le presunte origini ariane della lingua, perché quei popoli che
avevano creato questa lingua ed erano emigrati in Europa erano
partecipi di quella durevolezza e grandiosità che per tanti romantici erano tipiche di questa regione dell'Asia e del Vicino Oriente.

Il più famoso conoscitore dell'India nel secolo XVIII, Sir
William Jones, nelle sue lezioni all'Asia Society di Calcutta
(1784-94) rifiutò di prendere in considerazione il problema delle
origini comuni dell'Occidente e dell'Oriente, ma nonostante ciò
sostenne che era esistito un nesso tra l'Egitto, l'India, la Grecia
e l'Italia già molto tempo prima che queste nazioni si fossero

insediate nei loro rispettivi territori. Egli dimostrò questo rapporto reciproco applicando il metodo comparativo allo studio delle divinità che avevano dominato su tutti questi popoli nelle età pagane, ma si rifiutò di decidere « quale fosse l'originale e quale la copia ». Jones, inoltre, era scettico sulla possibilità di servirsi della lingua per trovare radici o denominatori comuni; ma nonostante ciò egli ammirava l'Asia e pensava che il sanscrito fosse più perfetto del greco e del latino. Egli era convinto che Europa e Asia fossero diverse, essendo ragione e gusto prerogative degli europei, e innalzandosi invece gli asiatici alle più alte vette dell'immaginazione [11].

Sir William Jones vedeva tratti comuni tra l'India e l'Europa, ma non origini comuni, e sosteneva che in modo particolare la Grecia e Roma avessero partecipato di questi tratti, un'opinione non insolita da parte di studiosi imbevuti di cultura classica e nello stesso tempo pieni di ammirazione per l'India. Alcuni contemporanei di Jones, per esempio, pensavano che Ulisse fosse giunto dall'India. Fu Friedrich Schlegel che nel 1808 avanzò una teoria compiutamente elaborata sulle origini ariane costruita attraverso la linguistica. Nel suo *Sulla lingua e la sapienza degli Indiani* (*Über die Sprache und Weisheit der Inder*) egli si servì proprio di quelle comparazioni terminologiche tra il sanscrito e le altre lingue che Sir William Jones aveva deplorato.

Schlegel sosteneva che il tedesco, il greco e il latino avessero una radice comune nel sanscrito e mentre in questo gruppo veniva compreso l'inglese, ne era per esempio esplicitamente escluso lo slavo. Egli affermò che la grammatica classica fosse particolarmente affine al sanscrito e per dimostrare questo assunto non si servì più delle sue comparazioni linguistiche, ma postulò una simpatia, un'affinità tra queste lingue basata sul « carattere interiore » delle lettere [12].

Se un certo metodo scientifico ispirava comparazioni terminologiche, qui noi ci troviamo a vagare nel regno dei sentimenti romantici. Ammesso che l'uomo interiore sia importante e che anche il mondo esteriore sia sempre interiorizzato, perché allora non applicare ciò anche alla grammatica? Se vi erano delle affinità profonde tra la saggezza indiana e quella dei tedeschi e dei greci, allora esse avrebbero certamente trovato riflesso nelle comuni radici linguistiche. In modo ancor più significativo Schlegel definì « organiche » le lingue derivanti dalle radici indiane, semi

viventi di crescita e vitalità, ma tacciò di essere atomizzate e
prive di profondità quelle lingue che si supponeva derivassero
dal cinese, come lo slavo, l'indiano americano e il giapponese.
Secondo lui, anzi, le lingue che non avevano fonti di ispirazione
indiane costituivano un gruppo disarticolato, « tenuto insieme dal
vento » e tale da andare in pezzi in qualsiasi momento [13].

La lingua perciò caratterizzerebbe la comunità: i tedeschi, gli
antichi e gli indiani costituirebbero una vera comunità organica;
gli altri no. I popoli ariani perciò avevano radici comuni e molti
di loro avevano lasciato l'India per l'Europa settentrionale; avevano fatto ciò non per una qualche necessità, ma per una «sorta
di concezione miracolosa della grande dignità e splendore del nord»
che secondo Schlegel trovava conferma nel contenuto delle saghe
indiane [14]. In tal modo Schlegel fissò i principi di una superiorità ariana esemplificata dalle radici linguistiche e riaffermata dalla
migrazione ariana nel meraviglioso Nord europeo. Anche se egli
non affermò mai esplicitamente tale superiorità, essa è implicita
nella sua teoria sulle lingue nobili e non nobili.

I risultati della ricerca scientifica furono utilizzati per sostenere giudizi estremamente soggettivi sulla superiorità delle origini indiane. Christian Lassen (1800-1876), allievo di August
Wilhelm Schlegel (fratello di Friedrich) e suo successore come
professore all'università di Bonn, ebbe tra i razzisti degli anni
successivi più popolarità di qualsiasi altro studioso dell'India
grazie alle sue vastissime conoscenze. Dall'imponente opera di
Lassen in quattro volumi, *Antichità indiane* (*Indische Altertumskunde*, 1858-1862), essi scelsero le affermazioni atte a conva-
lidare l'idea che tutti coloro che potevano far risalire le loro
origini all'India possedessero il genio più alto e più perfetto e
fossero i soli a godere della vera armonia spirituale. Lassen ha
scritto che l'India unisce la profonda immaginazione già ricono-
sciutale da Hegel con la penetrante razionalità che si evince dalla
struttura della sua grammatica. Esistono popoli privi di questo
equilibrio, specialmente i semiti (comprendenti sia gli ebrei che
gli arabi), trastulli della loro stessa volontà egoista. Né gli ebrei
né gli arabi, egli affermava, hanno poemi epici in cui l'ego del
poeta svanisca di fronte agli interessi della comunità [15]. Ancora
una volta la letteratura era portata a convalida di un atteggiamento soggettivo che stabiliva una distinzione tra una razza e
l'altra.

I timori di Lassen di esprimere giudizi razziali non durarono a lungo. Le origini ariane dell'India contrapponevano il nobile popolo indo-germanico agli ignobili semiti; l'ammirazione per l'India era diventata un mezzo di identificazione razziale e la linguistica ebbe un'importanza determinante nella formulazione di questo giudizio. La lingua simboleggiava il cammino in comune di un popolo attraverso il tempo, e perciò agli ariani, che avevano dato la loro lingua alle nazioni superiori dell'Europa, furono attribuiti tutti gli ideali che si supponeva fossero tenuti in gran conto dagli europei: l'onore, la nobiltà, il coraggio e un aspetto esteticamente gradevole. Si diceva che fossero un popolo rurale, una virile razza contadina. Friedrich Max Müller (1823-1900), professore a Oxford, sosteneva che il significato originario della parola « ariano » fosse « coltivatore della terra » e per questa ragione nel 1864 egli incluse nel popolo ariano gli slavi, essendosi anch'essi mantenuti contadini[16].

Molto prima di Müller, l'idea di accertare le origini ariane mediante la lingua aveva colpito l'immaginazione di numerosi europei. In Francia lo storico Jules Michelet considerava l'India la madre della cultura francese e nel 1831 un giornale cattolico francese scrisse della « rivelazione naturale » proveniente da quel continente[17]. Adolphe Pictet, le cui opere uscirono in Francia tra il 1859 e il 1863, affermò che la razza ariana era esistita un tempo in India, ma che mediante numerose ondate migratorie essa si era insediata in quasi tutta l'Europa e in parti dell'Asia. Ogni qualvolta la gente parlava un dialetto ariano, ciò costituiva indubbiamente un elemento decisivo ai fini della ricostruzione di questa razza. L'opera di Pictet di classificazione e comparazione delle tante lingue parlate nell'ambito della « nostra famiglia ariana » è stata diffusamente giudicata come quella che ha posto le basi per ricostruire il mondo degli antichi ariani.

Pictet dipingeva la vita degli antenati ariani come un paradiso terrestre; egli li vedeva come dei contadini giovani e vigorosi, che nella remota India avevano sviluppato libere istituzioni politiche e condotto una salda vita familiare. Egli aggiungeva che gli ariani in quanto razza erano destinati dalla provvidenza a dominare in qualche epoca futura il globo[18]. Per Pictet, Müller e molti altri filologi questo paradiso era in netto contrasto con quella modernità nel mezzo della quale gli ariani loro contemporanei dovevano vivere.

Gli studiosi tedeschi e francesi collaborarono alla costruzione del mito ariano. A metà del secolo il più famoso di tutti loro, il conte Arthur de Gobineau, si servì a piene mani di queste teorie linguistiche e l'ariano entrò nella storia europea come mito razziale. La ricerca delle origini ariane sarebbe continuata e già verso la metà del secolo alcuni avrebbero guardato al Nord, alla Scandinavia, anziché all'Asia, per scoprirvi le radici razziali, fino a che Heinrich Himmler avrebbe tentato senza successo, nel 1937-38, di finanziare una spedizione nel Tibet che, oltre a esplorazioni geografiche e antropologiche, si pensava dovesse anche svolgere indagini linguistiche. Altri giovani nazisti avrebbero percorso la Lapponia o la Svezia per cercarvi i loro antenati ariani [19].

Fu Friedrich Max Müller che meglio riassunse le conseguenze razziali dell'indomania. Egli respinse nettamente l'idea che per la razza avesse importanza l'antropologia; nel 1854, in una conferenza, egli accusò tutti coloro che si dedicavano a misurazioni di crani e di ossa di non essere capaci di mettersi d'accordo tra di loro su quante razze esistessero e perciò di tornare a credere nell'unità delle specie e nella casualità delle variazioni. Era assolutamente vero, come abbiamo visto, che gli antropologi non riuscivano ad accordarsi sul numero delle razze, ma non era esatto accusarli di non essere riusciti a far affermare le divisioni razziali. Malgrado ciò queste critiche diedero modo a Müller di proclamare che la linguistica fosse « la scienza » capace di stabilire l'esistenza e la natura della famiglia ariana dei popoli: « è la lingua che fa l'uomo ». La lingua, egli affermava, è certamente più vicina all'essenza dell'uomo della sua pelle o del suo colore, del suo cranio o dei suoi capelli [20]. Era questo un netto rifiuto dei tipi ideali, che avrebbe avuto scarso seguito, ma che dimostrava un sincero attaccamento alle radici linguistiche ariane.

Eppure il rifiuto del tipo ideale mediante la negazione dell'armonia esteriore e fisica non significava il caos; anzi Müller credeva che alcune virtù derivassero dalle origini ariane e si fossero conservate in coloro che erano migrati in Europa; indipendenza e fiducia in se stessi poi erano le due qualità proprie degli ariani che si erano ancor più sviluppate nella migrazione da un continente all'altro. A loro volta queste virtù erano associate a una vita legata alla terra, sempre considerata la riserva della forza ariana. I popoli che avevano trasmesso all'Europa le numerose varietà della lingua ariana perpetuavano le virtù che avevano caratterizzato i primi ariani e le accrescevano ancor più grazie all'« irresistibile impulso » che aveva messo in moto la grande migrazione. Gli ariani dell'India antica sono ancora vivi, affermava Müller, perché il loro « pensiero ancora pervade i nostri pensieri, come il loro sangue può ancora scorrere nelle nostre vene ». Esisteva una « grande fratellanza ariana » che, una volta ancora, racchiudeva le glorie della Grecia e di Roma[21].

All'epoca in cui Müller scriveva, si era già da tempo affermato il principio che la lingua fosse un elemento decisivo della nazionalità. Müller aveva in parte ragione a scrivere che la comunione di sangue senza la comunione di lingua lascia gli uomini stranieri fra di loro e che la lingua costituisce l'essenza di qualsiasi comunità. E in realtà molte nazionalità dell'impero austriaco avevano rafforzato la propria coscienza nazionale nella lotta contro i tentativi compiuti nel secolo XVIII di imporre loro come lingua ufficiale di governo il tedesco e le discussioni sulla lingua degli ultimi decenni del secolo XIX avrebbero di nuovo dimostrato l'identità tra la lingua e il sentimento nazionale.

La crescente intolleranza del nazionalismo si rivolse spesso a dimostrare che coloro che non partecipavano delle comuni radici ariane non potevano riuscire ad avere piena padronanza della lingua locale. Per esempio, opere influenti antiebraiche dell'inizio del secolo XIX, come *I nostri visitatori* (*Unsere Verkehr*, 1816) di Sessa, attribuirono grande importanza alla supposta incapacità degli ebrei assimilati a parlare correttamente il tedesco e in effetti divenne cosa comune che opere antiebraiche presentassero ebrei che parlavano una mescolanza di tedesco e yiddish, un « gergo » cui non si poteva sottrarre nemmeno un Rothschild. Eguale disprezzo fu riservato alle capacità linguistiche dei negri africani e la lingua fu presa a riprova della loro disponibilità ad integrarsi nella società inglese e, sotto questo aspetto, in quella francese[22]. In tal modo la lingua divenne uno dei pilastri della nazionalità e uno dei mezzi per bollare gli stranieri.

Nonostante la sua importanza capitale, la lingua non fu l'unico elemento utile per definire le origini e il carattere nazionali. Il termine « ariano » ebbe una grande diffusione, ma non mancò di rivali: egualmente importante divenne il termine « caucasico », derivante non dalla linguistica ma dall'antropologia. Friedrich Blumenbach lo aveva introdotto nel 1795 usandolo per definire in genere gli europei bianchi, dato che era convinto che le pendici del Caucaso fossero la terra originaria delle più belle specie europee. La prova scientifica che egli ne dava era che il cranio georgiano costituisse un archetipo da cui derivassero altri tipi secondo livelli diversi; i più distanti da questa vera bellezza sarebbero stati il mongolo e il negro [23]. Il termine « caucasico » era più restrittivo dell'espressione *Homo sapiens* di Linneo che si riferiva all'intera Europa, ma aveva un'accezione più ampia di « ariano » che comprendeva solo una parte dei caucasici.

Alla fine secondo alcuni persino il termine « ariano » includeva troppi popoli ed era troppo cosmopolita. Gustaf Kossinna nel suo *La preistoria tedesca* (*Die Deutsche Vorgeschichte*, 1911) cercò di separare il ceppo germanico sia dagli indiani che dagli antichi; egli affermò che i tedeschi fossero superiori ai romani (per non parlare degli asiatici) e lo provò con un esame dei manufatti dell'età della pietra, del bronzo e del ferro. In tal modo si restringeva ancora di più il campo visivo ed esclusi l'*homo sapiens*, i caucasici e gli ariani, rimasero solo i tedeschi ad essere il popolo superiore. Il lavoro di Kossinna sarebbe stato in seguito continuato da Alfred Rosenberg, durante il Terzo Reich, nel tentativo di controllare tutta la ricerca sulla preistoria e di servirsene per dimostrare la superiorità razziale dei tedeschi ariani [24]. Heinrich Himmler, che si arrogava anche lui competenza in questo campo in virtù dell'*Ahnenerbe* (eredità atavica), che era un istituto all'interno delle SS, si spinse più in là allo scopo di trovare la culla della razza germanica; ma anche lui restrinse le radici ariane ai tedeschi e agli olandesi (che in quanto « bassi-tedeschi » erano considerati della stessa razza). Per la sua stessa natura il razzismo tese da una parte ad essere definito in modo sempre più ristretto e dall'altra a presentarsi come una sintesi di tutte le qualità che un vero popolo doveva possedere.

I termini « popolo », « nazione » e « razza » tesero a volte, durante la seconda metà del secolo XIX a identificarsi, malgrado i recenti sforzi compiuti da Herder per mantenerli separati. Certo, verso la fine dell'Ottocento alcuni tedeschi cercarono di eludere lo sciovinismo implicito in questa convinzione affermando che il *Volk* non è altro che un primo passo verso un'unica umanità: l'uomo per prima cosa deve divenire parte del suo *Volk* e solo come tale può con fierezza unirsi alla più vasta fratellanza di tutti gli uomini di buona volontà. Ma questa corrente del pensiero *volkisch* rimase isolata e vi aderirono principalmente ebrei come Gustav Landauer e Martin Buber [25], uomini cioè che desideravano considerarsi appartenenti alla nazione germanica senza rinunciare agli ideali di una umanità comune che erano serviti a liberare gli ebrei dai loro ghetti di un tempo e che avrebbero potuto ancora liberarli dal loro stereotipo. Anche credendo all'idea di popolo, nazione e razza, era possibile deplorare idee di superiorità e prospettare un mondo formato da razze separate che si rispettassero l'un l'altra. Ma le più restrittive tendenze razziste e il crescente esclusivismo portarono con sé una sempre maggiore insistenza sugli ideali di superiorità e dominio.

Non ci dovrebbe sorprendere il fatto che ben presto gli stessi indiani fossero esclusi dalla razza ariana che aveva lasciato le loro terre per il misterioso Nord. Adolf Hitler, per esempio, era convinto che gli indiani dovessero essere governati dai bianchi ed era perciò ostile al movimento per la liberazione nazionale indiana. La sua scarsa stima per gli indù era condivisa da altri, come Alfred Rosenberg, che pensava che gli ariani di colorito chiaro avessero dapprima conquistato i neri e scuri indù e che in seguito la loro migrazione avesse lasciato dietro di sé un popolo inferiore [26].

Tale visione restrittiva si intrecciò con lo sforzo di considerare il popolo o la razza come una totalità. La linguistica e i giudizi soggettivi degli antropologi erano stati concepiti come un mezzo per individuare le caratteristiche essenziali della razza. Dopotutto Herder aveva fatto della lingua un simbolo della cultura di un popolo; e una volta scoperte le sue radici, la grande corrente della coscienza nazionale realizzava una sintesi di lingua, antropologia, geografia e storia. Studiosi e divulgatori si occuparono di tutto ciò che concerneva la cultura nazionale.

Heinrich Riehl nel suo *Terra e popolo* (*Land und Leute*, 1853) invocò una « storia naturale » del *Volk* che avrebbe dovuto abbracciare tutto ciò che riguarda un popolo, come esso vive, cioè da dove trae la sua esistenza [27]. Il suo libro va dalla formazione dei villaggi e delle città, alla geografia e demografia del popolo tedesco e si conclude con un esame della politica e della Chiesa. Ciò che tiene insieme tutti questi aspetti sono gli antichi costumi del popolo, la cui vera validità si manifestò durante lo « splendido Medioevo ». Riehl fondò nell'Europa centrale la pseudoscienza dell'*Heimatkunde*, un termine che non significa semplicemente educazione civica, ma studio approfondito del proprio « paese natale », che ha come oggetto un'unità rappresentata dalla persistenza di tradizioni remotissime. La tradizione consacrata dalla storia, che qui prende il posto della lingua, diventa forza integrante della razza.

Queste idee divennero, sia nella Germania settentrionale protestante sia in quella meridionale cattolica, istituzionali nell'istruzione dai primi decenni del secolo XIX in poi e si diffusero in tutte le nazioni d'Europa che cominciavano a ridestarsi. I libri di storia usati nelle scuole tedesche sono la prova della loro efficacia; alcuni di questi, come quello scritto da August Hermann Niemayer nel 1796, mettevano in risalto la comunità spirituale del popolo legato da una lingua comune; altri vedevano nella durevole influenza della preistoria tedesca la via verso la coscienza nazionale, e specialmente in questi l'elogio delle idee tedesche si univa al rilievo dato al cristianesimo. Furono i tedeschi, e non gli ebrei, a diventare il popolo eletto e il vaso della salvezza [28]. La descrizione elogiativa che Tacito fa degli antichi germani fu collegata al Nuovo Testamento e ambedue presentati come un immenso progresso rispetto al Vecchio Testamento degli ebrei; il cammino del popolo attraverso la storia fu un dramma sacro con cui essi simboleggiarono non solo l'unità tra vita e natura, ma la salvezza stessa. All'inizio del secolo XIX i fratelli Grimm, con il loro interesse per i racconti fiabeschi, già avevano scritto: « l'eterno, l'invisibile verso il quale ogni spirito nobile deve lottare si rileva al grado più puro e distinto nella totalità, cioè nell'idea del *Volk* » [29].

Il *Volk* era il vaso della fede e in tal modo esso era esaltato come un'unità separata, incaricata della custodia del Sacro Graal (il calice mitico in cui era stato raccolto il sangue di Cristo durante la crocefissione), e nell'ambito della quale ogni membro compiva una funzione sacra. La superiorità fu fissata all'interno di una cornice cosmica, e di essa fornivano la prova la linguistica e la storia. Già in precedenza abbiamo parlato del tipo ideale dell'antropologia che era giunto a definire l'aspetto esteriore del nuovo popolo eletto. Tutti questi elementi insieme lavorarono per creare un'identità di superiorità razziale e nazionale, ma tale superiorità era anche ricerca delle radici e perciò la prova ultima doveva essere di tipo storico. Sono le radici a determinare la saldezza dell'albero.

La storiografia nazionale aveva fatto grandi passi dai tempi di Herder e l'attenzione rivolta alle origini di un solo popolo servì anche a distinguerlo da tutti gli altri popoli. Libri come la *Germania* di Tacito (98 a.C.), nuovamente portato alla luce nel secolo XVI, furono ora utilizzati come testimonianze delle virtù praticate dagli antenati germanici. Il racconto di Tacito sugli antichi germani sottolineava proprio quegli elementi positivi della loro vita che i filologi avevano individuato come caratteristici degli antenati ariani: gli antichi germani si mantenevano puri e non si mischiavano con le altre tribù, non vivevano in città e appena tolleravano ogni genere di insediamento aggregativo; essi erano fiduciosi in se stessi, coraggiosi e leali, incapaci di menzogna e di inganno, avendo, per così dire, il cuore in mano. I germani dimostravano di avere le stesse caratteristiche che Müller aveva attribuito agli ariani dell'India, emigrati nell'Europa del nord.

Questo tema durò nel tempo: nel 1870, per esempio, William Stubbs, vescovo di Oxford, scrisse nell'introduzione del suo *Carte scelte e altre illustrazioni sulla storia costituzionale inglese* che gli antenati anglo-sassoni condividevano l'orgoglio degli antichissimi germani per la purezza delle origini e rispettavano le loro donne e i legami familiari. Nel loro caso l'emigrazione non aveva generato individualismo, ma un senso di ordine e di affidamento sulla comunità. La comune eredità teutonica, proseguiva il vescovo, poneva l'Inghilterra sulla strada di un forte e costante sviluppo della libertà esemplificata dalla *Magna Charta* e dal governo parlamentare. Anche brani tratti dalla *Germania* di Tacito erano compresi nella raccolta di Stubbs, che fu uno dei libri di testo per l'insegnamento della storia costituzionale inglese sino a ben dopo la seconda guerra mondiale. Ancora una volta la primordiale purezza delle origini e l'amore per la libertà erano fusi insieme; perciò la vera libertà era sotto la custodia della razza teutonica.

Non ci si poteva attendere che i francesi si trovassero d'accordo. A loro favore lo storico Numa Denis Fustel de Coulanges (1830-1889) avanzò un'identica pretesa, solo che qui erano i francesi a monopolizzare l'eredità teutonica. Fustel de Coulanges credeva che i franchi teutoni fossero stati destinati a combattere i germani per poterli civilizzare. Tuttavia questa ipotesi di uno scontro micidiale tra teutoni si dimostrò rozza e Fustel finì col sostituirla con l'idea di una razza celtica come antenata dei fran-

cesi: i celti soppiantarono i teutoni nel pensiero razziale francese,
anche se non fu abbandonata l'idea della missione di civilizzare
i germani [30]. Statue dell'eroe celtico Vercingetorige furono erette
a Clermont-Ferrand e altrove, proprio come i germani celebra-
vano il loro antico eroe Arminio il cherusco, nei drammi, nella
poesia e nei monumenti [31]. Malgrado tutte le loro supposte differenze, germani e celti avevano alcuni tratti in comune.

Prese sempre più piede la convinzione che germani e celti
fossero uomini liberi che avessero dato vita nelle loro remote
istituzioni tribali a una rozza e spontanea forma di eguaglianza;
i loro re o nobili si erano serviti della persuasione più che della
forza. Müller aveva anche indicato la libertà come elemento
essenziale del mondo ariano caratterizzato dalla fiducia in se
stessi. Storici in Germania, Inghilterra e Francia indagarono nel
passato per trovare le origini di libere istituzioni che potessero
servire a spiegare il costante amore per la libertà attribuito ai
loro rispettivi popoli. Il sorgere del nazionalismo moderno favorì
l'instaurarsi di una gara per stabilire quale dei popoli dell'Europa
avesse un maggiore amore per la libertà. Questo aspetto del
nazionalismo moderno è spesso ignorato, e ingiustamente, perché
si supponeva che la comunità rappresentata dalla nazione ren-
desse l'individuo libero. La comunità nazionale si basava su sentimenti, lingua e storia comuni e non sulla forza. Inoltre, nel-
l'Europa centrale e orientale, il nazionalismo, all'incirca tra il
1815 e il 1870, era in lotta contro la reazione che voleva sop-
primerlo. La liberazione nazionale portò a dare rilievo alla libertà
nazionale. Certo, sino a che queste nazionalità non raggiunsero
l'unità, sia la libertà esterna sia quella all'interno della comunità nazionale erano considerate essenziali. Per l'Inghilterra e la
Francia, entrambe unite da lungo tempo, il compito era di radicare più saldamente le idee di libertà, facendo affidamento sul
passato come arma contro il corrotto presente. L'immagine del-
l'uomo libero sulle sue libere terre, fosse nell'India o nella foresta
di Teutoburgo in Germania, esercitò la sua forza d'attrazione
su molti individui, e altrettanto fecero le presunte libere antiche
istituzioni tribali che i tedeschi, gli inglesi e i francesi scoprivano
ora nel loro passato.

Tutti coloro che non potevano vantare queste radici erano
degli esseri inferiori proprio perché non conoscevano la libertà
e volevano perciò rendere schiavo il mondo. Fu questa l'accusa

principale rivolta agli ebrei. La tendenza ad imporre sugli altri il proprio potere fu ritenuta connaturata alla loro mancanza di spiritualità. Già Voltaire lo aveva detto pittorescamente: gli ebrei erano destinati o a conquistare tutti o ad essere odiati dall'intera razza umana [32]. I negri, a loro volta, non potevano conoscere la vera libertà perché erano ritenuti incapaci di costituire innanzi tutto una vera comunità. Se gli ebrei aspiravano solo al dominio, i neri vivevano nel caos, come mise in evidenza Gobineau. Così, ebrei e neri non sarebbero mai potuti diventare nazioni vitali e questo fatto era ritenuto essere un difetto innato in entrambe le razze.

L'ideale, in pieno sviluppo, di una comunità nazionale aveva lasciato dietro di sé il cosmopolitismo di Herder [33]; tra le comunità umane era stato creato un profondo abisso perché si era puntato non più sull'eguaglianza ma sul predominio ariano. I fattori soggettivi della storia, lingua e salvezza nazionale, offrirono un terreno fertile alla dottrina della razza. Sin dall'inizio, tale dottrina era passata dalla scienza al mito e nello stesso tempo aveva tentato di considerare l'essere umano nella sua totalità, cioè sia nella sua natura interiore che nell'aspetto esteriore. Il nazionalismo vi aggiunse le sue radici che affondavano nella storia, nella lingua e nel paesaggio nativo e seguì le tracce delle virtù ariane dal passato al presente. Alla metà del secolo XIX l'edificio non era ancora completamente innalzato, ma l'impalcatura già esisteva. A molti contemporanei parve che fosse il conte Arthur de Gobineau l'uomo destinato a completarlo, ma egli si sarebbe dimostrato non tanto il padre dell'ideologia razzista, quanto il suo sintetizzatore in un momento particolarmente adatto della storia europea, quando le rivoluzioni del 1848 e le loro conseguenze stavano scuotendo il continente.

DA GOBINEAU A DE LAPOUGE

Il conte Arthur de Gobineau (1816-1882) non fu un pensatore originale, ma un sintetizzatore che si servì di elementi tratti dall'antropologia, dalla linguistica e dalla storia per costruire un sistematico edificio intellettuale in cui la razza dava spiegazione di tutti gli eventi passati, presenti e futuri, sia che si trattasse di trionfi, quale era stato il Rinascimento, sia di decadenza, quale era simboleggiata dalla Francia in cui egli viveva. Nel *Saggio sull'ineguaglianza delle razze umane* (*Essai sur l'inégalité des races humaines*, 1853-55) egli espose quasi sillabandolo in tutti i terrificanti dettagli il suo razzismo, utilizzando le migliori conoscenze scientifiche allora possibili come pure le sue dirette osservazioni fatte durante lunghi viaggi.

Ma era stata un'ossessione personale e psicologica a produrre in lui quella visione del mondo che il suo razzismo si proponeva ora di spiegare. Egli era eccezionalmente orgoglioso dell'antichità e del supposto nobile lignaggio della famiglia Gobineau; in realtà il ramo della famiglia al quale apparteneva Arthur Gobineau non era affatto nobile, poiché dopo la morte di uno zio egli si era arrogato un titolo cui non aveva propriamente diritto. Ma egli aveva sempre esaltato la nobiltà come necessaria all'instaurazione nel mondo della vera libertà e virtù, e cavalleria, onore e un aristocratico ideale di libertà, così come si erano incarnati nell'antica organizzazione tribale teutonica, erano gli elementi costitutivi della sua utopia personale. La Francia cui si riferiva nei suoi scritti era una mitica nazione di nobili e contadini, in cui rapporti puramente locali determinavano l'assetto politico dell'intero paese, dando ad esso una stabilità che mancava nel mondo reale. Questo punto di vista non era di per sé originale, perché da lungo tempo aveva permeato il conservatorismo francese ed era stato utilizzato da tutti coloro che si erano occupati delle origini nazionali.

Da questa prospettiva Gobineau scorgeva nell'età moderna pericoli che altri avevano trascurato. Egli vedeva l'età moderna come l'età non solo della centralizzazione, ma anche del confronto, con Cesari di novella estrazione e le masse fronteggiantisi fra di loro e le forze depositarie della libertà e della virtù definitivamente annientate. L'*Essai* fu scritto quando sembrava che l'incubo fosse diventato realtà: nel 1851 Napoleone III aveva effettuato un colpo di stato e il suo regime dittatoriale era stato ratificato dal voto del popolo. I conservatori deploravano la centralizzazione, ma Gobineau vedeva il futuro come l'età delle masse, e ciò dava una nuova dimensione ai suoi timori e ai suoi tentativi di chiarirli.

Che cosa non aveva funzionato? Gobineau si rivolgeva al passato per comprendere il presente; egli credeva che il mondo fosse dominato da una serie di civiltà, delle quali non si può certo dire, egli sosteneva, che siano influenzate dall'ambiente circostante data la possibilità di coesistenza di più civiltà diverse in un'unica regione geografica. In più, il sorgere e lo scomparire di una civiltà non dipenderebbero da fortuite mutazioni, ma sarebbero invece l'effetto di una unica causa: « l'organizzazione e il carattere fondamentali di ogni civiltà si identificano con i tratti caratteristici dello spirito della razza dominante »[1]. Gobineau aveva trovato l'unica causa che apriva la porta alla comprensione del passato, del presente e del futuro.

Gobineau dette delle razze la stessa classificazione che avevano dato i suoi predecessori. Nel mondo esisterebbero tre razze fondamentali — gialla, nera e bianca — che avrebbero prodotto ciascuna una propria civiltà. Per comprendere il ruolo che ciascuna razza aveva svolto o stava ancora svolgendo nella storia del mondo si dovevano analizzare attentamente la sua struttura sociale e la sua cultura. Gobineau non si interessò mai di misurazioni craniche o di angoli facciali; il suo ragionamento prendeva spunto invece in parte dalle sue osservazioni personali, in parte dalle sue vaste letture, e in parte dalle sue notevoli conoscenze linguistiche. Ma osservazione ed erudizione rimangono sepolte sotto analogie con il presente che percorrono l'intero *Essai* e attribuiscono a ciascuna razza il suo posto nell'età presente.

L'attenzione agli effetti sociali e culturali prodotti dalle tre razze fondamentali portò Gobineau a considerarle avulse dal loro paesaggio nativo e a trasferirne invece le caratteristiche a una parte della struttura sociale francese. Ciò diede a queste razze un'importanza attuale e servì a spiegare le condizioni esistenti nella sua patria più che quelle di luoghi remoti. L'importanza di Gobineau consiste non solo nell'aver fatto della razza la chiave della storia del mondo, ma anche nell'aver introdotto il concetto che l'osservazione delle razze straniere può essere d'aiuto a spiegare le frustrazioni del proprio paese: la Francia stessa era un microcosmo di pericoli razziali; la teoria dell'ambiente era respinta perché era possibile trovare sulla soglia della propria casa comportamenti tipici della razza gialla o nera.

La razza gialla, secondo Gobineau, sarebbe materialista, pedante e vittima di un « forte, ma non creativo impulso verso il benessere materiale » [2]. Essa mancherebbe di immaginazione e la sua lingua sarebbe incapace di esprimere pensieri metafisici, un rilievo già fatto da Friedrich Schlegel a proposito della lingua cinese. La razza gialla sarebbe destinata a realizzarsi nel commercio e negli affari; essa avrebbe tutte quelle caratteristiche di cui Gobineau incolpava la borghesia, da lui accusata di aver distrutto la vera Francia, basata sul regionalismo, la nobiltà e i contadini. Evidentemente la razza gialla non possederebbe alcuna delle virtù caratteristiche della vera nobiltà, in ciò avvicinandosi alla borghesia francese.

Anche i neri rientravano nello schema della politica contemporanea. Gobineau attribuiva loro caratteristiche ormai tradizionali nel pensiero razziale: scarsa intelligenza, ma sensi sviluppati all'eccesso, grazie ai quali essi sarebbero dotati di un potere rozzo ma terrificante; i neri sarebbero plebe sfrenata, quelle masse cioè che erano scese in campo durante la rivoluzione francese e che Gobineau aveva potuto vedere in azione anche nel corso della sua stessa esistenza, gli eterni *sans-culottes* che avevano collaborato con la classe media a distruggere l'aristocratica Francia da lui idolatrata.

La razza bianca rappresenterebbe l'ideale della Francia, incarnando le virtù della nobiltà — amore per la libertà, onore, spiritualità. Gobineau faceva di nuovo ricorso alla dimostrazione linguistica: la razza bianca è rappresentata dagli ariani, « congenitamente » superiori grazie a quelle qualità da loro incarnate e che mancherebbero alle altre due razze. In questo caso le origini avevano un'importanza essenziale, come avviene in tutto il pensiero razziale. Gli ariani, che per primi avevano dato all'India un'*élite* e avevano poi formato il ceppo teutonico, sarebbero stati l'esatto contrario del materialismo e della sensualità dei gialli o dei neri. Libertà e onore avrebbero operato in loro abbinati col risultato di produrre una nobiltà che governava non con la forza, ma con il suo incontestabile valore. Ma, ahimé, gli ideali della razza bianca non trovavano più corrispondenza con lo stato presente delle cose. La centralizzazione e il governo con la forza avevano preso il posto dell'esempio aristocratico. La borghesia aveva corrotto la nobiltà e il popolo era stato abbandonato nelle mani di falsi capi.

Perché era successo tutto ciò? Nessuna razza può rimanere pura, secondo Gobineau, perché è costretta a mescolarsi con razze inferiori e di conseguenza a degenerare. « Il termine ' degenerato ' riferito a un popolo significa... che questo popolo non ha più lo stesso intrinseco valore posseduto in precedenza, perché non ha più nelle sue vene lo stesso sangue. »[3] Come è avvenuta la degenerazione della razza bianca? Gobineau credeva che i primi abitanti dell'Europa fossero stati di razza gialla e che questi « finnici » avessero popolato l'intera Europa costituendone l'elemento più basso. Gli ariani si sarebbero successivamente sovrapposti a questa popolazione e alla fine avrebbero cominciato a mischiarsi con essa. Questo incrocio di razze stava distruggendo la razza bianca. Ma vi era ancora una speranza? Gobineau credeva nell'ascesa e nella caduta delle civiltà. L'ariano aveva creato questa civiltà e inevitabilmente l'incrocio con altre razze significava la sua caduta. « Triste non è la conoscenza della morte, concludeva Gobineau nel suo *Essai*, bensì la certezza che vi arriviamo degenerati; e forse quel timore, riservato ai nostri discendenti, ci lascerebbe freddi se non sentissimo, con segreto orrore, che la mano del destino è già su di noi. »[4]

Il dramma dell'ascesa e della caduta delle civiltà è un dramma razziale, in cui la posta in gioco è la razza bianca. Gobineau osservava che questa stava diventando più simile ai popoli gialli per il suo materialismo, e più simile ai neri in quanto plebe che deve essere governata con la forza. Queste razze inferiori erano comunque destinate a dominare nella successiva fase storica. Egli condannava la schiavitù e si rammaricava per come la Confederazione americana (dove erano state censurate le sue conclusioni pessimistiche) aveva utilizzato il suo *Essai*. Per quel che riguardava gli ebrei, malgrado la Palestina — il « miserabile angolo della terra » che era stato la loro dimora — essi erano una razza cui riusciva tutto quello che intraprendeva, un popolo libero, forte e intelligente di contadini e di guerrieri, che aveva espresso più uomini di cultura che mercanti. Gli antichi ebrei dimostravano che il valore di una razza è indipendente da tutte le condizioni materiali dell'ambiente, ma come tutte le razze, gli ebrei avevano subìto un declino a causa degli incroci razziali, mescolandosi sempre più con popoli gravemente contaminati da elementi neri [5]: gli ebrei condividevano la sorte degli ariani.

Niente ci autorizza a considerare Gobineau un antisemita. Alla fine del secolo, come vedremo, le sue idee furono dirette contro gli ebrei e ci si servì di lui per dimostrare la costante superiorità dei tedeschi, ma ciò non era nelle sue intenzioni. Gobineau non fu un profeta dell'unità germanica: egli pensava che i piccoli stati compresi tra il Reno e l'Elba incarnassero quel regionalismo da lui ritenuto tanto importante. La nazione da lui maggiormente disprezzata era l'Inghilterra, che gli appariva come il più borghese degli stati. Perciò egli non era un fautore né dell'uso della forza (che comunque sarebbe stato l'opposto di ciò che egli giudicava vera nobiltà) né del germanesimo né dell'antisemitismo. Egli era, in realtà, rassegnato al fato della razza bianca, per quanta tristezza e frustrazioni ciò gli procurasse.

Tuttavia il pessimismo di Gobineau sulle sorti della razza bianca non durò per l'intera sua vita. L'opera *Il Rinascimento* (*La Renaissance*, 1877) esprimeva la speranza che il disastro potesse essere ancora evitato ed è forse questo il motivo per cui questo finì per essere il più popolare tra tutti i suoi scritti, malgrado l'astrusità di contenuto e di forma. *La Renaissance* è un « dramma filosofico » in cui viene descritto il momento del confronto tra un'*élite* e un'Italia in decadenza. Eroi come Savonarola, Cesare Borgia o papa Giulio II si erano sollevati al di sopra della loro epoca grazie alla loro visione di unità, creatività e potenza nazionali. I loro nemici erano le forze che Gobineau aveva sempre temuto: le masse che saccheggiano e predano o seguono falsi capi, e la borghesia, di mentalità ristretta, egoista e avara. L'*élite* che dette vita al Rinascimento non poté assolutamente trionfare su queste forze del male, ma costituì un esempio per il futuro, con la sua visione e i suoi ideali che potrebbero ancora salvare la razza bianca. Inoltre, poiché gli eroi di questo dramma avevano tratto ispirazione dalle virtù romane e dalla bellezza greca, il perdurante appello degli antichi avrebbe potuto ancora agire come barriera contro la corruzione razziale. In ultimo Gobineau avrebbe avuto seguaci tedeschi come Ludwig Woltmann, che in *I tedeschi e il Rinascimento in Italia* (*Die Deutsche und die Italienische Renaissance*, 1905) attribuì alla razza ariana la creatività, la virtù e la rinascita classica proprie dell'epoca.

Durante gli ultimi anni della sua vita Gobineau strinse un'intima amicizia con Richard Wagner, amicizia che ebbe come effetto di rendere popolari le sue opere e di salvaguardarle dal pericolo dell'oblio. Wagner aveva letto Gobineau e vi aveva trovato conferme al proprio razzismo; la sua vedova Cosima e i suoi amici di Bayreuth raccolsero e diffusero il messaggio di Gobineau: un membro del circolo di Bayreuth, Ludwig Scheemann, dedicò la sua vita a rendere popolare e a tradurre Gobineau in tedesco, trovò aiuti, finanziari e morali, nel circolo di Bayreuth, e infine, nel 1894, egli stesso fondò una Società Gobineau [6]. Ormai Gobineau era saldamente collegato nella mente del pubblico con Wagner: la società riuscì a penetrare, in Germania, tra i gruppi di destra, ciò che diede al razzismo di Gobineau una base anche più ampia. Fu soprattutto la Lega pan-germanica ad accogliere il pensiero di Gobineau e ciò fu importante non solo perché si trattava di un potente movimento politico, ma anche perché molti suoi aderenti erano insegnanti nelle scuole. Alla fine, durante la prima guerra mondiale, migliaia e migliaia di copie di *La Renaissance* furono distribuite dalla Società Gobineau tra i soldati al fronte [7].

Bayreuth e i pan-germanisti snaturarono il messaggio di Gobineau: o, piuttosto, lo adattarono alle esigenze tedesche. Le razze nera e gialla svolgevano un ruolo molto modesto nelle fantasie di una nazione che fino alla fine del secolo XIX non aveva intimi contatti coloniali con nessun altro popolo. L'acquisizione delle colonie africane nel 1884 e l'occupazione di una base in Cina (1897) erano avvenute troppo tardi per avere influenza sul razzismo in Germania. Ma gli ebrei, presenti in tutta la Germania e nei ghetti al suo confine orientale, erano diventati il bersaglio del razzismo molto tempo prima che lo stesso Wagner li giudicasse responsabili della degenerazione nazio-

nale. Anche i pan-germanisti accusavano gli ebrei di aver contribuito al pervertimento della nazione mediante la loro supposta
opposizione al militarismo e all'espansionismo [8]. Così la condanna
che Gobineau aveva espresso per le razze nera e gialla fu dirot-
tata verso gli ebrei; fu a questo punto che Gobineau si acquistò
la sua immeritata fama di antisemita. Ma Bayreuth e i pan-
germanisti fecero assegnamento su Gobineau anche per provare
una specifica superiorità razziale tedesca: egli aveva risvegliato,
come si lesse sui « Bayreuther Blätter », « il primordiale spirito
germanico, addormentato nella culla dell'Asia ». L'*Essai* non fu
definito solo « una potente e scientifica arma nelle mani degli
antisemiti » [9], ma anche una dimostrazione della superiorità ariana
dei germani.

Indirettamente, lo stesso Gobineau era responsabile di questo
travisamento, avendo proposto un razzismo infarcito di analogie
con il proprio tempo, sì che altri poterono distorcere o estendere
tali analogie. Il punto centrale, mai perso di vista, era la superiorità dell'ariano, al quale si riconosceva ogni vera nobiltà, onore
e libertà. L'ariano si era appropriato di tutte le virtù del mondo
e di tutta la sua cultura e niente poteva essere lasciato a coloro
che non condividevano con lui il suo sangue meraviglioso. Le
teorie di Gobineau sull'inevitabilità degli incroci razziali, d'altro
canto, potevano essere facilmente messe da parte o ignorate.

Per molti motivi Gobineau trovò favore presso la destra
tedesca più che presso quella francese, che era cattolica e perciò
immune da simpatie verso teorie razziali che, per esempio, nega-
vano l'efficacia del battesimo impartito ai convertiti. L'Action
Française — fondata nel 1899 e destinata ad essere il più potente movimento di destra francese — ignorò Gobineau nonostante fosse animata da un virulento antisemitismo, che si basava
sul convincimento che il cattolicesimo fosse la fede storica della
nazione e che chiunque non la condivideva tendesse insidie alla
Francia. L'Action Française inoltre valorizzava i legami col suolo
e quindi i piccoli proprietari terrieri, mentre considerava gli ebrei
il simbolo di un capitalismo irrequieto e incombente. Certo a
volte è difficile distinguere tra lo specifico sentimento antiebraico
e il razzismo, ma comunque Gobineau non esercitò in questo
caso alcuna influenza. Dopo la sconfitta della Francia da parte
della Germania nel 1871 l'attenzione politica si concentrò sulla
nazione e Gobineau fu attaccato da Maurice Barrès, potente

personaggio della destra, per aver sostenuto una nobiltà cosmopolita piuttosto che l'unità nazionale.

Gobineau fu riscoperto in Francia solo negli anni trenta di questo secolo in parte grazie agli sforzi del nipote Clément Serpaille e in parte per merito di quel gruppetto di intellettuali che si raccoglieva intorno al giornale della destra radicale « Je suis partout ». Su questo, nel 1933, Pierre-Antoine Costeau presentò il conte come il precursore del pensiero fascista, mentre l'anno successivo la « Nouvelle Revue Française » pubblicò un numero speciale dedicato in gran parte all'eredità letteraria di Gobineau [10]. Persino per il piccolo gruppo di fascisti francesi Gobineau rimase, nel migliore dei casi, un personaggio marginale. Egli non aveva un ruolo autentico da svolgere nella destra francese, malgrado l'antisemitismo e il fascismo di questa. Fu sull'altra sponda del Reno che la sua influenza si fece veramente sentire.

Ciononostante noi possiamo rintracciare alcune idee di Gobineau nel botanico svizzero Alphonse de Candolle (1806-1893) e nel suo allievo conte Georges Vacher de Lapouge (1854-1936), un bibliotecario e avvocato che, secondo dopo Gobineau, divenne il più importante teorico della razza in Francia. A differenza di Gobineau, Candolle e de Lapouge cercarono di basarsi su presunti dati scientifici. Vacher de Lapouge si rifaceva, nei suoi scritti, all'autorità di Darwin e già di per sé questo fatto dava al suo razzismo un tono pseudo-scientifico assente nelle opere di Gobineau. Ambedue questi uomini fondavano il loro pensiero su basi soggettivistiche, ma lo esponevano con uno stile diversissimo da quello di Gobineau, sì da poter essere considerati, in Francia, veri e propri scienziati anziché profeti di una nuova religione razzista.

Anche Candolle, come Gobineau, si occupò nei suoi scritti delle razze nera, bianca e gialla e anche per lui la decadenza era inevitabile. I bianchi erano condannati, mentre i neri, più adattabili, avrebbero potuto avere successo. In realtà Candolle si distaccava nettamente da Gobineau perché teneva conto dei fattori ambientali, quali l'esaurimento delle risorse naturali che, a suo parere, avrebbe portato al suicidio demografico. Anche lui tuttavia considerava i negri incolti e i cinesi volgari e immorali. Nei suoi scritti, solo gli ebrei emergevano come un popolo colto che aveva respinto l'uso della forza e neutralizzato così gli istinti brutali e atavistici comuni a molti cristiani. A volte, cosa abbastanza strana, gli ebrei erano giudicati il punto più alto raggiunto dalla razza bianca; ma de Lapouge non avrebbe continuato questa tradizione [11].

Vacher de Lapouge condivideva la visione apocalittica di Gobineau. Egli sosteneva che la forza vitale della nazione si era consumata in conseguenza della degenerazione della razza e del predominio di una plutocrazia. Nella sua opera *L'ariano, il suo ruolo sociale* (*L'aryen, son rôle social*, 1899), egli identificava la razza superiore con l'*homo europeus* e come Gobineau anche lui relegava la nazione a un ruolo secondario. Innanzi tutto de Lapouge credeva che gli ariani avessero conquistato non solo l'Europa, ma l'intero mondo, compresa l'America, ma lasciava spazio a variazioni nazionali della razza ariana affermando che le qualità intrinseche degli ariani erano presenti in misura maggiore o minore nelle diverse nazioni.

Un tempo, queste qualità sarebbero state tutte presenti nei greci e de Lapouge condivideva totalmente l'ammirazione universale per il genio greco, mai più superato nella sua armonia. Tra i greci i più incorrotti erano considerati gli spartani, una razza di eroi dotati di una volontà di ferro, ma anche di virtù morali e di capacità intellettuali. Essi erano i discendenti degli originari ariani, che erano strettamente legati alla natura, una razza di pescatori, cacciatori e pastori. Secondo de Lapouge le origini degli ariani sarebbero state identiche a quelle che i linguisti immaginavano di aver scoperto [12]. Il mito del contadino ariano padre della razza ne uscì così rafforzato. A differenza di Gobineau, de Lapouge non fece ricorso alla lingua, bensì ancora una volta alle misurazioni craniche: i teschi allungati e stretti, dolicocefali, e il colorito biondo degli ariani svolsero un ruolo importante nel suo pensiero. Si è detto che i greci, inebriati di sole, credessero che tutti i loro eroi fossero biondi e anche de Lapouge era convinto che si potesse riconoscere l'ariano studiandone il volto, non dimentico in ciò della fisiognomica di Lavater [13]: è in questo senso che in de Lapouge trovavano la loro sintesi numerose tendenze del pensiero razziale.

Ora l'ariano affrontava la sfida per la sopravvivenza, dato che de Lapouge era influenzato dalla teoria di Darwin sulla selezione naturale e la sopravvivenza del più adatto. L'ariano, a suo parere, sarebbe adattabile, destinato, sì, per sua natura, ad essere contadino, ma atto a diventare un lavoratore di qualsiasi tipo;

anzi egli sarebbe l'unico lavoratore esistente nella società moderna: ignaro del concetto di ozio, a differenza delle razze inferiori, l'ariano simboleggerebbe in tutto il suo comportamento il vangelo del lavoro. Ancora una volta un ideale della classe media entrava a far parte della definizione degli ariani, che si pensava avessero ricevuto la loro forza da una primitiva età rurale. Inoltre l'ariano, pur essendo un individualista, sarebbe anche in grado di mettere tutte le sue capacità a disposizione del bene pubblico, e questo fatto aveva un'importanza speciale per de Lapouge, perché secondo lui la lotta darwiniana dell'uno contro tutti si era trasformata in una lotta tra gruppi umani. La fabbrica aveva preso il posto della bottega e l'esercito quello del combattimento individuale. A differenza di Gobineau, de Lapouge inseriva il mondo moderno nel suo schema razziale, perché egli era un darwinista sociale, secondo il quale il mondo progrediva attraverso la selezione naturale determinata dalla lotta per l'esistenza [14].

Chi era il nemico razziale? Secondo l'opinione di de Lapouge le razze inferiori, come quella gialla, e gli ebrei non avevano scrupoli né senso dei valori, essendo interamente votati al commercio. La borghesia, nell'analogia razziale di de Lapouge, sembra ancora una volta rappresentare il nemico, ma a questo punto egli faceva una distinzione che costituisce un elemento essenziale del pensiero razzista; la società commerciale ariana vive di lavoro onesto, gli ariani hanno a cuore i valori e li rispettano pur nelle loro attività speculative, mentre l'ebreo ama la speculazione per se stessa. Questa fatale distinzione tra la borghesia ariana e quella ebraica è presente perciò in Francia come in Germania — e la classe media ariana può sopravvivere solo annientando la borghesia ebraica.

De Lapouge definiva l'ebreo nemico e rivale insieme, doppiamente pericoloso perché anche lui tutto compreso della sua razza. Ma egli pensava che gli ebrei non potessero vincere la contesa con gli ariani, perché essendo una razza inferiore non avevano spiritualità, erano incapaci di combattere e mancavano di ogni istinto politico. Il mondo non poteva essere conquistato solo con la potenza economica e gli ariani avevano dimostrato che cosa era necessario avere: forza, volontà, onore e moralità [15]. Stando così le cose, l'evidente tono di pessimismo sul futuro dell'unica razza adatta a governare ci colpisce per la sua inconsistenza. Indubbiamente per de Lapouge la fine non sarebbe giunta con la rivoluzione delle razze inferiori, dato che gli ariani (come la nobiltà di Gobineau) governavano non con l'oppressione, ma piuttosto con il loro esempio e con una superiorità morale che costringeva gli altri a seguirli.

Vi è qui una dicotomia tra l'idea di de Lapouge che la razza francese fosse esaurita e la sua asserzione di uno scontro razziale tra gli ariani e la razza inferiore: l'ariano, egli sostiene, non ha solo princìpi nobili, ma anche adattabilità. Era evidente tuttavia che in Francia si era formata sull'albero della razza una muffa, ma questo virus si sarebbe potuto ancora sconfiggere. Il pessimismo razziale di de Lapouge non era fatalistico, anzi egli cercava un rimedio per la situazione. Molti dei parassiti insediatisi sull'albero della razza ariana francese erano particolarmente perniciosi: per primo, il cattolicesimo, che aveva fiaccato la vitalità della razza esaltando la rassegnazione di fronte al predominio ebraico. Come il suo contemporaneo Edouard Drumont egli accusava la Chiesa di aver abbandonato la lotta contro gli ebrei [16]. Di conseguenza de Lapouge elogiava il protestantesimo, perché incoraggiava all'azione e al lavoro onesto ed esaltava la forza di volontà. Egli pensava inoltre che il protestantesimo meglio del cattolicesimo potesse servire a dissolvere la razza ebraica favorendone l'assimilazione. Ma con questo de Lapouge non era in realtà filo-ebraico, perché credeva che gli ebrei assimilati avrebbero perso la loro volontà razziale e perciò anche la loro capacità di sopravvivenza.

In secondo luogo, avrebbero dovuto anche essere eliminati sia la degenerazione fisica, a causa della quale l'ariano aveva perso la sua forza e la sua bellezza, sia i mali ereditari che essa faceva presagire. Nell'opera *Le selezioni sociali* (*Les sélections sociales*, 1896), de Lapouge sosteneva che l'incrocio razziale era la strada che avrebbe condotto inevitabilmente alla contaminazione della razza e doveva perciò essere proibito; inoltre, quegli individui che si erano avviati per quella via, o ne erano il risultato, dovevano essere eliminati; la soluzione era perciò l'eutanasia [17]. In terzo luogo, segni anche più immediati di degenerazione erano l'urbanesimo e la plutocrazia, basati sulla cupidigia e il predominio ebraici. Evidentemente, al punto in cui si era arrivati, il genio ariano non poteva più competere, con il suo lavoro onesto, con un sistema economico « giudaizzato ».

Vale la pena di citare un altro rimedio proposto per ovviare alla degenerazione razziale: nelle *Sélections sociales* de Lapouge elogia la società socialista, sostenendo che solo tale società può prendere le necessarie misure coercitive per impedire matrimoni sterili e per imporre alle donne un regolare ritmo di gravidanze; con un simile regime razionale persino l'infanticidio praticato dagli spartani sarebbe diventato ammissibile [18]. Il problema dell'indubbio declino della popolazione francese nel secolo XIX era oggetto di molti dibattiti al tempo di de Lapouge, il quale vedeva in questo declino un segno della sterilità ariana.

Anche l'insigne eugenista inglese Karl Pearson all'inizio del secolo XX era convinto che il socialismo potesse molto facilmente imporre l'eugenetica, una politica cioè che assicurasse una perpetuità della razza senza infermità ereditarie e segni di degenerazione. Una razza sana, inoltre, non sarebbe stata minacciata da una diminuzione di fecondità [19]. De Lapouge e dopo di lui altri teorici della razza non erano perciò tanto lontani dai loro contemporanei socialisti fabiani e in particolare da Sidney e Beatrice Webb che pensavano che il deterioramento della razza anglosassone mediante un declino della fecondità fosse un pericolo per il socialismo, in quanto stava a significare che l'unica razza più adatta a costruire il socialismo sarebbe stata sopraffatta dai bastardi [20]: socialismo ed eugenetica non erano concetti intrinsecamente in conflitto fra di loro e non lo erano, nemmeno occasionalmente, il socialismo e la razza.

De Lapouge esercitò in Francia un'influenza di gran lunga superiore a quella di Gobineau perché, primo francese a riuscirvi, aveva saputo integrare darwinismo e razzismo; ma le successive affermazioni del figlio che il razzismo del padre fosse di matrice esclusivamente francese, sono assurde [21]. Intanto de Lapouge compromise una sua piena affermazione in un paese cattolico come la Francia a causa della sua difesa del protestantesimo. È vero che nel 1940, dopo la sconfitta della Francia, fu costituita ufficialmente, con l'approvazione di Pierre Laval, una commissione per studiare come si potesse dare attuazione a *Les sélections sociales* e non vi è dubbio che anche la successiva commissione per lo studio della biologia razziale (1942) e l'Istituto antropologico (razziale) fondato nello stesso anno fossero influenzati dal pensiero di de Lapouge senior; ma tutti questi tentativi non ebbero alcun seguito [22].

È abbastanza strano che, ad eccezione di Darwin, le idee raz-

Parte seconda

LA PENETRAZIONE

L'INGHILTERRA DÀ IL SUO CONTRIBUTO

Gobineau aveva indicato, sia con la concezione metastorica sia con l'ideale della razza in quanto soluzione dei problemi contemporanei, la direzione nella quale si sarebbe mosso il razzismo; gli stereotipi venivano inglobati in una visione totale del mondo e se ne mostrava ostentatamente la derivazione dalla più aggiornata dottrina e dalla più vasta esperienza. Anche se il diffondersi dell'influenza di Gobineau fu dovuto principalmente all'opera svolta dal circolo wagneriano, le sue idee erano in armonia con quelle di altri che pure non avevano mai letto le sue opere.

Tipico dell'indirizzo di pensiero fissato da Gobineau fu l'uso del termine « metapolitica ». Il conservatore tedesco Constantin Franz scriveva nel 1878 a Richard Wagner: « per essere genuinamente tedesca, la politica deve elevarsi a metapolitica. Quest'ultima sta alla comune pedestre politica come la metafisica sta alla fisica » [1]. La metapolitica concepisce il processo politico come scaturente dal subconscio del *Volk* o della razza, per cui la politica viene trasformata in una religione laica, che cerca la salvezza del *Volk* mediante la sconfitta dei suoi nemici. La metapolitica fu moneta corrente nel circolo dei Wagner a Bayreuth, dove l'entusiasmo tendeva ad essere confuso con la profondità. Ma da un punto di vista più generale, l'affermarsi di nuove discipline, quale per esempio, negli anni sessanta del secolo scorso, la « psicologia dei popoli » (*Völkerpsychologie*), è indizio, a un livello diverso, della tendenza a comprendere il mondo mediante un *Volksgeist* concepito come onni-comprensivo — come lo spirito coesivo della comunità [2]. Tuttavia i progressi della scienza e della tecnologia sembravano esigere una religione della ragione e del progresso; la metapolitica doveva trovare un contatto con un

metodo scientifico. Il razzismo, con la sua connaturata tendenza
a passare dalla scienza alla soggettività, era perfettamente adatto
a soddisfare questa necessità.

Queste idee si diffusero ampiamente in tutta Europa e se le
regioni di lingua tedesca e la Francia furono dei laboratori di
primo piano del pensiero razziale, neppure l'Inghilterra si tenne
in disparte. Gli inglesi non solo diedero al razzismo contributi
importanti con il darwinismo e il movimento eugenista, ma condivisero anche loro l'interesse per l'antropologia, la storia e la
linguistica.

La ricerca delle radici germaniche si dimostrò importante
anche in questo paese e alla fine del secolo XVIII ebbe grande
diffusione tra gli inglesi l'interesse per le proprie origini anglo-
sassoni. La riscoperta fatta da Thomas Percy nelle sue *Reliques*
(1765) delle antiche ballate e la moda per romanzi storici come
Ivanhoe di Sir Walter Scott, misero l'accento sulla libertà e sulla
lealtà dei sassoni. A metà dell'Ottocento molti inglesi avevano
posto la propria nazione nell'ambito della grande famiglia anglosassone e gli stessi anglosassoni erano considerati parte delle tribù
teutoniche che avevano generato le più forti e creative nazioni
europee [3].

Non è detto che questo rinato orgoglio nazionale fosse inevitabilmente intollerante verso gli altri: Sir Walter Scott esaltava il valore dei sassoni quando fecero barriera nella battaglia
contro i normanni, ma era tollerante e rispettoso nei riguardi degli
ebrei e degli altri stranieri che non avevano ambìto alla conquista
del regno. Le idee relative alle origini nazionali cominciarono
ad essere permeate di un colorito razziale soprattutto nella seconda
metà del secolo XIX, quando virtù come l'onestà, la lealtà e
l'amore per la libertà furono ritenute peculiari solo del ramo
anglosassone della discendenza teutonica. I fattori geografici, l'effettivo insediamento della nazione, tanto importanti per Thomas
Percy e Sir Walter Scott, conservarono ora uno scarso peso: gli
inglesi incarnavano le qualità della razza ovunque essi andassero
e specialmente negli Stati Uniti di America, colonizzati dagli
inglesi. Nel 1882 lo storico inglese Edward A. Freeman, visi-
tando l'America, disse al pubblico che lo ascoltava che le nazioni
anglosassoni erano legate da « vincoli di sangue, di lingua e di
ricordi », che sussistevano malgrado la separazione politica. Secondo Freeman, e anche altri storici inglesi, i discendenti dei

sassoni erano gli unici veri rappresentanti della razza teutone. Freeman rivendicava a progenitore degli inglesi Arminio, il vincitore delle legioni romane nella foresta di Teutoburgo, mentre i rivali tedeschi erigevano un monumento a Ermanno (forma tedesca per Arminio) con l'intento di celebrare un eroe germanico [4]. L'organizzazione tribale teutone, il *comitatus*, fu rivendicata come propria da entrambe le nazioni e così anche la *Germania* di Tacito. La storia, diventata mito razziale, valicava il tempestoso canale che divideva l'Inghilterra dall'Europa: gli inglesi monopolizzarono questa eredità teutonica per spiegare il proprio amore per la libertà, escludendo altri dai suoi benefici, anche se, come nel caso dei tedeschi, cercavano anch'essi ispirazione in un identico passato.

Anche in Inghilterra, tuttavia, trovarono accoglienza l'antropologia e gli stereotipi di cui ci siamo occupati nelle pagine precedenti. L'Inghilterra ebbe anch'essa un suo Gobineau: Robert Knox (1789-1862), il famoso anatomico scozzese. Egli fu un contemporaneo di Gobineau, ma a differenza del pensatore francese è ricordato oggi non tanto per le sue opinioni razziali, quanto per un episodio avvenuto nei primi anni della sua vita, che pose fine alle sue aspirazioni accademiche e lo amareggiò. Essendo professore di chirurgia e anatomia a Edimburgo, Knox fu coinvolto nelle clamorose accuse dirette contro Burke e Hare, di avere cioè sottratto dei cadaveri allo scopo di condurre ricerche anatomiche. Dal 1830, anno in cui si verificò l'incidente, sino al 1856, quando entrò nel Cancer Hospital di Londra, Knox credette, non del tutto a torto, che ogni uomo puntasse il dito contro di lui, impedendogli di ottenere quei posti che pensava di meritare, dal momento che i suoi contemporanei erano tutti d'accordo che egli fosse il più brillante insegnante di anatomia da loro conosciuto. La Società etnografica di Londra trovò in lui un membro di valore e la Società antropologica di Parigi lo nominò suo socio corrispondente.

Questi onori furono concessi a Knox per le sue ricerche sulla razza, i cui risultati egli rese noti con conferenze pubbliche nelle maggiori città inglesi. L'argomento era *Le razze degli uomini* (*The Races of Men*), il titolo del suo libro più famoso (1850): in modo del tutto indipendente dall'*Essai* di Gobineau, ma nello stesso anno in cui questo fu pubblicato, Knox affermava che « la razza è tutto e da essa dipende la civiltà ». Ogni razza ha una propria forma di civiltà, così come ha una sua lingua, sue proprie arti e una sua scienza. Non vi è niente di simile alla civiltà europea [5].

La classificazione delle razze fatta da Knox non postulava una superiore razza ariana, ma piuttosto due razze superiori. A suo parere i sassoni — alti, possenti e atletici — erano « in quanto costituenti una razza, i più forti sulla faccia della terra » [6]; non ci dovrebbe sorprendere che Knox abbia adottato il concetto di Camper dell'angolo facciale e l'idea di perfezione così come è simboleggiata dai greci. Nel pensiero di Knox i sassoni incarnavano questo ideale-tipo e avevano anche un rapporto giusto con la terra poiché la consideravano proprietà della comunità. Tuttavia Knox pensava che essi mancassero di una qualità necessaria alla vera superiorità, e cioè l'attitudine al ragionamento astratto.

In ciò il pensiero di Knox fu insieme originale e unico: secondo lui le razze slave potevano presentare un brutto aspetto esteriore, ma possedevano una eccezionale capacità raziocinante e attitudine al pensiero trascendentale di cui erano privi i sassoni. In aggiunta a ciò essi rivelavano un'abilità speciale per l'arte e la musica. Knox incluse in questa famiglia slava alcuni tedeschi del Sud, ma non i suoi contemporanei inglesi che lo perseguitavano. Come al solito i greci incarnavano la perfezione ed erano perciò ritenuti frutto di una mescolanza razziale di elementi sassoni e slavi in cui la profondità del pensiero e la sensibilità si combinavano con la vera bellezza. Fu questa l'unica volta in cui si ritenne che una mescolanza tra razze (nel caso specifico tra le due razze di gran lunga superiori) portasse al raggiungimento di un'altezza mai conseguita né prima né dopo.

Ma quale era l'opinione di Knox sulle razze gialla e nera di Gobineau? I neri, secondo lui, mancherebbero delle « grandi qualità che distinguono l'uomo dalla bestia » e cioè la capacità generalizzatrice della ragione pura, il desiderio di conoscere l'ignoto, l'impegno verso una sempre maggiore perfezione e la capacità di osservare nuovi fenomeni. Egli era convinto che non vi fosse speranza di poterli civilizzare e che anzi la loro inferiorità psicologica e fisica li predestinasse alla schiavitù (vedi fig. a p. 28). Secondo Knox le razze non bianche sarebbero così inferiori da difettare persino di quelle qualità poco lusinghiere — insubordinatezza e spirito commerciale — che invece Gobineau aveva loro attribuito. Per Knox anzi esse sarebbero più vicine alla rozza natura degli animali [7].

Anche Knox, come Gobineau, ebbe i suoi nemici *sans-culottes*, ma furono gli ebrei e non i neri a giocare per lui questo ruolo. Gli ebrei di Knox erano brutti («persone di colorito scuro, fulvo, giallastro, con capelli nero-ebano e occhi di eguale colore») [8] e anche un volto ebraico a prima vista bello non avrebbe potuto superare positivamente, per mancanza di armonia, un esame più ravvicinato. Il tipo perfetto di uomo scoperto dagli scultori dell'antica Grecia aveva trovato il suo esatto contrario; ma questo stereotipo non fu unico, perché Knox si spinse anche più là, negando agli ebrei qualsiasi qualità che un uomo dovrebbe desiderare: l'ebreo non era un artigiano, né un coltivatore della terra, non aveva ingegnosità o capacità inventiva e non amava l'arte, la letteratura, la musica, la pace o la guerra. In realtà l'ebreo non aveva assolutamente un'occupazione, ma viveva come lo zingaro solo di furbizie [9].

A questo punto diventavano chiari i legami sociali di Knox, il quale, a differenza di Gobineau, aristocratico frustrato, non se la prendeva con la vita borghese. Il sassone era considerato superiore alle altre razze per l'amore al lavoro, all'ordine, alla puntualità negli affari, per la precisione e la pulizia, ed egli metteva a confronto questa borghesia ariana con la classe media ebraica e addossava sul solo ebreo quelle qualità che Gobineau aveva attribuito alla razza gialla. L'ebreo era visto come l'immagine deformata della borghesia — astuta, intrigante e usuraia. La fatale distinzione tra borghesia ariana ed ebraica era già apparsa in passato in de Lapouge e avrebbe continuato invariabilmente a riaffacciarsi anche in futuro, anzi sarebbe diventata un principio generale del razzismo sul continente. L'appropriazione della moralità borghese da parte del razzismo aveva preparato la strada a questo risultato perché i borghesi erano considerati i portatori delle virtù proprie degli ariani, mentre gli ebrei, che ne erano privi, stavano a simboleggiare la perversione della classe media (analogamente i nazisti avrebbero favorito e lodato la borghesia ariana proprio quando distruggevano le classi medie ebraiche).

Il fatto che una siffatta immagine dell'ebreo si sia potuta diffondere sia in Inghilterra che sul continente ci dà un'idea di quanto profonde radici il pensiero razziale avesse messo verso la metà del secolo. La tesi di Knox sulla permanenza e immutabilità della razza ebbe un'importanza fondamentale sul suo modo di pensare: egli sosteneva che varietà equivale a degenerazione e che la razza deve abbracciare tutti gli aspetti della vita e del pensiero. Per dimostrare il suo assunto egli si rivolse all'anatomia e all'antropologia e fece anche largo uso della fisiognomica: le sue occasionali osservazioni per le strade di Londra sfociavano in ben più vaste deduzioni. L'onnicomprensiva importanza attribuita alla razza portava ad interpretare tutte le guerre come guerre di razze, sia pure con la speranza di poterle evitare [10]. Poiché egli scriveva quando l'influenza di Darwin non si era fatta ancora sentire, secondo il suo modo di pensare la razza superiore non era ancora costretta a lottare contro le razze inferiori per la propria sopravvivenza, ed era comunque, in un modo o nell'altro, destinata a sopravvivere.

Knox non fu un pensatore molto originale: poco tempo prima di lui Benjamin Disraeli aveva già proclamato che « tutto è razza, e non esiste una verità diversa ». Lo stereotipo razziale si era ormai profondamente radicato nelle coscienze e il nobile ebreo di Disraeli, Sidonia, avrebbe ben potuto rappresentare una vendetta per l'ignobile Fagin di Dickens [11]. Per quanto però Knox, Disraeli e Dickens, ognuno a modo loro, si siano occupati di ebrei, il filone principale del razzismo inglese si accentrò invece sui neri. In Inghilterra, contatti con i neri, sia in patria sia a causa dell'Impero, erano profondi e costanti; sul continente invece, dove non esistevano rapporti altrettanto regolari, furono i ben visibili ebrei a prendere il posto dei neri come elemento di contrasto per l'esaltazione della propria razza.

James Hunt (1833-1869), presidente fondatore della Società antropologica e ammiratore di Knox, appuntò la sua attenzione principalmente sul negro. Anche per lui le differenze razziali hanno un valore assoluto e interessano l'apparenza fisica, la religione, l'arte e la morale. Il più anziano contemporaneo di Hunt, Thomas Carlyle, aveva negli anni cinquanta sostenuto la schiavitù dei neri, ma non aveva escluso che essi, da lui riconosciuti industriosi e dotati di grande abnegazione, potessero in seguito conquistarsi la libertà [12]. Negli anni sessanta Hunt negò la possibilità di trascendere le qualità razziali, e sostenne che la classificazione razziale ha il valore di un verdetto su ogni aspetto del-

l'uomo e della società. Hunt ha avuto importanza non tanto per
le sue teorie razziali, quanto per la giustificazione che ne ha
dato; come primo presidente e mente guida della Società antropologica di Londra, nel 1863 egli cercò di dettare un criterio
direttivo fondando il razzismo su quelli che egli chiamava « fatti
sufficientemente attendibili » [13]; tutti i cosiddetti pregiudizi dovevano essere respinti.

Hunt indicò in particolare tre pregiudizi che avevano operato
a scapito della scienza: la mania religiosa, l'ossessione per i
diritti dell'uomo e la fede nell'eguaglianza; a queste idee aber-
ranti Hunt aggiunse anche gli scritti di J. C. Prichard, un antropologo le cui opere avevano a quel tempo una vastissima influenza.
Prichard credeva che le razze miste fossero superiori a quelle
pure e Hunt si servì delle parole di Robert Knox per condannare
un simile « errato orientamento del pensiero inglese per quel
che riguarda tutte le grandi questioni della razza » [14]. È chiaro
che per Hunt, che seguiva le orme di Knox, l'elogio delle razze
miste rientrava nella categoria dei pregiudizi anti-razionali e anti-
scientifici. Scrivendo dopo Darwin, Hunt sosteneva che l'esistenza
di una aristocrazia ereditaria accuratamente selezionata era più in
armonia con le leggi della natura delle « luccicanti banalità sui
diritti umani » [15]; ma con ciò egli non intendeva riferirsi all'aristocrazia inglese dei suoi tempi, quanto piuttosto a una aristocrazia
che avrebbe dovuto essere debitamente selezionata tenendo conto
delle sue qualità ereditarie.

Quando Hunt raccomandava alla Società antropologica l'« applicazione della nostra scienza » egli esortava gli uomini a operare
contro gli incroci razziali e per la selezione naturale di una classe
dirigente. Questo era dunque, a suo modo di vedere, lo scopo
che la scienza esatta doveva prefiggersi, e ciò malgrado ammo-
nisse che non tutti i risultati erano completi [16]. Hunt era dogma-
tico nelle sue affermazioni e, come la maggior parte dei razzisti,
venerava il metodo scientifico pure ammettendo l'incompletezza
dei dati disponibili. Nel suo pensiero scienza e soggettivismo erano
fusi in un nodo indissolubile.

Il punto di vista di Hunt sulla posizione del negro nella
natura non differiva da quello di Knox, in quanto egli credeva
che l'intelligenza del nero non fosse superiore a quella di un
intelligente ragazzo europeo di quattordici anni. Ancora una volta
il negro era considerato un individuo naturalmente portato al-

l'estremismo, un *sans-culotte* che non riconosceva alcuna legge.
Per dimostrare le sue asserzioni Hunt si serviva dei resoconti
dei viaggi e in parte anche delle notizie fornitegli da un suo
collega francese, l'antropologo François Pruner. Malgrado tutto
ciò Hunt si opponeva a che i negri fossero trattati come schiavi;
questi uomini del secolo XIX erano assolutamente riluttanti a
trarre le conclusioni logiche dalle loro teorie razziali. Hunt credeva che i negri facessero parte della razza umana, ma se la prendeva con i monogenisti che coerentemente alle loro dottrine chiedevano l'eguaglianza sostanziale di tutte le razze[17].

Gli pseudo-scienziati come Hunt volevano essere all'altezza
dei tempi moderni, cosa che comportava opposizione allo scre-
ditato istituto della schiavitù (malgrado l'apprezzamento per esso
da parte della Confederazione americana) e anzi a qualsiasi indebita oppressione della razza inferiore. La soluzione da loro proposta, sulla quale si trovavano d'accordo la maggior parte dei
razzisti europei, era il paternalismo. La dottrina nazista, in quanto
propugnatrice di una guerra razziale condotta sino alle estreme
conclusioni, sarebbe sorta dalle frange, e non dal cuore, del razzismo europeo. I teorici del razzismo inglese erano guidati, nel-
l'ambito del loro paternalismo, dall'esigenza di stabilire delle
norme atte a mantenere la razza inferiore nella sua condizione
originaria. Così Hunt a volte avrebbe sostenuto persino di lasciare
gli indigeni soli nel loro stato primitivo senza influenze o interferenze europee; la loro condizione naturale li avrebbe dotati di
« una libertà commisurata alle loro capacità ». Altre volte, riecheggiando Gobineau, egli sottolineava che i selvaggi sarebbero
stati ampiamente vendicati dalla degenerazione ed estinzione dei
loro conquistatori[18].

Il più importante e originale contributo inglese al pensiero
razzista provenne dal darwinismo: Charles Darwin non era personalmente un razzista, ma concetti come « selezione naturale »
e « sopravvivenza del più adatto » furono accolti con entusiasmo
dai teorizzatori della razza. La necessità della lotta sembrò trovare la sua piena giustificazione proprio nel darwinismo, e ciò
dette una nuova dimensione scientifica al conflitto tra razza superiore e razza inferiore. La teoria di Darwin sulla sopravvivenza
e selezione è per se stessa complessa e si basa su teorie ambientali
più che su quelle ereditarie; ma il razzismo semplificò Darwin,
si appropriò dei « fatti sufficientemente attendibili » da lui de-

scritti e li applicò alla lotta per la sopravvivenza e la selezione della razza più adatta.

Talvolta Darwin scriveva in un modo tale da favorire un'interpretazione erronea delle sue parole a tutto favore delle idee razziali. Per esempio egli alla fine sostituì l'espressione « razze favorite » con « sopravvivenza del più adatto » e inoltre stabilì la probabilità di sopravvivenza di una specie animale mediante il numero di figli che essa poteva generare. Un'ipotesi scientifica del genere, se applicata agli uomini, poteva essere interpretata come se fosse la fecondità a determinare la sopravvivenza razziale [19]. Questa teoria rivestì particolare importanza in un'epoca in cui alcune nazioni — per esempio la Francia — erano preoccupate per il loro declino demografico. La generazione di una prole sana divenne un'ossessione razziale e il darwinismo perciò non solo favorì presagi di guerre razziali, ma portò anche alla fondazione, in tempi più brevi, dell'eugenetica razziale.

Le dottrine della selezione naturale e della sopravvivenza del più adatto furono facilmente utilizzate come linee direttrici per la classificazione razziale. Quella che Darwin aveva definito la estinzione delle specie meno avvantaggiate avrebbe potuto essere applicata anche con riferimento alle razze inferiori. Coloro che applicarono il darwinismo ai problemi sociali proclamarono che la sopravvivenza del più adatto, insieme con il diritto del sano e del forte, costituiva il principio direttivo in base al quale doveva essere governata la vita degli uomini e degli stati.

Quando fu applicato alle razze e agli uomini il darwinismo subì un altro improvviso mutamento di grande rilevanza. Darwin da parte sua aveva creduto che la selezione naturale e la variazione delle specie fossero dovute all'ambiente e ai mutamenti che avvenivano nel suo ambito. Egli sosteneva che la varietà fosse conseguenza dell'« azione diretta e indiretta delle condizioni di vita, e dell'uso e del disuso » [20]. Più tardi i darwinisti sostituirono questo ambientalismo con l'insistenza sui fattori ereditari. Francis Galton, nel 1872, sostenne con fermezza la continuità generazionale del plasma germinale che si trova nelle nostre cellule della riproduzione. Karl Pearson disse che la « massima verità da noi imparata dai tempi di Darwin » è l'idea che causa principale di variazione è l'eterogeneità del plasma germinale di cui l'individuo è il portatore e non il creatore, e che non viene modificata sostanzialmente né dalla sua vita né dal suo ambiente [21].

Furono queste verità, che pure non intendevano essere razziste, a spingere il darwinismo in una direzione passibile di riuscire utile ai razzisti. Si ipotizzò che queste leggi dell'eredità fossero derivate dall'idea darwiniana della selezione e sopravvivenza naturali di cui Pearson cercò di dare una dimostrazione statistica.

In tal modo il darwinismo fu messo al passo con il concetto sempre presente che l'uomo erediterebbe le sue caratteristiche, e anzi le nuove ricerche che sembravano affermare l'importanza dell'ereditarietà servirono a porre l'accento sulle qualità innate del gruppo razziale. Tornò così in favore la posizione di Kant e fu condannato qualsiasi tipo di teoria ambientalista. Verso la fine del secolo XIX l'antropologo tedesco Eugen Fischer e lo zoologo August Weismann ebbero la soddisfazione di dimostrare il primato dell'ereditarietà: Fischer, con le sue ricerche sugli indigeni di Samoa, e Weismann, applicando le ricerche antropologiche ai tedeschi, scoprirono l'immutabilità delle cellule sessuali. Ma fu Sir Francis Galton (1822-1911) a dominare il campo delle ricerche sull'ereditarietà sia in Inghilterra che sul continente.

Galton può ben dirsi il fondatore dell'eugenetica: egli approdò alla scienza dell'ereditarietà cominciando a interessarsi dell'evoluzione e come seguace appassionatamente fedele di Darwin. Galton era affascinato dalla statistica e dalle misurazioni e cercò di esprimere le teorie darwinistiche mediante cifre e di stabilire con tale metodo le qualità necessarie alla sopravvivenza. « Parlando a mio nome », disse, « se dovessi classificare le persone secondo il loro valore, esaminerei ciascuna di esse dai tre punti di vista del fisico, dell'abilità e del carattere » [22]; egli riteneva che la valutazione di tale valore dovesse essere fondata su basi statistiche. Il modo preciso di come ciò doveva essere fatto è spiegato nell'opera di Galton che ebbe maggiore influenza, *Il genio ereditario* (*Hereditary Genius*, 1869).

Galton elencò tredici tipi di abilità naturale e classificò quindi tutti gli uomini, dai giudici inglesi ai lottatori delle regioni settentrionali, con riferimento ad essi. A suo parere, per far uscire gli uomini dalla mediocrità, sarebbero particolarmente importanti tre abilità naturali ereditate: intelletto, zelo e dedizione al lavoro. Nel suo libro si prestava particolare attenzione ai matrimoni e si sosteneva che si dovesse dare ogni aiuto sociale e morale alle coppie atte a concepire figli eccezionali. La politica nazionale si sarebbe dovuta preoccupare del « valore civico » della prole.

Galton nel corso della sua lunga vita cambiò numerose volte parere sulle conseguenze pratiche che si sarebbero dovute trarre dalla sua classificazione, ma tutto sommato sostenne sempre che dovesse essere contenuto l'indice di fertilità dell'inadatto e incoraggiato quello dell'adatto con matrimoni precoci.

Sarebbe quindi, per Galton, il valore eugenetico a determinare la qualità della razza. Come gran parte degli eugenisti Galton usò la parola « razza » in modo vago, per indicare un gruppo legato da una qualche sorta di affinità ed ereditarietà. Una definizione simile non era esclusiva, perché Galton pensava che fosse desiderabile l'incontro tra tutti coloro che partecipassero delle stesse qualità. Per esempio egli patrocinò l'immigrazione selettiva in Inghilterra e riteneva che a questo scopo ci si dovesse rivolgere, perché i più adatti, sia agli ugonotti sia agli ebrei. Eppure, malgrado la grande ampiezza che Galton e gran parte degli eugenisti lasciavano al concetto di razza, essi in realtà divisero l'umanità in razze ricolme delle solite virtù e stereotipi. Per il miglioramento di una razza si sarebbe ancora potuta usare la selezione naturale, consistente nell'applicazione dell'eugenetica e della valutazione delle persone secondo i modelli fissati da Galton, anche se questi non dovevano essere considerati come esclusivi a una singola razza.

Secondo Galton la chiave per la sanità della razza sarebbe che genitori sani abbiano figli sani; i bambini possono ereditare una tendenza per la genialità, ma anche la follia è ereditaria. Galton, verso la fine della sua vita, immaginava un tempo in cui si sarebbero rilasciati certificati eugenetici, nei quali si sarebbero poste domande personali sui titoli atletici e accademici dello sposo, sul suo carattere testimoniato dalle posizioni di fiducia da lui occupate e, ultima, ma non meno importante, sulla storia individuale e le parentele dei suoi genitori. Ma si trattava solo di un sogno. Il Laboratorio Francis Galton per l'eugenetica nazionale (fondato nel 1904) aveva lo scopo di indagare sul rapporto tra ereditarietà e ambiente o, come si espresse Galton, sul rapporto tra natura e alimentazione. Karl Pearson (1857-1936), che avrebbe lavorato nell'ambito del Laboratorio Galton, giunse alla conclusione che i fattori ambientali non hanno nemmeno un sesto del peso dell'influenza ereditaria di un solo genitore [23].

Le qualità ritenute superiori furono una volta ancora le stesse apprezzate dalle classi medie, anzi quelle tradizionali del razzismo stesso: ardimento fisico, intelligenza, resistenza al lavoro e carattere. Galton mise al primo posto l'ardimento fisico, perché poteva essere più facilmente misurato [24]. Il problema che lo preoccupava era di migliorare la razza britannica più di qualsiasi altra, ed egli estese il darwinismo fino a fargli stringere un'alleanza con quelle forze basilari che avevano permeato la storia del razzismo: il rilievo dato alle qualità umane innate trasmesse da una generazione all'altra, cioè alle qualità fisiche e intellettuali apprezzate dalle classi medie, fu strettamente collegato alla lotta per la sopravvivenza, per la quale furono considerate decisive le appropriate qualità congenite della natura. Tutto ciò fu proposto in nome della scienza e allo scopo di migliorare la razza furono fondate società di eugenetica per diffondere la conoscenza delle leggi dell'ereditarietà.

Il movimento eugenetico non rimase confinato all'Inghilterra: anche in Germania si studiarono e ristamparono le opere di Galton e successivamente anche quelle di Karl Pearson. L'«Archivio per la biologia razziale e sociale» («Archiv für Rassen- und Gesellschaftbiologie»), fondato nel 1904, seguiva attentamente l'attività della Società per l'educazione eugenetica diretta da Galton e i risultati conseguiti dal Laboratorio Galton: ci fu insomma tra le nazioni un vasto reciproco scambio di esperienze.

Al momento della morte di Galton nel 1911 in molte nazioni dell'Europa erano stati creati periodici che si occupavano di eugenetica, e la dottrina dell'ereditarietà applicata a una razza aveva raggiunto dignità scientifica ed era entrata nelle università. L'eugenetica diede rispettabilità all'igiene razziale, anche se continuarono ad essere richiesti piani di selezione demografica. È vero che coloro che proponevano tali piani provenivano dalle frange e non dal centro del pensiero razziale: per esempio Willibald Hentschel, già allievo di Darwin, divenne molto noto in Germania grazie al suo libro *Varuna* (1907), nome di un antico dio indiano. Appellandosi al ricordo degli antichi ariani, egli chiedeva la creazione di comunità isolate in cui fosse possibile generare una razza migliore e più pura. Dopo la prima guerra mondiale un movimento giovanile denominato «Artamanen», da una presunta antica parola ariana e indiana significante «verità» (inventata ancora una volta da Hentschel) ebbe come programma il ritorno al lavoro agricolo per riacquistare «purezza di sangue» [25]. A questo movimento appartenne anche Heinrich Himmler, che poi cercò di tradurre nella realtà progetti di questo tipo durante il Terzo Reich. Del suo esperimento « Lebensborn », mirante a favorire il miglioramento della razza, ci occuperemo dettagliatamente nelle pagine successive [26].

A questo punto è necessario distinguere tra igiene razziale, in quanto elemento accessorio del « misticismo della razza » (specialmente in Germania), e igiene razziale in quanto parte del movimento eugenetico che si serviva degli strumenti della scienza per controllare il patrimonio ereditario di una razza. In ultimo i due concetti si sarebbero fusi, come avvenne nel 1934 quando Karl Pearson esaltò la politica razziale di Adolf Hitler come un tentativo di rigenerare il popolo tedesco [27]. Ma ormai il settantasettenne Pearson non era più intellettualmente lo stesso uomo che aveva proseguito l'opera di Galton: alla fine della sua vita anelava di vedere l'eugenetica diventare politica nazionale prima che fosse troppo tardi. Le correnti principali dell'eugenetica e dell'igiene razziale non portavano direttamente alla politica nazista, ma indirettamente contribuirono a renderla possibile. È certo significativo che non solo l'anziano Pearson, ma anche studiosi tedeschi come Alfred Ploetz e Eugen Fischer, che prima del 1933, pur ragionando in termini di categorie razziali, non erano specificamente antisemiti, siano potuti diventare così facilmente, dopo quella data, sostenitori del razzismo nazista. L'esaltante prospettiva di una nazione tesa a rendere la propria razza adatta alla sopravvivenza fece passar sopra a qualsiasi infamia che un programma di questo genere potesse comportare. È ora importante esaminare più da vicino il movimento eugenetico e la sua interazione con l'antropologia razziale, una mistura che, conclusosi il secolo XIX, sarebbe diventata nota col nome di « biologia razziale e sociale ».

LA SCIENZA DELLA RAZZA

Procedendo nel secolo XX, il razzismo portava con sé l'eredità del secolo precedente, in cui erano confluite due tradizioni: l'idea mistica della razza, che ampliava l'onnipresente soggettivismo del pensiero razziale sino al punto di fargli abbandonare ogni pretesa scientifica; e quella tradizione che cercava di dare alla classificazione razziale una rispettabilità scientifica e accademica.

A questo punto dobbiamo occuparci dei « fatti sufficientemente attendibili » di James Hunt, come pure di coloro che basavano il loro razzismo su un effettivo metodo scientifico, anche se troppo ostentato. Poiché questi uomini cercarono di fondare i loro studi su prove dimostrabili, biologiche, zoologiche o statistiche, essi tesero ad assumere un atteggiamento ambivalente verso il razzismo, considerandolo una dottrina dell'aggressività o della superiorità nell'atto stesso in cui accettavano le categorie e gli stereotipi razziali. In realtà fu proprio questa la corrente principale del razzismo, quella cioè che fondeva insieme antropologia, eugenetica e pensiero sociale. Questi concetti tradizionali furono ora collegati con il darwinismo e si giunse in tal modo a una preoccupazione di tipo razzistico per l'ereditarietà e l'eugenetica come elementi vitali per la sopravvivenza del più forte. I tedeschi battezzarono questo razzismo darwiniano « biologia razziale e sociale » per l'accento che si doveva porre sui convenienti fattori ereditari.

La « biologia razziale e sociale » fu una dottrina dell'ereditarietà e della sopravvivenza basata sull'eugenetica razziale; ma anche l'antropologia fu utilizzata e si trassero conclusioni dalla classificazione razziale così come dalla selezione ed ereditarietà

naturali. Coloro che ragionavano secondo categorie razziali avevano sempre cercato di mantenere un costante riferimento al
presente e le teorie dello stesso Gobineau furono ora ribattezzate
« antropologia sociale » [1]. Gli antropologi non trascurarono nemmeno Galton, dato che egli stesso aveva utilizzato le osservazioni
antropologiche, compiute durante i suoi numerosi viaggi, per
procedere a misurazioni e statistiche eugeniche. Le ampie analisi
dell'uomo e della società tentate da questi pensatori razziali sono
esemplificate nella prefazione dell'« Archiv für Rassen- und Gesellschaftbiologie » fondato in quegli anni (1904) in Germania, in
cui si affermava che la vita del singolo individuo è destinata
a finire, ma la razza costituisce l'ininterrotta unità della vita.
Riferendosi a Darwin, la rivista affermava che la sopravvivenza
della razza è connessa con l'ereditarietà razziale e l'igiene razziale
e che il concetto di razza è basilare per qualsiasi dottrina sociale,
per l'economia nazionale, per il diritto, per l'amministrazione,
per la storia o la filosofia morale [2]. Il concetto di razza era sempre
stato utilizzato per spiegare il presente, ma ora esso riceveva
una sua precisa collocazione nell'ambito di una generale scienza
della società, sebbene, come vedremo, senza intenzioni aggressive.

Alla biologia razziale fu ora impresso un nuovo tono d'ur-
genza, probabilmente perché ci si trovava di fronte a un'urbanizzazione accelerata e a una crescita demografica nell'Europa sia
occidentale che centrale, per cui molti pensavano che si sarebbe
andati incontro a una catastrofe se non si fossero messi in pratica
i concetti di selezione naturale e di ereditarietà. Karl Pearson,
tanto ammirato dai tedeschi che ne ristamparono spesso le opere,
sosteneva che non era più possibile applicare il principio della
selezione naturale ai soli individui, ma che esso doveva essere
preso in esame in un contesto nazionale. La comunità è quel che
conta e ogni azione tendente a rafforzarla è azione morale. A
volte, affermava Pearson, è forse morale uccidere un membro di
una tribù nemica, ma è sempre delittuoso uccidere un membro
della propria tribù. Di converso, il disinteresse per l'eugenetica
può portare all'uccisione di un proprio simile e a rendersi perciò
responsabile della degenerazione della nazione [3].

Una simile definizione della comunità non implicava necessariamente che gli adatti fossero connaturalmente membri della
razza superiore e gli inadatti connaturalmente membri di quella
inferiore. Almeno per quanto riguarda Pearson è certo che la

salute razziale non era distribuita in una maniera così semplicistica. Qualsiasi razza avrebbe potuto migliorarsi applicando l'eugenetica. Pearson da vecchio fu un ammiratore della politica razziale nazista perché gli appariva come un tentativo su larga scala di generare individui adatti (tentativo difficile che, secondo Pearson, avrebbe anche potuto fallire); ma per conto suo Pearson elogiava quello che egli chiamava socialismo, un termine che per lui voleva dire evoluzione della comunità nazionale attraverso la lotta. In questo modo si sarebbe sviluppato un forte istinto sociale e l'efficienza e la vastità di un'azione socialmente utile avrebbero avuto il loro giusto compenso. Pearson condannava la guerra di classe e metteva invece l'accento su un'evoluzione graduale guidata da un'*élite* [4]. Pur così definito, il socialismo era tuttavia opposto all'individualismo e all'indebita concentrazione della ricchezza.

Pearson non fu l'unico biologo razziale ad essere fautore di un socialismo di questo tipo. In Germania Ludwig Woltmann, un tempo marxista, verso il 1900 divenne, sotto l'influenza del darwinismo, un razzista dichiarato. La lotta di classe si trasformò in lotta tra le razze. In un socialismo come questo i lavoratori avrebbero ottenuto eguaglianza di status, anche se non di funzioni [5]. All'opposto, l'atteggiamento più diffuso era di lodare il sistema capitalistico come il più atto a favorire il processo di selezione naturale: per esempio, l'esperto economico dell'« Archiv für Rassen- und Gesellschaftbiologie », A. Nordenholz, riteneva che il capitalismo accrescesse la capacità produttiva e il potere di accumulazione e pensava che la sola accusa che poteva essergli fatta era di non essersi abbastanza adoperato per diffondere la conoscenza dell'eugenetica razziale [6]. I capitalisti da parte loro accolsero con favore il darwinismo: Alfred Krupp per esempio nel 1900 finanziò un premio per il migliore saggio sul tema: « Cosa possiamo trarre dai principi del darwinismo che sia passibile di applicazione ai fini dello sviluppo del paese e nella legislazione dello stato? ». Il vincitore del primo premio, Wilhelm Schallmayer, era un assiduo collaboratore dell'« Archiv für Rassen- und Gesellschaftbiologie » e Alfred Ploetz, che ne era il direttore, ricevette anche lui un riconoscimento per la sua partecipazione.

Schallmayer, medico, respingeva il socialismo per l'accento che esso poneva sull'ambiente; egli era un fautore dell'igiene razziale e quindi naturalmente contrario all'incrocio tra le razze inferiori e la superiore razza ariana. Nonostante ciò era un pacifista, convinto che la guerra fosse il nemico della sopravvivenza del più adatto, dal momento che il migliore sarebbe stato ucciso mentre gli imboscati sarebbero sopravvissuti. La razza al contrario doveva incoraggiare la moltiplicazione dei suoi membri più adatti e si sarebbe dovuto chiedere alle coppie senza figli di contrarre nuovi matrimoni per poterne avere; il non sposarsi avrebbe dovuto essere dichiarato illegale [7]. Schallmayer difendeva il capitalismo, ma non era questo tipo di problemi che lo preoccupava di più perché l'igiene razziale, in qualsiasi modo imposta, avrebbe avviato la nazione sulla strada giusta.

Intento di questi uomini, in Inghilterra o in Germania, non era quello di bollare una razza inferiore col ruolo del malvagio nel dramma della sopravvivenza. Se il principale fondatore della biologia razziale in Germania, Alfred Ploetz, ha effettivamente esaltato la razza germanica come la principale razza portatrice di cultura nel mondo, egli non lo ha però fatto nella maniera semplicistica che ci è familiare. Ploetz credeva che tutti i popoli fossero il risultato di incroci razziali e che la loro evoluzione fosse influenzata anche dall'ambiente. La razza germanica tuttavia rappresentava, a suo parere, la migliore selezione di competenti e capaci. Il popolo « biondo e alto » marciava alla testa del corteo razziale, ma anche gli ebrei erano da lui considerati parte di questa razza superiore. Secondo Ploetz la maggioranza degli ebrei erano ariani e avevano pochi legami con gli antichi ebrei della Bibbia; ecco perché gli ebrei tendevano ad avere un sangue più ariano che semitico [8].

Ploetz capovolse l'argomentazione antiebraica cui si ricorreva da parte cristiana: di solito gli ebrei biblici del Vecchio Testamento erano considerati ammirevoli e meritevoli di essere difesi contro gli antisemiti, perché anche essi parteciparono al dramma cristiano della salvezza; ma gli ebrei moderni, postisi testardamente fuori dell'ultimo atto di questo dramma, dovevano essere condannati. Ploetz rigirò questa tesi a favore degli ebrei moderni. Inoltre per la rivista da lui diretta questi ebrei avevano qualcosa d'altro a loro favore, e cioè il fatto di essere biondi; la scoperta statistica che una buona percentuale di ebrei fossero biondi e con gli occhi azzurri sembrò legittimare la loro appartenenza alla razza ariana [9]; spesso sulle pagine di questo giornale si negava che gli ebrei costituissero una razza diversa, anzi essi erano considerati parte integrante degli ariani germanici.

Talvolta il darwinismo portò persino a designare gli ebrei come una razza superiore: Arnold Dodel, un botanico dell'università di Zurigo, nel suo *Moses oder Darwin?* (1892) affermò che la sanguinosa persecuzione degli ebrei aveva messo in moto, nel loro ambito, un processo di selezione naturale che aveva portato i sopravvissuti ad essere superiori a tutte le altre razze. L'affermazione di Dodel accese un dibattito nel corso del quale numerosi suoi avversari negarono sdegnosamente tale superiorità ebraica. Da Ploetz a Dodel perciò gli ebrei furono a volte ritenuti ariani o una razza superiore [10]: non tutto il darwinismo sociale aveva di mira la loro distruzione; anzi tale scienza della razza tendeva in genere a respingere l'antisemitismo. Fritz Lenz, autorevole membro della Società tedesca per l'igiene razziale fondata da Ploetz nel 1904, sosteneva l'incompatibilità tra un fanatico antisemitismo e l'igiene razziale. Di conseguenza non si ha alcun diritto di affermare che la dottrina, tedesca ed inglese, della « biologia e igiene razziali » sia stata una diretta precorritrice della politica nazista contro gli ebrei.

A quel tempo gran parte degli scritti che vedevano la luce in Germania non erano animati da alcuna ostilità non solo verso gli ebrei ma anche verso i francesi, i « nemici tradizionali » dei tedeschi. « Non vi è motivo di parlare di degenerazione dei francesi », affermava un medico su un giornale tedesco (1906), « perché dobbiamo stare attenti a non cadere proprio in quel tipo di sciovinismo che i francesi attribuiscono ai tedeschi » [11]: e incroci razziali tra francesi e tedeschi venivano proclamati utili per entrambe le parti. Alfred Ploetz invocava la fine della tensione tra i tedeschi e gli inglesi in nome della comune solidarietà contro le razze di colore (un atteggiamento che anche Hitler avrebbe condiviso) [12]. È tipico che gli incroci razziali tra i bianchi fossero contrapposti a quelli tra « estranei totali », e cioè i negri, e in realtà, per quanto la maggior parte dei collaboratori del giornale si dimostrassero ben disposti verso i francesi, gli inglesi e gli ebrei, non vi fu mai alcun dubbio sulla loro ostilità nei riguardi dei remoti neri; infatti la separazione tra le razze nera e bianca attuata negli Stati Uniti era di solito richiamata come esempio di corretta eugenetica razziale.

Le richieste di igiene razziale si spinsero tanto in là da postulare perfino la sterilizzazione degli inadatti, ma più di regola si faceva appello all'astinenza volontaria dall'accoppiamento da parte di coloro che presentavano malattie congenite ereditarie. A volte fu chiesto di procedere alla registrazione di tutti i cittadini allo scopo di essere informati sulle loro condizioni fisiche. La Società per l'igiene razziale fondata da Ploetz non accennava nemmeno alla razza nei suoi statuti del 1904 e 1922; essa si riteneva l'equivalente tedesco della Società per l'educazione eugenetica di Galton [13] e proponeva l'educazione e la propaganda come mezzi per modificare la politica nazionale. Un programma del genere non implicava certo né l'eliminazione delle razze inferiori né la necessità della guerra razziale, ma queste idee circolavano invece tra tutti coloro che esaltavano la « mistica della razza », uomini e donne il cui interesse si concentrava più sui cosiddetti aspetti spirituali della razza, che non sul darwinismo e la scienza.

I nazisti più tardi riunirono di nuovo le due correnti del pensiero razziale, e allora Ploetz, Fischer e altri esponenti della biologia razziale aderirono al partito nazista e appoggiarono la legge del 28 giugno 1933, per prevenire la nascita di bambini affetti da malattie ereditarie, in base alla quale si istituirono tribunali incaricati di giudicare sulla sanità ereditaria e in alcuni casi di ordinare la sterilizzazione. Ploetz poté, abbastanza giustamente, applaudire questo provvedimento, perché rispondeva in gran parte a ciò che egli aveva auspicato per la protezione degli individui adatti, ed era forse logico che tale entusiasmo portasse lui e Eugen Fischer ad aderire al partito e a innalzare lodi al nazionalsocialismo, il primo governo europeo a fare dell'igiene razziale argomento di politica nazionale [14].

Malgrado tutte le differenze tra i biologi razziali e i razzisti nazisti, gli uni e gli altri parlavano di « razza e degenerazione », e di « adatto » e « inadatto ». Si pensava che fosse necessaria per governare il paese un'*élite*, e questa sarebbe stata il prodotto di una selezione naturale favorita dallo stato. Inoltre il nero fu sempre ritenuto nettamente inferiore e furono una volta ancora ripetute le solite accuse di inefficienza e innata mancanza di pensiero metafisico. Solo dopo il 1935 questi segni di inferiorità furono trasferiti, sulle pagine dell'« Archiv für Rassen- und Gesellschaftbiologie », agli ebrei [15]; prima di allora, persino un uomo come Fischer, che pure faceva distinzione tra il tedesco e l'ebreo ed esprimeva delle riserve sulle cosiddette caratteristiche ebraiche,

si affrettava subito ad aggiungere che l'igiene razziale sarebbe
stata vantaggiosa per tutte le razze[16].

Il timore che ossessionò sempre il pensiero razziale nella
seconda metà del secolo XIX fu quello della degenerazione, un
termine già usato da Gobineau per descrivere la fatale e inevitabile conseguenza dell'incrocio delle razze. Ma nella seconda metà
dell'Ottocento il termine acquistò una forza e una rispettabilità
nuove che lo resero il concetto centrale di tutto il pensiero razziale. Per gli antropologi la degenerazione era una delle possibili
conseguenze della variazione casuale, mentre i biologi avevano
visto in essa un ritorno al primitivismo. Nel 1857 Benedict Au-
gustin Morel diede al termine « degenerazione » la sua definizione
classica: « degenerazioni sono deviazioni dal normale tipo umano,
che si trasmettono attraverso l'ereditarietà e portano progressi-
vamente alla distruzione »[17]. È vero, sì, che la degenerazione può
essere prodotta anche da fattori ambientali (quali la progressiva
intossicazione per malattia o alcool), ma l'infezione più gravida
di conseguenze sarebbe, secondo Morel, quella causata dalla
somma di fattori fisici e morali. Col progredire di tale infezione,
la prima generazione di una famiglia degenerata sarebbe solo
nervosa, la seconda nevrotica, la terza psicotica e la quarta, affetta
da cretinismo, scomparirebbe[18]. Ai cambiamenti verificabili negli
atteggiamenti e nei sentimenti si accompagnerebbero anche mutamenti fisici. Morel era un medico le cui idee influenzarono non
solo un ristretto ambiente, ma il termine « degenerazione »
divenne uno slogan potente grazie a Cesare Lombroso e a
Max Nordau.

Cesare Lombroso (1836-1909) non era personalmente un
razzista, ma un liberale, in passato un socialista, un ebreo che
sino alla morte credette nella completa assimilazione[19]. Ma come
fondatore dell'antropologia criminale e fautore di quella corrente
della psicologia che assumeva le caratteristiche fisiche come indizi
esterni delle condizioni mentali egli ebbe un'influenza decisiva
sul pensiero razziale da lui personalmente avversato. La degenerazione divenne un segno di criminalità innata, di un intelletto
inesorabilmente condannato alla perdizione.

Lombroso dava della degenerazione una definizione analoga
a quella di Morel e forniva poi un dettagliato elenco delle sue
manifestazioni esteriori: tra le altre, fronte convessa, sguardo
sfuggente, naso all'insù e naturalmente volto asimmetrico. Forse

su questo punto si avverte un'influenza di Lavater, certo risulta determinante l'ideale dell'armonia e della moderazione, dato che per Lombroso esorbitanza di sentimenti, incostanza, mancanza di carattere ed egomania erano i segni della degenerazione che si affiancavano all'aspetto esteriore [20]. Le teorie di Lombroso elogiavano il normale, l'aurea mediocrità; e tutto il resto era degenerato.

Egli divulgò queste idee in *Genio e follia* (1863) dove sostenne che persino il genio, da tanti considerato il grado più alto cui l'umanità possa aspirare, sarebbe in realtà conseguenza di condizioni patologiche del corpo; in un'altra occasione poi scrisse che allucinazione, epilessia e libidine furono tutte caratteristiche di uomini come Molière e Beethoven il cui aspetto esteriore denotava sia il loro genio che la loro degenerazione. Il genio e il folle non avrebbero amore per l'ordine, né istinto per le esigenze della vita pratica, mancherebbero di fermezza di carattere e sarebbero dei sognatori, proprio l'opposto dei buoni cittadini e dei liberali [21].

Anche Lombroso risentì dell'influenza del darwinismo e ciò lo indusse ad atteggiamenti crudeli e severi verso i criminali abituali, che a suo parere mostravano esteriormente i segni della degenerazione, indizio di atavismo, di un ritorno a una razza barbarica e primitiva. Enormi mascelle e zigomi alti caratterizzerebbero questi uomini e queste donne e così pure, tra gli altri segni, orecchie a sventola « quali si ritrovano nei criminali, nei selvaggi e nelle scimmie » [22]. Lombroso era convinto che questi fossero i segni della criminalità abituale e faceva distinzione tra questi individui e i criminali occasionali o coloro che si lasciavano trascinare da passioni momentanee. Gli ultimi due tipi possono essere emendati e devono essere trattati umanamente, ma una persona condannata a una vita criminale deve essere soppressa, essendo questo l'unico modo per proteggere la società. La pena capitale dovrebbe quindi far parte di un processo di « selezione volontaria » inteso a completare e rafforzare la selezione naturale [23]. La soluzione proposta da Lombroso per combattere il decadimento razziale era più radicale di quella formulata dal movimento eugenetico, di cui egli però condivideva i presupposti fondamentali.

Non vi è alcun dubbio che i nazisti e i fascisti abbiano in genere respinto Freud e accolto invece la psicologia lombrosiana.

L'eutanasia praticata dai nazisti si basava sull'idea che la degenerazione, di cui la criminalità abituale e la follia erano le conseguenze inevitabili, fosse strutturale e definitiva. Ma poiché i nazisti consideravano degenerati allo stesso modo dei criminali abituali anche gli ebrei, finì che la definizione data da Lombroso della criminalità entrasse a far parte della soluzione finale del problema ebraico attuata da Hitler [24].

Max Nordau (1849-1923) fu il vero divulgatore del concetto di degenerazione. Intimo amico e allievo di Lombroso, lo eguagliò per talento personale, come medico, autore di nove romanzi e di alcuni volumi di brevi racconti, di sette lavori teatrali e di quindici saggi; e infine come giornalista e ardente sionista, collaboratore, come corrispondente da Parigi, di giornali di Berlino e Vienna, negli ultimi anni della sua vita come conferenziere a pro del sionismo. È forse significativo che sia Lombroso che Nordau contrapponessero la degenerazione alla cosiddetta vita normale della fatica e del lavoro, ma è certo che definirono con precisione questa normalità borghese ripetutamente elogiata da Nordau: essa sarebbe rappresentata da coloro che si alzano presto al mattino e non sono stanchi sino al tramonto, che hanno idee chiare, stomaci forti e muscoli saldi [25], qualità necessarie per le loro molteplici imprese.

Nordau fu più popolare di Lombroso, perché si preoccupò più di dare semplici interpretazioni della scienza e della cultura che non di procedere ad analisi cliniche o di stabilire norme giuridiche. Il suo libro *Degenerazione* (*Degeneration*, 1892-93), dedicato a Lombroso, circolò in tutta l'Europa e fissò definitivamente il significato del termine. Nordau era un liberale, non un razzista e, sicuramente sino alla conversione al sionismo, un ebreo cosmopolita. Ma persino il suo sionismo era permeato di un'esigenza di comprensione nei riguardi dei perseguitati più che di nazionalismo. Alla base del suo pensiero stavano le « irresistibili e immutabili » leggi fisiche, valide sia per l'uomo che per la natura. L'uomo deve scoprirle mediante lucidità di pensiero e di mente se deve far fronte ai pericoli della selezione naturale. Ma Nordau sosteneva che gli uomini possono ottenere questa lucidità solo con l'osservazione e la conoscenza basate sulla disciplina mentale, perché « chiunque predica assenza di disciplina è un nemico del progresso » [26]. Il positivismo scientifico si poneva come rimedio contro la degenerazione, e, secondo Nordau, portava anche a suggerire abitudini di lavoro, un aspetto esteriore e una moralità sessuale appropriati allo scopo.

« Degenerati » erano coloro che si opponevano a questo metodo scientifico e alla moralità della classe media: Tolstoj, per esempio, perché privo di lucidità; lo scultore Auguste Rodin, perché immaginava muscoli là dove non ve ne erano e gli artisti o gli scrittori moderni che sostituivano l'immaginazione all'autodisciplina e all'osservazione attenta. Questi sintomi di degenerazione non si riscontravano solamente nei prodotti dell'attività artistica, ma si manifestavano anche attraverso anomalie fisiche. Perciò Nordau credeva che fosse il deterioramento del sistema nervoso la causa responsabile della pittura impressionista, mentre a spiegare l'opera dei seguaci del naturalismo bastava una certa stanchezza dovuta alla tarda età. Naturalmente secondo Nordau tutti gli artisti e gli scrittori moderni erano incapaci di « convincimenti razionali conseguiti col duro lavoro dell'intelletto » [27]. Egli accettava le tradizionali forme artistiche perché erano frutto di un'evoluzione sistematica (in analogia con i principi darwiniani di selezione naturale). Certo Nordau era anche fautore di una comunità umana basata sulla solidarietà, ma *Degeneration* elogiava le virtù della borghesia liberale e condannava coloro che le rifiutavano.

La degenerazione era la nemica di quella moralità della classe media che, implicitamente o esplicitamente, è sempre stata alleata della sopravvivenza e del predominio della razza: dai tipi-ideali di Camper agli « uomini normali » di Nordau si è sempre trattato di tipi-ideali borghesi, vale a dire l'« americano tutto d'un pezzo » o l'« inglese onesto » dei nostri giorni. Come più volte abbiamo visto il razzismo si appropriò della moralità delle classi medie che era riuscita a imporsi in Europa nel secolo XIX, allo stesso modo con cui si appropriò del nazionalismo e in fondo di tutte quelle idee che sembravano avere un futuro. E fu questa la sua forza: né Morel, né Lombroso, né Nordau furono razzisti, ma le loro idee divennero il nucleo centrale del pensiero razzista.

I razzisti credevano che si potesse evitare la degenerazione mediante l'eugenetica, ma una soluzione così prosaica al problema della conservazione della razza non era destinata ad aver fortuna. Il razzismo sentì sempre un impulso verso l'irrazionale, una spinta a diventare religione laica. La biologia razziale tentò di impedire questa fuga verso astrattezze irrazionali, ma non poté impedire che un settore considerevole dell'eugenetica si rifugiasse in una vera e propria mistica. Questo fu il caso, in particolare, dei divulgatori del darwinismo razziale, che finirono per essere permeati di una religiosità che Lombroso e Nordau deploravano. Tuttavia la biologia razziale, malgrado le sue pretese di rimanere nel regno dei fatti, era stata sempre un mito e per questo aperta all'irrazionalismo di ogni tipo.

In particolare, i darwinisti tedeschi non strettamente collegati con l'«Archiv für Rassen- und Gesellschaftbiologie», ritenevano l'evoluzione e la scienza parzialmente appartenenti alla sfera religiosa. Ernst Haeckel (1834-1919), eminente fautore tedesco dell'evoluzione in quanto forza cosmica attraverso cui si manifesterebbe l'energia creatrice della natura, si pose a metà strada tra la scienza e la metafisica. Egli era un eccellente zoologo, ma rimase sempre un figlio del romanticismo, per il quale la materia sarebbe una forza mistica, più che qualcosa di terrestre e meccanico. L'evoluzione, sosteneva, vede l'uomo e la società come un complesso armonico, pervaso di spirito panteistico. Egli battezzò questa interpretazione della teoria darwinistica «monismo» e la contrappose a tutte le altre spiegazioni del mondo, prive, a suo parere, di una simile unità tra materia e spirito [28].

L'evoluzione, perciò, non si risolve nella semplice trasformazione di una specie in quella successiva, ma è invece una forza cosmica che agisce servendosi delle diverse razze come di strumenti per attuare un piano deterministico, in cui ogni effetto ha la sua causa naturale. Il darwinismo quindi contribuì a produrre quella chiarezza tanto apprezzata da Nordau e si diede un'apparenza di scienza pur lasciando spazio a contenuti idealistici e soggettivi. Haeckel non solo creò un albero genealogico dell'intera razza umana, ma stabilì anche una netta divisione tra le razze, con il desiderio di eliminare l'inadatto. A differenza dei biologi razziali in cui il rispetto per i fatti e l'osservazione, per quanto tenue, servì a mantenere entro certi limiti il loro razzismo (tutto sommato essi si consideravano degli illuminati uomini di scienza), Haeckel e i suoi allievi persero via via contatto con il loro iniziale empirismo e alla fine il patriottismo spodestò i «fatti attendibili» e i tedeschi divennero, nel loro pensiero, la razza superiore. I tedeschi si erano evoluti più di ogni altra razza rispetto all'uomo scimmiesco e avevano perciò distanziato tutti per sviluppo mentale e civiltà. Gli ebrei e i negri erano collocati al gradino più basso della catena dell'esistenza.

L'eugenetica deve essere adottata a vantaggio della razza superiore, per preservarla dalla degenerazione e ciò ha come conseguenza l'eliminazione dell'inadatto. I biologi razziali avevano talvolta criticato la professione medica in quanto tendente a mantenere in vita l'inadatto; ma Haeckel e i suoi discepoli furono ben recisi nella loro opinione che non si dovesse permettere la sopravvivenza degli individui colpiti da malattia e, come Lombroso, difesero la pena di morte per i criminali abituali. Haeckel propose addirittura la creazione di una commissione che decidesse della vita e della morte [29]. Non vi è dubbio che i biologi razziali furono solo indirettamente i precursori dell'eutanasia nazista, ma Haeckel può esserne invece proclamato un antenato diretto.

Haeckel diede anche un ulteriore contributo al pensiero razziale con le ipotesi biologiche da lui formulate nell'ambito di una « legge biogenetica ». Questa legge affermava che lo sviluppo biologico di un individuo deve ripetere in forma abbreviata lo sviluppo biologico dei suoi antenati. Questi sarebbero sempre presenti non solo nella mente, ma nella realtà biologica, assicurando così la continuità della razza [30]. L'opera di Haeckel *Gli enigmi dell'universo* (*Die Welträtsel*, 1899) divenne un best-seller perché dava al lettore il senso di essere al passo con la scienza e nello stesso tempo di acquistare il conforto di una nuova religione panteistica. Haeckel basava le sue teorie su una approfondita esegesi biblica, che analizzava il racconto biblico da una prospettiva storica per giungere alla conclusione che esso mancava di verità e non era convincente. Egli accolse con gratitudine le conclusioni raggiunte da David Friedrich Strauss ed Ernest Renan, che venivano ad appoggiare la sua tesi che Cristo era stato un uomo e non figlio di Dio, e nello stesso tempo concordò con Houston Stewart Chamberlain, suo contemporaneo, che la religione dell'amore predicata da Cristo non poteva avere nulla a che fare con gli ebrei e le loro visioni tipicamente orientali [31]. Haeckel riteneva gli ebrei una razza inferiore, che aveva contraffatto gli insegnamenti di Cristo a suo proprio vantaggio. Il cristianesimo è una religione panteistica fondata sull'amore del quale è pervasa la materia, e tale religione deve essere liberata dagli impacci del Vecchio e del Nuovo Testamento.

Haeckel fondò nel 1906 la Lega monistica, i cui membri non furono però necessariamente seguaci della dottrina *volkisch* e razzista di Haeckel. Molti di loro, e così pure coloro che furono influenzati dal monismo senza appartenere alla Lega, credevano che la natura si orientasse verso una direzione umanitaria, liberale. La benefica evoluzione della natura avrebbe creato un uomo nuovo che avrebbe incarnato l'amore e la razionalità. In particolare le classi lavoratrici istruite mutuarono probabilmente la loro assoluta fiducia nel progresso in egual misura da questo monismo darwinista e dalle dottrine di Karl Marx [32]. Il « tempio della natura » non si innalzava necessariamente su ristrette fondamenta nazionaliste e ariane, ma il fatto che Haeckel e alcuni monisti suoi contemporanei pensassero che così doveva essere diede al razzismo un'ulteriore giustificazione pseudo-scientifica.

Il tentativo di fare del razzismo una scienza e la fuga verso una nuova religione darwinistica non esaurirono il pensiero razziale di fine secolo, al quale anche l'antropologia diede il suo contributo, forse il più importante di tutti grazie ai suoi coerenti tentativi di dimostrazione.

Se l'eugenetica trovò i suoi pionieri in Inghilterra, e la biologia razziale insieme con il monismo in Germania, l'antropologia fece i suoi maggiori progressi in Francia. Il compendio fatto da Paul Broca (1824-1880) del lavoro compiuto dalla Società antropologica di Parigi tra il 1859 e il 1863 dimostra un atteggiamento ambivalente nei riguardi della razza, poiché se da una parte vi si riconosce la distinzione tra le razze, dall'altra vi si afferma che esse formano un gruppo armonioso e che è l'uomo in quanto tale a dovere essere oggetto di esame [33]. Uomini come Paul Broca e William Frederick Edwards (1777-1842), la cui attività si svolse a Parigi, credevano nell'esistenza della razza, ma anche negli effetti benefici dell'incrocio tra le razze e nell'importanza dei fattori ambientali. Erano respinte idee di superiorità e di inferiorità e neppure la bellezza era ritenuta peculiare di una sola razza o tipo. Anzi, secondo Edwards, la bellezza non sarebbe un concetto valido universalmente, ma ogni razza avrebbe una sua bellezza tipica [34].

Broca accusava sia Gobineau che Knox di eccessivo semplicismo; a suo parere le razze incrociate tenderebbero a dominare la civiltà e i francesi costituirebbero certamente una mescolanza di razze, diversificandosi a seconda della regione geografica. Ovunque s'incontrano uomini alti e uomini bassi, biondi e bruni, teste allungate e teste rotonde [35]. L'antropologia francese aveva perciò una tradizione liberale che non escludeva nemmeno il negro. François Pruner, ritenuto la massima autorità in materia, descriveva il negro come incline ad atteggiamenti estremisti, benché concludesse che non si trattava di una regola. Invece la maggior parte dei neri erano considerati lavoratori sobri, industriosi e pazienti che dirigevano la propria famiglia con saggezza e dignità [36]. Certo opinioni come queste rincuorano e, fortunatamente, non sono inconsuete.

Naturalmente a volte alla Società antropologica erano esposte idee diverse: per esempio nel 1865 J. A. H. Périer disse ai suoi colleghi che le razze pure sono nobili mentre gli incroci di sangue danno luogo a razze inferiori, e che le razze nobili erano rappresentate dagli europei, non certo dai neri [37]. Ma tra i più influenti antropologi chi va assunto come rappresentante tipico è Joseph Deniker. Nel suo libro *Les Races de l'Europe* (1899), benché si ricorresse a misurazioni craniche per dimostrare l'appartenenza a una determinata razza, si negava la coincidenza tra razza e nazionalità. La Francia sarebbe composta da numerose razze: nell'Est i francesi sono alti e nel Sud-ovest bassi. Deniker credeva nell'ereditarietà razziale e negava l'influenza dell'ambiente; postulava una razza nordica più o meno pura non coincidente però con nessuna nazione; su taluni punti egli concordava con Broca e Périer, ma anche in questi casi rifiutava di accettare idee di superiorità di una determinata razza [38]; in realtà egli cercò sempre di tenersi lontano, di proposito, da giudizi di valore.

Anche Armand de Quatrefages de Bréau (1810-1892), che era dopo Broca il più autorevole esponente della Società antropologica, sosteneva che gli incroci razziali fossero utili e aggiungeva che, sebbene il cranio del negro sia diverso da quello dei bianchi, ciò non dimostra affatto l'inferiorità dei neri. In realtà lo stesso Broca aveva affermato la medesima cosa. Quatrefages non solo era un avversario di Knox, cui di solito era rivolta l'accusa di un'errata analisi razziale, ma criticava anche Camper per aver dedotto la superiorità razziale dall'angolo facciale. Ma ancora una volta questi sentimenti lodevoli e questi ideali scientifici erano

viziati da ambiguità. La razza bianca era ritenuta portatrice del
più alto sviluppo intellettuale e perciò capace di migliorare le
altre razze mescolando il suo sangue con il loro; naturalmente
la conseguente esortazione ai matrimoni misti suonò come una
bestemmia per la grande maggioranza dei razzisti. Gli ebrei, detto
per inciso, furono definitivamente ritenuti appartenenti alla superiore razza bianca, mentre le più bisognose di urgente miglioramento furono considerate le razze gialla e nera [39].

Dopo la guerra franco-tedesca del 1870, Quatrefages perse
il senso della misura: nel bombardamento tedesco di Parigi era
stato colpito il famoso museo antropologico situato nel Jardin
des Plantes ed erano state distrutte le collezioni a lui care, per
cui egli credette che i prussiani avessero intenzionalmente cercato
di annientare l'antropologia francese. Si creò in lui la convinzione
che la guerra del 1870 fosse stata trasformata dai prussiani da
guerra nazionale in guerra razziale con lo scopo finale di distruggere la Francia; anzi ora Quatrefages sosteneva che i prussiani
costituissero una nazione ben distinta da quella rappresentata
dai biondi germani; essi sarebbero stati da un punto di vista
razziale finnici, cioè appartenenti a un'oscura razza mongoloide.
Distruggendo l'antropologia francese, i prussiani avrebbero voluto
impedire la scoperta della loro inferiorità [40].

Rudolf Virchow (1821-1902) rispose a Quatrefages in nome
della scienza e della ragione, riconfermando l'assenza di razze
pure secondo la tradizione dell'antropologia francese [41]. Virchow
fu tra i fondatori dell'antropologia tedesca e certo il più influente
membro della Società antropologica tedesca (fondata nel 1870).
Fu uno degli ultimi scienziati universali espressi dalla nostra
civiltà e diede importanti contributi nei campi più svariati, dalla
patologia cellulare (da lui scoperta), all'epidemiologia, alla sanità
pubblica, all'archeologia, all'antropologia e alla politica (come
eminente membro progressista delle diete prussiana e tedesca).
In questa sede dobbiamo occuparci dei suoi contributi all'antropologia non solo perché egli fu un ottimo organizzatore, ma
soprattutto per la sua famosa indagine razziale condotta tra gli
scolari tedeschi, che sarebbe stata poi imitata in Austria, in
Olanda e in Belgio.

Nel 1871 la Società antropologica tedesca di recente costituzione decise di raccogliere dati statistici su tutte le conformazioni
craniche riscontrate in Germania e un anno dopo anche sul colore

dei capelli e degli occhi. Virchow, cui era stata affidata l'attuazione del progetto, suggerì di condurre l'indagine tra i bambini delle scuole. La Società decise di studiare le differenze tra gli scolari ebrei e cristiani: gli stati federali tedeschi assicurarono la loro collaborazione all'indagine e fu spiegato nelle scuole lo scopo di questa inchiesta, il rendersi conto, cioè, di quanto restasse della razza originaria, affermando che ciò era necessario per valutare le peculiarità dei popoli e delle culture. Gli insegnanti condussero le inchieste, separatamente prima tra i tedeschi e poi tra gli ebrei, riempiendo i questionari preparati da Virchow. Solo la città di Amburgo rifiutò di collaborare nella convinzione che l'inchiesta fosse lesiva della libertà personale; altrove furono sollevate poche difficoltà. Alla fine risultarono esaminati 6.760.000 bambini con riferimento al colore degli occhi, dei capelli e della pelle, mentre non furono rilevate con altrettanta serietà le misurazioni craniche [42].

La separazione degli scolari ebrei, approvata da Virchow, ci dà un'idea sul processo di emancipazione ebraica in Germania: l'indagine, per quanto condotta con criteri razionali, deve aver dato ai bambini ebrei la consapevolezza del loro status di minoranza e della presunta diversità delle loro origini, con un effetto in loro simile allo shock ricevuto dai soldati ebrei durante la prima guerra mondiale, quando furono tenuti separati e contati per provare l'accusa di aver evitato il servizio di prima linea. Il « conteggio degli ebrei » del 1916 spinse molti ebrei assimilati nelle braccia del sionismo [43]. Bisogna ammettere che a proposito dell'indagine di Virchow non viene riferito nulla di simile a questa vicenda; tuttavia non disponiamo di alcuna informazione particolare sui sentimenti di coloro che vi furono coinvolti. Comunque l'indagine diede risultati positivi e Virchow ebbe modo di dimostrare l'inesistenza di una razza pura tedesca o di una razza pura ebraica: le sue conclusioni miravano a seppellire una volta per tutte il mito della razza.

L'indagine mostrò che in nessun posto esistevano tedeschi razzialmente uniformi e meno che mai prevalentemente biondi e con gli occhi azzurri. In tutto l'impero tedesco, secondo le statistiche di Virchow, i biondi costituivano il 31,8% della popolazione, i bruni il 14,05% e i tipi misti il 54,15% [44]. Tra i 75.377 scolari ebrei esaminati, l'11% risultarono completamente biondi, il 42% con i capelli neri e il 47% di tipo misto [45]. È interes-

sante che allo scoppio della prima guerra mondiale lo statistico
Arthur Ruppin credesse che la percentuale di ebrei biondi in
Germania fosse aumentata al 20-25% [46]. Virchow aveva tutte le
ragioni quando negava l'esistenza di razze pure.

Malgrado tutto ciò l'« Archiv für Anthropologie » continuò a
mostrarsi preoccupato per gli incroci razziali che rendevano sempre
meno evidenti le differenze tra tedeschi ed ebrei. Quando l'indagine di Virchow fu completata e i risultati pubblicati nel 1886,
l'« Archiv f. A. » fece di tutto per dare il maggior risalto possibile
alle differenze statistiche ed affermò, come per caso, che la percentuale di biondi tra gli ebrei era più bassa che tra la popolazione
tedesca. Gli austriaci, sempre più radicali ed interessati alla separazione tra ebrei e gentili, concentrarono la loro indagine nella
Galizia e nella Bucovina, dove si diceva che la razza ebraica si
fosse conservata pura ed effettivamente trovarono in quella regione
un numero inferiore di ebrei biondi [47].

Questa indagine avrebbe dovuto mettere fine alle controversie
sull'esistenza di ariani ed ebrei puri. Sembra però che abbia avuto,
a dispetto delle previsioni, scarsa influenza. L'idea della razza
era stata istillata ormai da troppo tempo mediante i miti, gli
stereotipi e le opinioni soggettive, perché un'indagine scientifica
potesse produrre grossi cambiamenti. L'ideale delle razze pure,
superiori, e il concetto di nemico razziale risolvevano troppi im-
pellenti problemi perché si potessero eliminare facilmente. L'indagine era di per sé incomprensibile per la parte meno colta della
popolazione, ai cui problemi dava una risposta migliore il libro
di Haeckel, *Gli enigmi dell'universo.*

Naturalmente le conclusioni di Virchow suscitarono proteste
da parte di studiosi e di altri che arrivarono ad affermare che
il famoso dottore in medicina fosse o uno schiavo degli ebrei e
partecipe della cospirazione mondiale ebraica, o, addirittura, egli
stesso di sangue ebraico [48]. Ma Virchow rimase fermo nella convinzione che gli ebrei fossero una nazione e non una razza, e
continuò a credere in una distinzione degli ebrei dai tedeschi
del tipo di quella che abbiamo visto presente sin dall'inizio della
sua indagine razziale. Ritornando col pensiero alla sua indagine,
Virchow concludeva che se si dovesse ammettere l'esistenza di
un « tipo tedesco » allora si dovrebbe escludere dal Reich gran
parte della Germania meridionale e occidentale; per lui « razza »

non era nient'altro che un fenomeno dipendente da variazioni ereditarie [49].

I nemici di Virchow non rispettarono il suo spirito scientifico e la gente preferì invece credere nel mito, nel simbolo e nel mistero della razza, indifferente di fronte alla più ampia inchiesta razziale mai compiuta. In Germania queste tendenze dettero maggior vigore alle idee di guerra razziale e in Francia l'antropologia liberale fu sfidata da idee razziali in concomitanza con le agitazioni politiche della Terza repubblica.

VII

IL MISTERO DELLA RAZZA

Fianco a fianco con lo sviluppo della biologia razziale si fece sentire nel razzismo moderno un forte impulso mistico: il « mistero della razza » accentuava l'aspetto irrazionale del razzismo, le presunte radici mitologiche della razza e la cosiddetta sostanza spirituale che si diceva la creasse e la ispirasse. Fu perciò respinto qualsiasi collegamento, per quanto esile, con la scienza e con esso quelle strutture razionali del pensiero e dell'osservazione che pure la scienza della razza aveva cercato di conservare. Coloro che credettero nelle origini misteriose della razza non assunsero nei riguardi del razzismo, in quanto dottrina della superiorità e dell'aggressione, quell'atteggiamento ambivalente che invece talvolta mostravano i fautori della scienza della razza.

Le radici mitologiche e spirituali della razza furono identificate con le origini nazionali: il passato di una razza e la sua storia erano la stessa cosa della storia della nazione. Come abbiamo visto nelle pagine precedenti, il razzismo sin dal suo apparire era stato collegato con il sorgere della coscienza nazionale, e particolarmente nell'Europa centrale la lingua e la storia di un popolo servirono per indagare le sue origini razziali, e le virtù di una razza furono attribuite alle qualità delle sue radici. Era stato stabilito un nesso tra la scienza e il mistero della razza, nel senso che tutto il razzismo si servì dell'antropologia e della frenologia e insieme dei miti storici e dell'estetica classica. Ma durante l'ultimo trentennio del secolo XIX, proprio negli stessi anni in cui furono fondati i vari movimenti eugenetici, l'idea di un « mistero » della razza prese le sue distanze dall'idea della razza come scienza e si diffuse invece un razzismo come parte di una nuova religione nazionale.

Due fattori influenzarono questa evoluzione: il primo consistette nell'ondata di spiritualismo calata sull'Europa dagli Stati Uniti; il secondo, nel sempre più forte interesse per l'unità nazionale in un momento di più accentuate lotte di classe e di rivalità per la conquista di ricchezze e di status sociali. Questi due fattori si integrarono l'uno con l'altro, perché si sperava che l'unità nazionale, fondata su basi religiose e razziali, avrebbe rinnovato la mistica nazionale, specialmente tra le nazioni ancora divise dell'Europa centrale e orientale. Le influenze spiritualiste e la ricerca di una nuova fede nazionale non si escludevano a vicenda, perché in molti uomini l'attrazione verso lo spiritualismo si accompagnò con l'interesse per il popolo e la razza. Ciononostante esse rimasero distinte le une dall'altra, dato che gli spiritualisti si affaticarono a penetrare nel mondo soprasensibile degli esseri spirituali, mentre coloro che cercavano di trasformare il nazionalismo in una religione tentarono di piegare al loro scopo la filosofia idealistica e in particolare quella di Kant.

Lo spiritualismo non era una novità per l'Europa. Nella prima metà del secolo XVIII l'ingegnere svedese Emanuel Swedenborg aveva « goduto del privilegio di costanti rapporti con gli angeli e gli spiriti » [1]; a suo parere tra il mondo spirituale e quello corporeo esisterebbe un'azione reciproca che renderebbe alcuni profeti capaci di fare esperienza di un universo pieno di angeli e di spiriti. Swedenborg fondò la sua « nuova chiesa » nel 1767, ma se lo swedenborghismo continuò a vivere lungo tutto il secolo XIX, il più accentuato impulso spiritualista venne a quell'epoca dalla Società teosofica, fondata a New York nel 1875 da Helen Petrovna Blavatsky e dal colonnello H. S. Olcott e della quale furono ben presto costituite attive sezioni in tutta l'Europa e in Inghilterra, a cominciare dalla Società teosofica britannica nata nel 1876. Madame Blavatsky insegnò, nella sua opera maggiore *Iside svelata* (*Isis Unveiled*, 1877), in quale modo poteva essere sollevato il velo frapposto tra l'uomo e i corpi astrali. Gli adepti capaci di penetrare oltre il velo sarebbero stati in grado di conoscere il già conosciuto e quanto non ancora raggiunto dall'uomo. Ogni essere umano avrebbe oltre al suo corpo fisico un corpo astrale che gli darebbe modo, se adepto, di prendere contatto con lo «spirito vitale dell'universo», un contatto che avverrebbe attraverso una « forza vitale », un onnipresente « etere vitale » che stringerebbe in una sola unità uomo e universo. Questi, detti per sommi capi, erano gli elementi essenziali della scienza segreta della teosofia.

Le teorie di madame Blavatsky si basavano sulle religioni indiane, una tradizione che, come abbiamo visto, affascinava molti europei; anzi alla fine il quartier generale della teosofia sarebbe stato fissato proprio alle porte di Madras. Inoltre, una volta che l'adepto fosse riuscito a scorgere l'universo invisibile mediante una scienza segreta, allora il concetto di *karma*, l'eterno ciclo di nascita e reincarnazione che la teosofia aveva mutuato dal buddismo, avrebbe privato il pensiero della morte da ogni senso di angoscia. Idee di questo genere erano attraenti per uomini e donne che cercavano di scandagliare le profondità dell'« anima razziale » e sentivano il fascino delle cospirazioni segrete. La teosofia in sé non era razzista (anzi, fu il primo movimento europeo a dire agli indiani che le loro religioni erano superiori al cristianesimo); ma alla fine il razzismo si alleò con la teosofia [2]. Questa, in realtà, poteva favorire anche un nuovo umanesimo. La Società antroposofica di Rudolf Steiner, fondata a Berlino nel 1913, ricollegava lo spiritualismo ai concetti di libertà e di universalismo. Tuttavia noi ci stiamo occupando di razzismo e a questo proposito la Germania, insieme con l'Austria, svolse un ruolo essenziale nel fondere teosofia e razza, perché nei paesi di lingua tedesca la teosofia trovò già pronta una tradizione mistica, la quale, per di più, aveva costituito per lungo tempo un elemento della nascente coscienza nazionale.

Era stato un calzolaio del Seicento, Jacob Böhme, a diventare un simbolo nazionale per una nazione smembrata. Egli aveva esposto una religione nazionale che riteneva scaturisse dall'animo stesso del popolo e che era diretta contro i preti e i prìncipi. Egli sosteneva che il mondo fosse dentro l'uomo e che questi potesse di conseguenza mettersi in contatto con il cosmo immedesimandosi con la natura. Il Dio della Bibbia non era più imprigionato in legalistiche confessioni di fede, ma si rivelava nella natura. Questa procurava armonia di spirito, attraverso cui l'anima individuale poteva unirsi con quella dell'universo. Böhme credeva che tutte le cose muovessero l'una verso l'altra e tutte insieme poi verso una superiore unità divina [3]. Il suo misticismo a sfondo naturalistico poteva essere piegato a significare che i tedeschi avrebbero potuto aver ragione delle loro inquietudini una volta posti nelle condizioni di ricevere nelle loro anime il paesaggio nativo, perché allora, egli credeva, essi sarebbero stati capaci di penetrare al di là della realtà materiale, nell'universo di Dio. Il paesaggio tedesco diventò così il mezzo attraverso cui il *Volk* germanico fu collegato al cosmo. La tradizione mistica della Slesia fondata da Böhme rimase viva tra i tedeschi sino al secolo XIX inoltrato, e ha trovato bella espressione in tante famose ninne-nanne cantate nella regione.

La teosofia e questa tradizione slesiana si mescolarono verso la fine del secolo XIX con il razzismo nel tentativo di contrastare il rigido materialismo del tempo, e l'opera fondamentale di questa tradizione teosofica, razzista e mistica fu il libro di Julius Langbehn *Rembrandt come educatore* (*Rembrandt als Erzieher*, 1890), che raggiunse una vasta popolarità perché interpretabile secondo prospettive diverse: da un punto di vista culturale, poteva essere considerato come una critica diretta contro l'opulenza e l'autocompiacimento borghesi e come un attacco contro il realismo e il naturalismo nelle arti. Ma poteva essere letto anche come un libro razzista, che dava nuovo spessore al concetto di *Volk* germanico. Secondo Langbehn, il misticismo trasformava la scienza in arte[4], e i tedeschi dovevano essere artisti (proprio come lo era stato Rembrandt), un'idea che sedusse la generazione dei più giovani che a differenza dei loro genitori, imprenditori e uomini di affari, ambivano ad essere « creativi ». E fu questo, tutto sommato, il nodo centrale della rivolta della giovane generazione borghese di fine secolo.

Langbehn congiunse creatività e razzismo affermando che solo la razza tedesca di artisti era in grado di comprendere la natura e l'universo di Dio. Il *Volk*, basato su una comune identità razziale, fece da mediatore tra l'uomo e il cosmo, istillando nell'individuo lo spirito vitale, il vitale etere cosmico di cui aveva parlato madame Blavatsky. L'identità razziale del *Volk* sarebbe simboleggiata dalla natura entro cui esso vive. Perciò ogni razza ha il suo paesaggio: gli ariani avevano la loro dimora nella foresta teutonica, gli ebrei invece nel deserto, a dimostrazione della loro mancanza di radici e dell'aridità del loro animo. Ma Langbehn credeva anche negli stereotipi fisici e si servì della fisiognomica per dimostrare la superiorità dell'ariano. Rappresentazione esterna di un *Volk* fu considerato sia il paesaggio che lo circondava sia anche l'aspetto esteriore dei suoi membri.

Langbehn pensava che se è il *Volk* che trasmette la forza

vitale, allora il « fluido vitale » che fluisce dal cosmo al *Volk* e
da questo ai suoi singoli membri, può essere captato non solo
attraverso la natura, ma anche attraverso la percezione extrasen-
soriale. L'« anima razziale » dell'uomo, che costituirebbe l'essenza
dello spirito del *Volk*, era posta al centro del processo mediante
il quale il fluido vitalizzante fluirebbe tra Dio e il mondo, spiri-
tualizzando tutta la vita esteriore e interiore, e trasformando
tutti i tedeschi in artisti. Secondo Langbehn gli ariani avrebbero
il monopolio di questa forza vitale e quindi della creatività artistica; gli ebrei invece sarebbero stati privati già da lungo tempo
della loro anima, mentre i francesi l'avrebbero perduta durante
le lotte rivoluzionarie. Langbehn ammirava il Medioevo perché
secondo lui il miglior ordinamento politico era una società di
potentati medievali. Quanto a lui, dopo una vita di povertà, si
era convertito dal protestantesimo al cattolicesimo ed era entrato
in un ordine religioso. Egli amava immaginarsi come un profeta
isolato, ma in realtà, anche se la sua opera ebbe ripercussioni solo
in Germania, a Vienna altri « filosofi cosmici » stavano seguendo
la stessa linea di pensiero, pur senza collegarsi direttamente al
« Rembrandt tedesco », come Langbehn era spesso chiamato.

Per esempio Guido von List nel suo *Immagini del paesaggio mitologico-tedesco* (*Deutsch-Mythologische Landschaftsbilder*,
1891) ritorna insistentemente sul concetto che è la natura la
fonte da cui sgorga la forza vitale. Tutto ciò che è più vicino
alla natura è di conseguenza più vicino alla verità e il passato
ariano, così strettamente legato alla natura, era il più estraneo
al materialismo moderno. List si assunse il compito di scoprire
di nuovo quel passato: « dobbiamo leggere con le nostre anime
quel paesaggio che l'archeologia riconquista con la vanga », e
proseguiva ammonendo: « chi voglia sollevare il velo del mistero
[del passato] deve rifugiarsi nelle solitudini della natura »[5]. E
anni dopo, nel suo *Il segreto delle rune* (*Geheimniss der Runen*,
1908), affermò di avere scoperto il linguaggio dello spirito ariano.
Oltre che nella teosofia, List credette anche nel *karma*, il ciclo
della nascita e della reincarnazione, e affermò che i futuri capi
ariani sarebbero risorti dagli antichi eroi morti.

List non ebbe mai un vasto pubblico di lettori, ma la sua
importanza sta nel fatto che le sue idee furono accolte all'inizio
del secolo XX da un gruppo di intellettuali di Monaco che si
definirono « filosofi cosmici ». Tra questi un altro profeta, Alfred

Schuler, continuò a credere in un'eterea forza vitale e affermò di poter ricostruire il passato ariano percependolo con la sua anima. Molto tempo dopo, nel 1922, quando era un giovane agitatore, Adolf Hitler ascoltò una conferenza di Schuler in casa dell'amica materna Helen Bechstein a Berlino, e c'è da chiedersi se per caso riemergeva in lui il ricordo di quella serata quando affermò che la scienza doveva tornare ad essere segreta o quando, durante la guerra, parlò delle occulte forze della natura che penetrano nei nostri sogni[6].

Jörg Lanz von Liebenfels fu un altro profeta viennese dell'arianesimo, un credente nelle forze vitali e nel culto solare. Egli aveva abbandonato la Chiesa cattolica sotto l'influenza del movimento « Los von Rom » (indipendenza da Roma) del pangermanista austriaco Georg Ritter von Schönerer, ed era diventato pagano, influenzato dai discorsi che i seguaci di Schönerer facevano su una presunta religione ariana. Desiderio di Lanz era di dar vita a un'eroica razza ariana, di biondi superuomini che fossero anche seguaci dell'occulto. Il culto pagano del sole si fuse, attraverso la dea Ostara, con le concezioni teosofiche in cui il fuoco simboleggiava l'essenza dell'anima. Lanz definì i nemici degli ariani « uomini-scimmia », « oscuro popolo di razza inferiore », esseri da considerare come « animali », o nel migliore dei casi come schiavi, e dei quali egli reclamava l'annientamento fisico. La pace del mondo si sarebbe potuta conseguire solo con il predominio della bionda razza ariana. L'importanza di Lanz è dovuta al giornale da lui fondato nel 1905, « Ostara, Zeitschrift für Blonde », che sino allo scoppio della prima guerra mondiale ebbe, tra le tante pubblicazioni stampate a Vienna dalle varie sette, una notevole circolazione. È probabile che il giovane Adolf Hitler abbia letto il giornale[7], ma è certo che egli conobbe queste idee a Vienna: è infatti impressionante l'analogia tra la visione del mondo di Lanz, manichea e spiritualistica, e quella di Hitler, e non vi è dubbio che l'artista presente in Hitler si sia sentito attratto verso questa mistica della razza.

L'identificazione dell'ariano con la forza vitale portava di conseguenza che gli avversari dell'arianesimo fossero in realtà persone senza anima, tagliati fuori dalla natura e dall'universo. Anche Hitler credeva che gli ebrei costituissero un « principio » malvagio contrapposto alla vita stessa. Il concetto di *Volk* come fattore di mediazione tra la forza vitale cosmica e l'uomo non poteva lasciare spazio a compromessi con le forze delle tenebre: si giunse così al contrasto tra il popolo della vita e quelli delle tenebre.

Guido von List auspicava una simile guerra, affermando che durante l'era glaciale gli ariani avevano forgiato la propria forza fisica e spirituale nella dura lotta con la natura, subendo un'evoluzione del tutto diversa da quella delle altre razze che erano vissute senza dover lottare su una terra generosa: il mito della migrazione ariana, da noi analizzato nelle pagine precedenti, ricevette qui nuovo lustro. Sempre il concetto di lotta ha rappresentato un aspetto di uno spiritualismo di questo tipo e sempre i grandi principi cosmici sono stati costretti a una lotta da cui poteva risultare solo la vittoria o la distruzione. La visione manichea del mondo tipica di Hitler deve essere uscita rafforzata da questo incontro e dalla sua accettazione della concezione teosofica del mistero della razza.

Le concezioni spiritualistiche e teosofiche della razza rimasero sempre ai margini del pensiero razziale. Coloro che desideravano servirsi del concetto di razza per creare una religione nazionale si giovarono invece delle tradizioni filosofiche idealistiche che costituivano il nucleo centrale del pensiero europeo. Ma vi fu un uomo che utilizzò ambedue questi indirizzi di pensiero, così come tenne un atteggiamento ambivalente nei riguardi del razzismo stesso: fu Paul Anton Bötticher, che si diede il nome di Paul Anton de Lagarde e i cui *Scritti tedeschi* (*Deutsche Schriften*, 1878) indicarono presto la strada verso una nuova religione germanica. La preoccupazione di Lagarde era di preservare e vitalizzare la forza vitale insita nella nazione e nel *Volk* genuini. La guida politica, lo sviluppo economico e la prosperità nazionale sarebbero, a suo parere, solo delle sovrastrutture senza alcun rapporto con le intime, spirituali esigenze del *Volk*. Era necessaria una nuova fede germanica che avrebbe liberato lo spirito *volkisch* dal cristianesimo tradizionale, il quale era stato pervertito in un soffocante sistema legalistico dall'ebreo san Paolo. Un dinamismo religioso interiore deve guidare ciascun *Volk* a realizzare il suo destino, perché in virtù di un tale dinamismo ciascun uomo si pone in rapporto diretto con Dio.

E il *Volk* germanico sarebbe stato dotato di una sensibilità spirituale particolarmente viva, una capacità di corrispondere con il demiurgo creatore più accentuata di quella di qualsiasi altro popolo. Vago e mistico, il dinamismo spirituale fu ancora una volta messo in rapporto con la natura. L'uomo, scriveva Lagarde, dovrebbe prestare ascolto agli alberi delle foreste e alle messi dei campi. Per Lagarde gli ebrei erano il nemico, tuttavia a volte egli non escludeva che potessero essere accolti nel *Volk* singoli ebrei che avessero abbandonato la loro religione. Altrove invece giudicò severamente la « cospirazione mondiale ebraica » e auspicò una lotta mortale tra ebrei e ariani [8]. Lagarde fu un orientalista eminente, ma nonostante ciò ottenne la cattedra all'università di Gottinga solo negli ultimi anni della sua vita, e questa delusione in campo accademico diede alla sua ricerca di un vero *Volk* un tono di asprezza e di conseguenza ai suoi scritti un carattere pedantesco assente invece negli estatici scritti di Langbehn.

Lagarde è un personaggio di transizione e la sua religione germanica rimane nel vago ed è talvolta contraddittoria. Altri pensatori, che si proposero di risuscitare la mistica nazionale in forme più rigidamente razziste, misero in ombra a partire dal 1880 la pur non trascurabile influenza di Lagarde. Richard Wagner, Houston Stewart Chamberlain e Otto Weininger divennero i nomi con cui bisognò misurarsi, profeti della razza che si rivolsero a tradizioni più consistenti che non fosse lo spiritualismo in voga ai loro tempi. Eppure Wagner esaltò la stirpe di sangue ariano, Chamberlain auspicò una guerra razziale e Weininger fece un tutt'uno tra il razzismo e le sue preoccupazioni sessuali. Sangue, guerra e sesso formano una triade che si ripresenta costantemente nel razzismo del secolo XX, anche se abbiamo visto che ciascuno di questi tre fattori erano stati buoni alleati del razzismo sin dal suo primo apparire.

Le idee di Wagner hanno un'importanza particolare data l'influenza esercitata da Bayreuth non solo durante la vita del compositore, ma anche molto tempo dopo la sua morte, e dato che il circolo wagneriano, presieduto dapprima dalla moglie Cosima e poi dalla nuora Winifred, diventò per molta parte della destra tedesca simbolo di cultura. Le rappresentazioni di opere eseguite annualmente sin dal 1876 erano « festival » che davano concretezza alle sue idee astratte. L'iniziativa era sostenuta da una martellante campagna propagandistica condotta dal « Bayreuther Blätter » e anche mediante libri e opuscoli. Contemporaneamente Bayreuth proprio in quanto centro culturale divenne anche centro di idee razziste, dove i neofiti facevano atto di venerazione all'altare del sangue germanico e del mito teutonico (benché Cosima fosse per metà francese e Winifred di nascita inglese).

Da giovane Richard Wagner aveva partecipato alla rivoluzione del 1848, ma col tempo si era convertito al razzismo, amareggiato verso un mondo che rifiutava di piegarsi ai suoi desideri. Richard e Cosima esaltavano la vita tranquilla e ben radicata contro quella della grande città, un contrasto che secondo loro riproduceva quello esistente tra la profondità del sentimento germanico e la minaccia dell'industrialismo. Gli ebrei rappresentavano per essi tutto ciò che si oppone al buono e al bello, e anzi una volta Richard Wagner sognò di essere ucciso da un ebreo berlinese [9]. Talvolta tra coloro che simboleggiavano la razza ostile venivano inclusi anche i gesuiti, i francesi, i socialisti. Ma l'atteggiamento di Wagner verso gli ebrei fu tutt'altro che coerente: giovani musicisti ebrei come Anton Rubinstein o Karl Tausig furono accolti con favore tra i più intimi amici del circolo, Hermann Levi fu uno dei direttori d'orchestra da lui preferiti, e mecenati di Bayreuth, come l'ebreo Alfred Pringsheim, furono portati alle stelle. L'atteggiamento di Wagner era quindi dettato dall'utilità che singoli ebrei rivestivano per la sua causa, ma anche in questi casi, qualsiasi diversità di opinione, qualsiasi supposta mancanza di riguardo da parte dei suoi favoriti erano immediatamente imputate a deficienze razziali, e cioè all'irrequietezza e alla mancanza di rispetto o di cuore innate negli ebrei [10].

Certo, tale ambiguità è assente negli scritti di Wagner e, per esempio, in *L'ebraismo nella musica* (*Judentum in der Musik*, 1850) egli estende il suo odio geloso nei riguardi di Jacob Meyerbeer a tutti gli ebrei — incapaci, a suo dire, di comporre musica perché privi di passione, sedotti dalle lusinghe del denaro e senza una propria vita interiore. Il sangue ebreo era considerato congenitamente incapace di scandagliare le profondità dell'anima ariana. Questi stereotipi ricomparvero ancora una volta negli scritti di Wagner quando egli entrò in rapporto con un altro supposto rivale, Felix Mendelssohn: Meyerbeer e Mendelssohn furono gli elementi catalizzatori del razzismo di Richard Wagner, che non era altro che una forma di sfogo del suo rancore verso il mondo. Dato che Cosima fu solo l'ombra del marito e Winifred la sua copia fedele, Bayreuth continuò a diffondere il mito ariano sino a dopo la seconda guerra mondiale.

Tuttavia le opere di Wagner non si risolvevano tutte in rancore misto a odio nei riguardi della razza ebraica; esse cercavano anzi di prospettare quella che Wagner considerava una concezione positiva e tedesca del mondo. Egli desiderava restituire le cosiddette verità germaniche al suo popolo, che sembrava ignorarle, rifiutando così il patrimonio ereditario del proprio sangue. I tedeschi, sosteneva, sono caratterizzati da un substrato interiore mai mutato lungo i secoli, per cui antiche saghe sono espressione anche del presente. Sin dal 1848, allorché fu concepito, l'*Anello del Nibelungo* mise l'accento sulle libertà del *Volk* germanico in contrasto con l'oppressione feudale. Ogni anima individuale deve essere liberata in modo che possa ricongiungersi al *Volk* ed essere veramente creativa. Wagner credeva che la libera coscienza morale dell'uomo fosse guidata da divinità germaniche [11], ma questa identificazione della coscienza con divinità pagane non era destinata a durare; ben presto cominciarono ad imporsi temi cristiani, legati a loro volta con il passato germanico.

La progressiva conversione di Wagner al razzismo fu accompagnata da un certo fervore protestante, e il protestantesimo non solo lo portò a considerare di tanto in tanto i gesuiti in particolare come partecipanti alla cospirazione contro la Germania, ma gli offrì anche la possibilità di separare Cristo dalle sue origini ebraiche. Come vedremo più avanti la strada era già stata preparata dalla cosiddetta più alta esegesi biblica e molti protestanti in Germania avrebbero concordato con l'affermazione di Cosima Wagner che Cristo non era legato da alcuna parentela con il Dio ebraico, ma era un messia personale di coloro che conoscevano e donavano l'amore, cosa che l'ebreo non era in grado di fare perché privo dell'animo e del sangue adatti [12]. Un cristianesimo concepito come avulso dalle sue storiche radici ebraiche e visto invece come parte integrante della missione germanica pervade numerose opere wagneriane: il peccato, il pentimento e la salvezza sono i concetti chiave sia del *Lohengrin* (1850) che del *Parsifal*. Il *Lohengrin* è ambientato nel Medioevo, l'« età della fede » e non, come i *Nibelunghi*, tra gli antichi dei; il *Parsifal* porta sulla scena il mito della Pasqua. Il perenne sogno della sacra rivelazione *volkisch*, che Wagner ambiva a rappresentare, aveva sottomesso le antiche leggende, emendate della loro libertà pagana, a un'accettabile moralità cristiana.

Lohengrin e *Parsifal* sono entrambi basati sul mito del Sacro Graal — il vaso in cui furono raccolte le gocce del sangue di

Cristo morto sulla croce. Il « santo sangue » di Cristo, che costituisce l'elemento centrale del mito della Pasqua, è affidato alla custodia dei cavalieri germanici, ed essi lo difendono con le loro spade e la loro purezza morale. Il mito del sangue era antico, e, come vedremo, era stato utilizzato contro gli ebrei nelle accuse di omicidio rituale [13]. In questo caso esso fu usato in senso positivo, per dimostrare che i germanici avevano ereditato il manto di Cristo. In effetti il Salvatore fu sradicato dalle sue storiche origini ebraiche ed affidato alla custodia della razza superiore. La mitologia della razza era stata fusa con il cristianesimo allo scopo di definire l'eterno patrimonio della nazione tedesca, la sua purezza di sangue. La salvezza della razza germanica avverrà, ci assicura Wagner, quando essa sarà diventata degna del proprio sangue, con il pentimento per i suoi peccati e la purezza morale. Ancora, il pentimento e la morte di Tannhäuser (l'opera fu eseguita per la prima volta nel 1845) erano concepiti come espiazione per i piaceri sensuali cui si era abbandonato sul Monte di Venere e la sua salvezza finale era il frutto della pia morte della casta Elisabetta. Anche Parsifal resisteva alle tentazioni della carne quando difendeva il Sacro Graal e le eroiche lotte di Sigfrido e Brunilde erano collegate con il cristianesimo sentimentale di Lohengrin, Parsifal e Tannhäuser: la moralità delle classi medie entra in scena ancora una volta a rendere i tedeschi i degni custodi del Sacro Graal.

La purezza del sangue era diventata un simbolo della purezza della razza e del suo vigore e questa simbologia si diffuse ovunque: per esempio, poco tempo dopo, Martin Buber si servì della metafora del sangue per rafforzare il sentimento nazionale degli ebrei. Parlando nel 1911 a Praga a un gruppo di studenti sionisti, egli diede un'eccellente esposizione dei concetti che erano a fondamento del mito del sangue: « egli [in questo caso l'ebreo] sente la comunanza di sangue di cui è partecipe attraverso l'immortalità delle generazioni passate, la sente come sua vita precedente, come l'eterna natura della sua personalità, nell'ambito di un passato infinito... ». Il sangue è la radice e il nutrimento di ogni individuo [14]. Ma in Buber questi concetti rappresentavano delle metafore che definivano la nazionalità piuttosto che la razza.

Quasi nello stesso tempo in cui Buber teneva i suoi discorsi a Praga, il poeta Stefan George parlava di « luminosità del sangue » (*Blutleuchte*) che doveva dimostrare l'esistenza nello

spirito di primordiali residui pagani[15]. Ma fu Wagner che fuse
tra loro con maggiore efficacia la mistica razziale e il concetto
di salvezza cristiana.

L'ideale razzista di Wagner (che lo portò a solidarizzare con
Gobineau)[16] è esposto anche nei suoi scritti in prosa, ma erano
le sue opere, secondo le sue parole, le sue « gesta » a favore
della Germania; esse erano veri e propri festival, miranti a ini-
ziare i tedeschi al sogno ariano; e una volta che avessero sognato,
essi avrebbero potuto tradurre il sogno in realtà[17]. Era questo
un misticismo atto a procurare gioia e commozione a gente rispettabile. I festival dovevano servire per le folle, non già per i
pochi che leggevano la prosa di Wagner. Le opere erano ascoltate
con commozione e soprattutto attraverso la loro trama Wagner
comunicava la concezione teoretica su cui esse si basavano.

La giustificazione filosofica sarebbe seguita in un secondo
momento e fu Houston Stewart Chamberlain a fornirla, benché
anche altri, meno famosi, diedero il loro contributo. Chamberlain
era un ammiratore di Wagner, pur non avendolo mai conosciuto
personalmente; egli fu introdotto nel circolo wagneriano a Bayreuth per interessamento di Cosima, dopo la morte di Richard.
Ciò rientrava nel costante sforzo di Cosima Wagner di attirare
a Bayreuth persone di spirito e intelletto affini per rafforzare il
proprio circolo: Leopold Schröder, esperto dell'India, ha descritto
l'ideale non solo dei festival, ma di Bayreuth in generale scrivendo: « per la prima volta dalla loro dispersione i popoli ariani
possono di nuovo riunirsi in un luogo prestabilito [cioè Bay-
reuth]... per essere testimoni dei loro misteri primordiali »[18].

Chamberlain divenne uno di questi testimoni (come molto
tempo dopo Hitler) e alla fine sposò una figlia di Wagner. Il suo
famoso libro *I fondamenti del XIX secolo* (*Die Grundlagen des
XIX Jahrhunderts*, 1899) è stato considerato espressione della
filosofia ufficiale di Bayreuth. In realtà in nessun'altra nazione
è esistito alcunché di simile al circolo wagneriano e il suo ruolo
nel radicare in Germania il mistero della razza non può essere
sottovalutato. Per molti tedeschi i festival di Bayreuth, la personalità di Cosima e i due volumi di Chamberlain rappresentarono
l'intera cultura tedesca.

Secondo Chamberlain i germani erano tenuti insieme dal loro
sangue comune, ma egli credeva anche in un cristianesimo germanico in tutto simile a quello di Wagner. Tanto per cominciare,

Chamberlain fondava la sua teoria su Kant che, secondo la sua interpretazione, postulava un'essenza delle cose situata al di là della ragione e dell'esperienza. Questa essenza era la « religione germanica », la quale permetteva infinite panoramiche sull'anima e serviva a tenere la scienza entro ristretti limiti ben definiti. Tale religione era secondo lui un monopolio dell'« anima razziale » ariana, un'anima che rendeva i tedeschi onesti, leali e industriosi: qui di nuovo la moralità della classe media diventa una qualità della razza germanica. Inoltre Chamberlain credeva nello stereotipo ariano e a questo riguardo accettava le misurazioni antropologiche e craniche. Ma siccome non tutti i tedeschi possedevano l'aspetto esteriore proprio degli ariani, gli sembrò più opportuno limitarsi all'anima razziale di cui essi erano effettivamente partecipi.

Alla luce del tipo-ideale ariano e della sua anima razziale, Chamberlain trasformò Cristo in un profeta ariano; il suo temperamento, a suo parere, rivelava un'anima ariana dato che in lui si incarnavano l'amore, la pietà e l'onore e la sua anima era immune da ogni materialismo. Veniva anche addotto un altro argomento che si pretendeva trovasse rispondenza nei fatti, e cioè che gli ebrei non avessero mai dimorato in Galilea e che in realtà un popolo ariano vivesse nei luoghi dove era nato Cristo. Questa affermazione però ebbe un'importanza secondaria a paragone di quella relativa all'« anima razziale ariana » di Cristo.

Secondo Chamberlain la razza germanica era entrata nella storia come la salvatrice dell'umanità e l'erede dei greci e dei romani. Gli ariani germanici avevano dovuto sostenere una dura lotta contro i loro nemici per realizzare la loro missione civilizzatrice, e uno di questi nemici era, a parere di Chamberlain, il cristianesimo cattolico, che aveva cercato di asservire l'anima razziale a leggi straniere inventate per primo dall'ebreo san Paolo. La riforma protestante aveva posto fine a tutto ciò e aveva liberato l'anima razziale. Il razzismo tedesco doveva sempre rifarsi a Lutero come al grande liberatore dall'oppressione straniera [19]. Il vero nemico dell'ariano tuttavia era sempre considerato l'ebreo: Chamberlain vedeva negli ebrei un popolo asiatico che era entrato nella storia europea contemporaneamente ai germani e che al pari di loro era riuscito a preservare la sua purezza razziale: egli sosteneva che lo spirito ebraico era materialistico, legalistico e privo di tolleranza e moralità e ne trovava la conferma nel Vecchio Testamento.

A parere di Chamberlain gli ebrei erano il diavolo e i tedeschi il popolo eletto; al di fuori di essi esisteva una mescolanza caotica di popoli, spettatori passivi della battaglia decisiva della storia; l'esito della lotta tra ariani ed ebrei avrebbe deciso se il vile spirito ebraico avrebbe trionfato sull'anima ariana, trascinando alla rovina, insieme con questa, il mondo intero. Chamberlain ha scritto che i tedeschi non hanno mai molto deviato dal loro ceppo originario, mentre gli ebrei, pur essendosi tenuti separati per secoli dai gentili, sono un miscuglio di popoli i più diversi possibili (siriani, amoriti, ittiti) e perciò un popolo bastardo. Gli ariani devono lottare contro questa razza bastarda, vero compendio di tutti i mali.

La sconfitta degli ebrei non avrebbe prodotto un mutamento sociale o economico, ma una rivoluzione spirituale, in conseguenza della quale l'anima razziale ariana avrebbe dominato il mondo. Sarebbe nata una nuova cultura che avrebbe posto fine alla degenerazione presente. Lo spirito germanico avrebbe ravvivato la grande tradizione dell'arte e delle lettere che Chamberlain andava rintracciando nei secoli passati e l'esempio di uomini come Shakespeare, Michelangelo e Beethoven avrebbe dato il volto al futuro della razza. Secondo Chamberlain il trionfo dell'anima razziale apriva una prospettiva di salvezza attraverso la cultura.

Chamberlain parlava di stato, ma anche in questo caso occupandosi piuttosto della sua indole razziale che non dei dettagli del suo governo. Il vero stato è per lui basato sulle libertà germaniche, alla cui origine sarebbe la *Magna Charta* e non il *comitatus* (di cui abbiamo analizzato il ruolo nelle pagine precedenti); ma l'idea basilare è sempre la stessa: i tedeschi devono vivere una vita creativa, non repressa da idee e leggi straniere. Ai problemi economici è riservato, nell'opera di Chamberlain, ben poco spazio, eccettuato un vago accenno a favore di uno stato corporativo. La parte dedicata a fatti concreti come questi è ben poca cosa se messa a confronto con quella dedicata alla religione e all'arte; risulta cioè ben chiaro che nel pensiero di Chamberlain riveste maggiore importanza il mistero della razza.

Il misticismo razziale culminava in una vasta critica della cultura, in contrasto con i biologi razziali che proponevano progetti pratici di eugenetica e miglioramento della razza. Mentre gli scienziati della razza avevano concentrato il loro interesse esclusivamente sulla sterilizzazione come aspetto dell'eugenetica, in Chamberlain la lotta tra ariani ed ebrei è vista come una lotta all'ultimo sangue tra razza creativa e razza non creativa. Arte e religione sono viste come rimedio contro il pervertimento del mito in materia. Il misticismo razziale postulava una guerra razziale, un combattimento sino in fondo tra due princìpi di vita. Esso era una religione che non ammetteva alcun compromesso, perché credeva che la fede, che avrebbe portato alla salvezza, dovesse ardere luminosa e pura.

Se da una parte il pensiero di Chamberlain esercitò una vasta influenza su tutta la destra tedesca, Hitler invece non ne fu personalmente molto influenzato; egli anzi criticava l'opinione di Chamberlain che il cristianesimo potesse avere una qualche realtà spirituale, proprio come religione ariana. Ma quando Chamberlain incontrò Hitler a Bayreuth nel 1923, ne rimase molto colpito e scrisse che ci si trovava di fronte a un uomo animato da un coraggio analogo a quello di Martin Lutero. L'anziano scrittore morì nel 1927, con la sicura convinzione di aver trovato il profeta che avrebbe guidato gli ariani alla vittoria [20].

Il cristianesimo di Wagner e di Chamberlain aveva avuto un carattere puritano imperniato com'era sul dovere di resistere al sesso, in armonia con la moralità borghese. Tre anni dopo la pubblicazione dei *Fondamenti*, l'austriaco Otto Weininger pubblicò *Sesso e carattere* (*Geschlecht und Charakter*, 1903), un libro che legava razza e sesso e che doveva diventare famoso quasi come l'opera di Chamberlain.

Nel 1919 *Sesso e carattere* aveva già avuto diciotto edizioni; in Inghilterra fu stampato dalla autorevole casa editrice di Heinemann, e dalla Scandinavia all'Italia trovò un pubblico pronto ad accoglierlo con calore [21]. In parte la sua popolarità può essere dipesa dall'analisi sessuale in esso condotta e in parte dal fatto che autore di questo libro antiebraico era un giovane ebreo suicidatosi subito dopo la sua pubblicazione. In sostanza Weininger costruisce un tipo ideale ariano sulla base del sesso e della razza.

È opinione di Weininger che il maschio ariano sia caratterizzato da un'accentuata lucidità di pensiero, mostri risolutezza di comportamento e sia in grado di sollevarsi ad altezze metafisiche di fede. Dall'altra parte, le donne di ogni razza sarebbero invece incapaci di pensiero concettuale, essendo in realtà prive di qualsiasi lucidità, fortemente inclini come sono ai compromessi dato che per esse tutto è caratterizzato da assoluta incertezza. In questo caso « lucidità » stava a significare la capacità di distinguere con precisione tra nemico e amico. Come in tutto il misticismo razziale anche qui non erano ammesse mezze misure; secondo Weininger la polarizzazione era simboleggiata dalle differenze sessuali tra uomini e donne: il maschio rappresentava l'eroismo, il combattimento e la « lucidità », mentre la donna l'indecisione. Scrivendo che la donna è incapace di essere radicalmente cattiva o radicalmente buona, Weininger dava espressione a un vivo desiderio di semplificazione, che si sarebbe ancor più accentuato con il rinvigorito attacco contro i valori liberali. Weininger credeva che Friedrich Nietzsche avesse indicato la strada giusta con la sua opposizione al compromesso e il suo provocante invito ad accettare i pericoli che la vita presenta. Ma Nietzsche aveva posto tutto ciò in una cornice di individualismo e il suo « conosci te stesso » ignorava nazionalità o razza. Tuttavia Weininger poté affermare che Nietzsche condivideva le sue idee sulle donne nei riguardi delle quali in fondo anche Zarathustra dava mano alla frusta.

Il maschio ariano di Weininger si rifaceva ai modelli greci, non solo in quanto partecipi del tipo ideale ariano, ma anche in quanto punto di riferimento non ambiguo in un mondo confuso e complesso. La donna rappresentava il principio democratico liberale, basato sul compromesso e opposto ad ogni rigore di forma artistica. Tali qualità sono, in *Sesso e carattere*, principi astratti, perché Weininger si rendeva ben conto che nella realtà la donna può avere qualcosa del comportamento maschile e il maschio qualcosa di quello femminile. Ma la donna ariana ha tuttavia una qualità che la riscatta perché, pur essendo incapace di vera spiritualità, essa sa avere fede piena nell'uomo o nel proprio figlio. Come ha detto Weininger, quello che ha valore nella vita è in ultima analisi il credere in qualcosa.

L'ebreo, invece, secondo Weininger, sarebbe privo di qualsiasi fede; egli non avrebbe anima, né concezioni di ordine superiore e perciò nessuna idea dello stato. In breve, l'ebreo sarebbe insieme un materialista e un anarchico, contrario a ogni ordinamento statale. Ma secondo Weininger l'ebreo sarebbe anche un comunista, perché « comunismo » significherebbe assenza di spiritualità. Per Weininger razza e nazionalità sono la stessa cosa e coloro che stanno fuori della tribù non possono possedere né spiritualità né creatività. Ma Weininger si spingeva anche più in là affermando che gli ebrei e le donne, mancando di sentimento nazionale, non possono acquisire in alcun modo una propria personalità: per Weininger gli ebrei, diventati stereotipi disumanizzati, sarebbero un non-popolo.

Weininger non fu il solo a stabilire confronti tra sesso e razza. In Francia F. Gellion-Danglar già aveva trattato lo stesso tema nel 1882: la razza semitica avrebbe, a suo parere, la debolezza delle donne, emotive, superstiziose, avide, feline, tanto per citare qualcuna delle caratteristiche comuni [22]. La natura spersonalizzata di questo stereotipo fu notata da Emile Zola, che nel suo *J'accuse* (1898) scrisse che Dreyfus per i suoi nemici non era un uomo, ma un'astrazione [23] e Maurice Barrès dimostrò quanto egli avesse ragione affermando poco tempo dopo che non era necessario cercare prove che Dreyfus avesse effettivamente tradito la Francia, perché, diceva, del fatto « che egli sia capace di tradimento io sono convinto conoscendo la sua razza » [24]. Per tutti questi uomini, Weininger, Gellion-Danglar, Barrès e Chamberlain, lo stereotipo ebraico assunse dimensioni metafisiche senza alcuna connessione con la realtà. La battaglia contro gli ebrei fu perciò vista ancora una volta come una lotta della luce contro le tenebre, il cui esito poteva essere solo la vittoria o la morte.

Nazionalità e razza si concentrarono sul tipo ideale maschile. Secondo quanto scritto da un giornale nazista, là dove l'uomo ariano è il sole, tutti gli altri sono popolo-luna [25]. Weininger rappresentò il culmine dell'irrazionalità con il suo rifiuto di ogni scienza come materialistica e di ogni teoria dell'ambiente come assurda. Per lui l'uomo ideale germanico era l'artista — rappresentativo di ogni più alta aspirazione. Inoltre, concordando con Houston Stewart Chamberlain, Weininger insisteva nel presentare Kant come modello di lucidità ariana di pensiero e spiritualità. Tuttavia Weininger attaccò anche Chamberlain in un passo estremamente rivelatore, in cui affermava che Cristo era effettivamente un ebreo. Infatti Weininger personalmente era, in modo del tutto logico, convinto che solo un ebreo potesse veramente conoscere la malvagità della sua razza e così cercare di trascenderla [26]. E se questo tentativo di trascendere l'ebraicità era in conflitto con il razzismo del libro, non lo era invece con le aspirazioni personali di Weininger: povero Weininger, egli deve aver visto se stesso, come in uno specchio, impegnato a tentare una così difficile impresa e, convinto del fallimento, decise di farla finita. Era più che naturale che l'autore di *Sesso e carattere* prendesse sul serio le proprie strane teorie, ma il fatto che anche molti altri lo abbiano fatto dimostra quanto il misticismo razziale fosse penetrato nella coscienza nazionale.

Sesso e carattere di Weininger costituiva una critica della cultura moderna; egli ha scritto che ai suoi tempi regnava l'anarchia, che il suo era un mondo senza stato o legge, originalità o etica. Quest'«epoca degenerata», come egli la chiamava, aveva il suo simbolo nel *demi-monde* che aveva preso il posto della verginità e in cui i rapporti sessuali erano diventati un dovere. Per porre rimedio a questo stato di cose, doveva essere fondata una nuova religione, che avrebbe dovuto stabilire una distinzione netta tra giudaismo e cristianesimo, affari e cultura, uomo e donna, specie e personalità.

Adolf Hitler conobbe il libro di Weininger e se ne servì per alimentare il proprio odio nei riguardi degli ebrei [27]. Vi è una precisa rassomiglianza tra le teorie di Weininger e il racconto che Hitler fa nel *Mein Kampf* di come egli a Vienna si fosse accorto degli ebrei dell'Europa orientale, tanto diversi, a suo dire, dagli ebrei assimilati di Linz. Lo sporco e vile ebreo con ricciolini e caffettano fu immediatamente collegato da Hitler con il sesso: ecco perciò ebrei responsabili di schiavismo bianco e prostituzione, ma anche ragazzi ebrei in agguato agli angoli delle strade per assalire in qualsiasi momento vergini ariane [28]. Ma non era necessario che fosse Weininger a stabilire connessioni di questo tipo, perché allo stesso modo che il negro aveva suscitato le fantasie sessuali degli europei, così l'ebreo fu temuto come rivale sessuale. Ma questa immagine era in qualche cosa debitrice del pervertimento del sesso in libidine che si verificherebbe nelle razze inferiori, come effetto di quell'assenza in esse delle facoltà superiori che tanto aveva preoccupato Weininger.

Le fantasie sessuali ricevettero un ulteriore stimolo dalla sempre più accentuata sensibilità agli odori diffusa tra gli europei dalla seconda metà del secolo XIX in poi. Fu data sempre maggiore importanza alla pulizia personale e furono migliorati i servizi sanitari, per cui i «cattivi odori» non furono più tanto facilmente tollerati nella casa, specialmente perché a quell'epoca era stato scoperto il presunto potere curativo dell'« aria pura » della campagna. Alla fine anche l'opera di Darwin *L'origine dell'uomo* (*The Descent of Man*, 1871) suscitò interesse per il ruolo dell'odore nella vita sessuale [29]. Odore e razza erano stati sempre associati, e agli ebrei e ai neri erano stati attribuiti odori particolari persino durante il Medioevo. Nel secolo XIX, le condizioni di sovraffollamento dei ghetti nell'Europa orientale e nei quartieri ebraici delle città dell'Europa centrale e occidentale davano luogo a odori repugnanti, che troppa gente, anziché collegarli con l'endemica povertà in cui vivevano gli ebrei, attribuiva all'innata « sporcizia » della loro razza.

Il legame tra razza e odore fu in realtà nobilitato a una sorta di concezione del mondo verso la fine dell'Ottocento. Per esempio il biologo tedesco Gustav Jäger, fondatore dello zoo di Vienna, nel 1881 collegava l'« origine dell'anima » agli odori prodotti da processi chimici che determinano tutta la vita e il pensiero. Razze diverse hanno odori diversi e peculiari. Poiché egli credeva anche che « la malattia manda cattivo odore », raccomandava biancheria di lana (la « biancheria di Jäger ») allo scopo di mantenere la pelle calda e di impedire lo sfogo agli odori del corpo [30]. Ivan Bloch nel 1900 definiva il problema dei negri una « questione di olfatto » e citava a testimone il famoso antropologo Quatrefages di cui ci siamo già occupati [31]. Gustav Jäger stesso pensava che l'« odore ebraico » fosse particolarmente sgradevole e che gli ebrei potessero essere uno per uno riconosciuti dall'odore da loro emanato. Egli ripeteva così, circa settanta anni dopo, l'opinione di un direttore scolastico che nel 1809 aveva affermato che alcuni bambini ebrei non avrebbero mai potuto sedere nello stesso banco con quelli cristiani a causa dei loro « ripugnanti vapori » [32].

Il razzismo, pronto a sfruttare tutti i movimenti, tentò anche di fagocitare sesso e odore, completando con ciò quello stereotipo che già si era ampiamente diffuso. Pulizia e assenza di odore furono considerate qualità proprie della classe media, da aggiungere alle altre di cui abbiamo parlato tanto spesso. Le razze inferiori sarebbero invece congenitamente sporche e maleodoranti.

L'anima razziale ariana renderebbe possibile una spiritualità più alta; manifestazione esterna di questo spirito interiore sarebbe la moralità borghese valorizzata con insistenza nel confronto con il nemico ebreo. Se la sostanza ariana era una forza vitale simile all'etere di madame Blavatsky, un « balenio del sangue » o alcune caratteristiche proprie del maschio, essa si sarebbe potuta realizzare solo mediante una lotta all'ultimo sangue contro gli ebrei. Questo appello alla guerra fu l'atmosfera entro cui si sviluppò il razzismo che noi abbiamo cercato di seguire dal secolo XVIII sino agli inizi del XX: sinora ci siamo in gran parte concentrati sugli ariani; ora dobbiamo rivolgere la nostra attenzione agli ebrei.

VIII

GLI EBREI: MITO E CONTRO-MITO

Il mistero della razza aveva trasformato gli ebrei in un principio del male, cosa non nuova per essi: dopo tutto, l'anti-Cristo era stato una figura familiare durante il Medioevo. Ma negli ultimi decenni del secolo XIX e nella prima metà del successivo, le leggende tradizionali che nel passato avevano turbinato intorno agli ebrei furono rispolverate per dare risalto alla mistica razziale e come mezzo di mobilitazione politica. Le accuse di omicidio rituale, la maledizione lanciata contro Aasvero, l'ebreo errante, e le fantasie sulla universale cospirazione ebraica contro il mondo non erano mai scomparse dalla coscienza europea nemmeno durante l'Illuminismo; ora però stavano per ricevere nuova vita e maggior vigore.

L'accusa di omicidio rituale — la cosiddetta « calunnia del sangue » — affondava le radici nel Medioevo, nella leggenda secondo la quale gli ebrei uccidevano i bambini cristiani per berne il sangue durante la festa della Pasqua ebraica. Si supponeva che gli ebrei, in un momento delle loro cerimonie religiose, eseguissero un « omicidio rituale » tipico della perversa natura della loro religione e della malvagità da essa rappresentata. Inoltre l'uso che gli ebrei facevano di questo sangue era considerato come una bestemmia contro il sacrificio di Cristo sulla croce, perché la Pasqua cristiana e quella ebraica coincidevano. La calunnia del sangue forniva il motivo per accusare gli ebrei di atavismo, in quanto ancora praticanti sacrifici umani a differenza dei popoli civilizzati. Anche la cosiddetta cospirazione ebraica contro il mondo dei gentili fu inglobata sin dai tempi antichi in questo mito, perché si pensava che nessun ebreo avrebbe denunciato un altro ebreo e che il silenzio dei loquaci gentili su questo rituale sacrificio umano fosse stato comprato con l'oro.

Il mito dell'uso e dell'abuso della sacra sostanza del sangue servì a separare totalmente gli ebrei dai cristiani. Nei periodi di tensione, era sempre riaffiorata la calunnia del sangue; alla fine del secolo XIX i tempi si presentavano molto critici e ancora una volta le accuse di omicidio rituale si propagarono per tutta l'Europa orientale. Tra il 1890 e il 1914 vi furono non meno di dodici processi contro ebrei per omicidio rituale e l'ultima accusa di questo genere fu lanciata addirittura nel 1930, ad opera del pubblico ministero del governo cecoslovacco nelle montagne ruteno-carpatiche [1].

La calunnia del sangue si mantenne viva soprattutto nei paesi sottosviluppati dell'Europa orientale e nell'impero russo, entro i cui confini il governo sfruttò scaltramente tale credenza per provocare *pogrom*, e ogni bambino cristiano che si perdesse diventava una minaccia per la locale comunità ebraica, ciascun membro della quale poteva sentirsi accusare di omicidio. Anche l'Europa occidentale e centrale si servirono di questa leggenda, ma in queste regioni le accuse si affievolirono col tempo, specie tra le popolazioni delle città tra le quali il laicismo aveva avuto larga presa. Nelle regioni rurali il mito continuò, incoraggiato in particolare dalla Chiesa cattolica, che stentava a liberarsi delle sue corresponsabilità di lunga data circa una tale accusa rivolta agli ebrei: preti locali proclamarono a volte la verità di episodi del genere ancora durante il secolo XIX e persino nel secolo XX inoltrato, e santi medievali come Simone di Trento, il cui culto continua ancora ai nostri giorni, hanno conservato ai devoti il ricordo della leggenda di martiri bambini presumibilmente uccisi dagli ebrei [2].

Se la calunnia del sangue spinse i cristiani a vedere negli ebrei gli araldi del male, la leggenda dell'ebreo errante servì ad avvalorare la maledizione che sarebbe stata lanciata contro questa razza da Cristo in persona. Aasvero è descritto nella leggenda come un ebreo che spinse Cristo ad affrettarsi verso il luogo della crocefissione e gli negò conforto e rifugio; di conseguenza fu condannato a una vita errabonda, senza dimora, disprezzato perché senza radici e diseredato. L'ebreo errante, che non può né vivere né morire, preannuncia anche terrore e desolazione [3]. Il racconto medievale sull'«ebreo malvagio» (come spesso è stato chiamato Aasvero) non fu dimenticato nel secolo XIX, anzi divenne emblematico della sorte maledetta del popolo ebreo: l'età inquieta e l'inquieto ebreo divennero ambedue simboli di una modernità desolata.

Nella leggenda Aasvero è collegato anche con le cospirazioni contro il giusto: in Francia egli simboleggiò la cospirazione degli ebrei e dei massoni contro la nazione. Tuttavia a volte avvenne che l'ebreo errante divenisse un eroe e la cospirazione fosse imputata ad altri. Eugène Sue nel suo *Juif errant* (1844-45), il più famoso racconto dell'Ottocento sul tema di Aasvero, lo trasforma in un eroe che sventa una cospirazione dei gesuiti. Tempo dopo, durante la prima guerra mondiale, gli inglesi rappresentarono satiricamente l'imperatore Guglielmo II come Aasvero che, avendo messo Cristo alla porta, ora stava vagando per l'Europa nella vana ricerca di pace [4]. Ciononostante l'antica leggenda mantenne per lo più la sua forma originaria e rimase emblematica della maledizione che il popolo ebreo aveva attirato su se stesso e su tutto ciò che toccava. Queste leggende, sia quella della calunnia del sangue, sia quella dell'ebreo errante, erano un tentativo di dare una spiegazione e una logica a un mondo di industrializzazione, di instabilità e di sconcertanti mutamenti sociali, proprio come nei tempi antichi erano state usate per spiegare carestie, malattie e ogni tipo di catastrofi naturali.

La leggenda dell'ebreo errante rafforzò l'immagine dell'ebreo come l'eterno straniero, che mai avrebbe imparato a parlare correttamente la lingua nazionale o sarebbe riuscito ad affondare le radici nella terra. Questo mito a sua volta fu collegato con le supposte origini orientali dell'ebreo, così come descritte dalla Bibbia. Si ritenne l'ebreo condannato ad essere per sempre il nomade del deserto vagante per il Sinai, e tale immagine fu resa popolare dall'orientalista viennese Adolf Wahrmund nel suo *La legge dei nomadi e il dominio ebraico contemporaneo* (*Das Gesetz des Nomadentums und die heutige Jedenherrschaft*, 1887). Gli ebrei, affermava Wahrmund, sono stati nomadi nel passato e sono ancora nomadi ai nostri giorni, ciò che spiega la loro inettitudine nel commercio, la loro mancanza di radici e il carattere cosmopolitico del loro modo di pensare, in contrasto con la ben radicata vita dei contadini ariani. Wahrmund si riallacciava a quel filone tradizionale che aveva tentato di dimostrare mediante la linguistica le origini contadine degli ariani. Sia in quanto nomadi sia in quanto asiatici gli ebrei erano veramente degli Aasvero, non per la maledizione di Cristo, ma perché erano ancora un popolo del deserto [5]. Così un'immagine antiebraica che aveva le sue radici nella religione fu laicizzata e resa più credibile per mezzo di pseudo-scientifiche teorie ambientaliste.

Tali leggende soddisfacevano l'amore per il romantico e l'insolito. Il secolo XIX, che aveva reso popolari Frankenstein e i vampiri umani, era affascinato dai racconti dell'orrore, in cui l'elemento di contrasto era costituito da persone in carne e ossa. Il romanzo *Biarritz*, scritto nel 1868 da Hermann Goedsche (con lo pseudonimo di Sir John Redcliffe) non solo fu tipico di questo amore per l'insolito, ma anche significativo perché fu una delle principali fonti dei famigerati falsi *Protocolli dei saggi anziani di Sion*. *Biarritz* è ambientato nel cimitero ebraico di Praga ed è significativo che anche altri e più famosi scrittori, come Wilhelm Raabe, siano ricorsi ad analoga ambientazione per narrare storie di misteri e di segrete imprese degli ebrei. Il cimitero ebraico di Praga era un posto romantico e in più accessibile, perché Praga, pur facendo parte dell'impero austriaco, era considerata una città tedesca. Era facile giungervi e visitarvi personalmente le zone riservate al ghetto, mentre gli altri ghetti dell'Europa orientale si trovavano in regioni in cui si parlavano « oscure » lingue ed erano difficili da raggiungere. Il turista proveniente dalla Germania o dall'Austria, per esempio, avrebbe continuato a sentirsi in patria vivendo nel vasto settore tedesco di Praga e recandosi a visitare i suoi luoghi pittoreschi. Lo scontro tra diverse culture, di cui erano espressione i ghetti ancora esistenti nell'Europa orientale, poteva trovare il suo simbolo nel cimitero ebraico di Praga, con le sue tombe misteriose e gli altrettanto misteriosi personaggi avvolti in caffettani, per lo meno come apparivano agli occhi dei turisti provenienti dall'Occidente; Goedsche ha colto veramente l'essenza di questo simbolismo quando ha scritto che Praga era l'unica città tedesca in cui gli ebrei vivevano ancora in isolamento [6].

In questo modo Goedsche fissò la scena di una riunione nel cimitero di tredici anziani ebrei, che chiamò i « sanhedrin cabalistici », con riferimento alle tante leggende che ruotavano intorno alla Cabala ebraica e dando in tal modo una più ampia dimensione storica al raduno nel cimitero. Secondo Goedsche il mistero della Cabala consisterebbe nella « potenza dell'oro »[7], per cui attraverso la Cabala egli rafforzava il tradizionale collegamento degli ebrei con il più basso materialismo. Uno degli anziani è Aasvero, l'ebreo errante, e la sua presenza tra gli altri tredici costituisce una chiara dimostrazione di come Goedsche sfruttava vecchie tradizioni antisemite[8].

Gli anziani si incontravano come rappresentanti del popolo eletto, che mostra « la tenacia del serpente, l'astuzia della volpe, la vista del falco, la memoria del cane, la solerzia della formica, la socievolezza del castoro »[9]. L'associazione degli ebrei con raffigurazioni animali non ci deve sorprendere e già l'abbiamo notata quando abbiamo parlato della nascita degli stereotipi nel secolo XVIII[10]; ai neri fu riservata la stessa sorte quando furono costantemente paragonati alle scimmie. Col paragonare le razze cosiddette inferiori ad animali le si collocava al gradino più basso della catena dell'esistenza e, di conseguenza, le si privava della loro umanità.

Nello spaventoso scenario del cimitero gli anziani cospirano per impossessarsi del mondo. Essi complottano di riunire tutta la ricchezza nelle loro mani; di assicurarsi il possesso completo della terra, delle ferrovie, delle miniere, delle case; di occupare posti di governo; di impadronirsi della stampa e guidare così tutta l'opinione pubblica. Questo bizzarro progetto, descritto in *Biarritz*, sarebbe stato più tardi ripreso da altri, e, sotto la denominazione del « discorso del rabbino », avrebbe circolato in tutto l'impero russo e in quello austriaco.

Il mito della sinistra cospirazione ebraica non rimase limitato all'Europa orientale. Solo un anno dopo l'apparizione di *Biarritz*, Gougenot de Mousseaux in una sua polemica contro gli ebrei di Francia, li dipinse come devoti di una segreta religione misterica presieduta dal diavolo in persona[11]. Fu così che durante gli ultimi decenni dell'Ottocento la credenza, in rapida diffusione nelle forze occulte si incrociò con una rinverdita demonologia medievale. Mousseaux infatti dichiarò che il diavolo era il re degli ebrei e la sua versione sul complotto ebraico divenne parte dei più famosi *Protocolli*, contribuendo così, come *Biarritz*, alla formazione di quel falso.

I *Protocolli dei saggi anziani di Sion* divennero il culmine e la sintesi di queste teorie sulla cospirazione. La loro falsificazione avvenne in Francia, nel pieno sviluppo dell'affare Dreyfus, con la collaborazione della polizia segreta russa, probabilmente tra il 1894 e il 1899. La destra francese voleva avere un documento che collegasse Dreyfus alla supposta cospirazione della sua razza e la polizia segreta russa aveva bisogno di giustificare la politica antiebraica zarista. Questa volta, i « saggi anziani di Sion », di nuovo riuniti nel cimitero ebraico di Praga, riflettevano ogni aspetto del mondo moderno, tanto temuto dai reazionari in Francia e in Russia, ma anche nel resto dell'Europa.

Le armi di cui si sarebbero dovuti servire gli anziani per assicurarsi il dominio sul mondo andavano dall'uso del motto della rivoluzione francese « libertà, eguaglianza, fraternità », alla diffusione delle dottrine liberali e socialiste. I popoli del mondo sarebbero stati privati di ogni fede in Dio e la loro forza sarebbe stata indebolita incoraggiando la pubblica critica nei riguardi dell'autorità. Contemporaneamente sarebbe stata provocata una crisi economica e l'oro in mano agli ebrei sarebbe stato manipolato in modo da dar luogo a un generale rialzo dei prezzi. Alla fine, « in tutti gli stati del mondo vi dovranno essere, oltre a noi, solo masse di proletariato, pochi milionari fedeli ai nostri interessi, una polizia e dei soldati alle nostre complete dipendenze » [12]. Allora si sarebbe pretesa obbedienza cieca al re degli ebrei, reggitore dell'universo. In breve, il mito della cospirazione si nutriva delle incertezze e dei timori del secolo XIX, colmando così la distanza tra l'antica leggenda antisemita e i moderni ebrei in un mondo di drammatici mutamenti.

Cosa sarebbe successo se i gentili avessero scoperto il complotto e avessero cominciato ad attaccare gli ebrei? In questo caso gli anziani avrebbero fatto uso di un'arma veramente terribile, perché nel frattempo si sarebbe provveduto a fornire le capitali di tutte le nazioni del mondo di una rete di ferrovie sotterranee le cui gallerie, in caso di pericolo per gli ebrei, sarebbero state usate per far saltare in aria le città e ucciderne gli abitanti: in questo incubo è facile riscontrare tracce dei timori generati dalla nuova tecnologia, ma anche di storie di orrore e di allucinazioni tanto popolari a quel tempo. Gli anziani inoltre avrebbero distrutto i gentili inoculando in loro malattie.

L'avversione per l'inoculazione sarebbe entrata a far parte del pensiero razzista. Nel 1935 il « Weltkampf », un giornale nazista antiebraico, ha affermato che l'inoculazione era stata inventata dagli ebrei per pervertire il sangue ariano e citava a riprova di ciò i *Protocolli*[13]. Il razzismo sta a fondamento dell'incubo di cui sono espressione i *Protocolli*, perché gli ebrei erano considerati una razza perversa, unita e ben organizzata. Il mistero della razza aveva trovato una delle sue presunte dimostrazioni più popolari nella cospirazione degli anziani di Sion.

Le teorie sulla cospirazione avrebbero senz'altro avuto minore popolarità ed efficacia se non vi fossero state alcune organizzazioni ebraiche, passate o presenti, cui alcuni gentili attribuivano scopi sinistri. In Russia circolò l'accusa che le organizzazioni comunitarie ebraiche, sciolte dallo zar Nicola I nel 1844, fossero ancora vive e attive sotto forma di un governo ebraico segreto legato a interessi stranieri[14]. A queste accuse di cospirazioni conferì una falsa apparenza di verità la fondazione, nel 1860, da parte di ebrei francesi, dell'Alliance israélite universelle. Scopo dell'Alliance era di aiutare gli ebrei nelle nazioni dove essi erano stati privati dei diritti civili e di provvedere al funzionamento di scuole per gli ebrei dell'Africa settentrionale; naturalmente questi lodevoli scopi furono ignorati e l'Alliance fu giudicata come la cima emergente di un iceberg, cioè l'aspetto apparente di una cospirazione clandestina.

A parte la vera natura dell'Alliance, antisemiti e razzisti accusavano i massoni di un'altra cospirazione segreta in atto diretta dagli ebrei (nei *Protocolli* la cospirazione ebraica e quella massonica erano collegate). La lotta contro i massoni chiamava a sua volta all'azione la Chiesa cattolica. Il congresso mondiale antimassonico del 1897 ebbe l'appoggio di papa Leone XIII e fu posto sotto la protezione della Vergine Maria; durante il suo svolgimento gli ebrei furono esplicitamente collegati alla cospirazione massonica anticattolica e l'Union antimaçonnique, fondata a quel tempo, fu sostenuta da Drumont e da altri razzisti francesi[15]. Anche in Germania ebbe vita un movimento antimassonico, ma questo particolare mito è stato più forte nella cattolica Francia.

Per quanto potenti possano essere stati quei gruppi che a volte sostennero tali teorie e indicarono come prova l'Alliance o i massoni, essi tuttavia erano ancora una minoranza (tranne, forse, tra il clero cattolico). Questi miti e leggende relativi agli ebrei furono utilizzati per mobilitare tutti coloro che desideravano difendere sia il cristianesimo sia la società tradizionale, ma per la futura importanza di questi miti antiebraici contò molto il loro collegamento con un nazionalismo laico che non teneva alcun conto della tradizionale proibizione cristiana di condividere le teorie razziste. Certo, come vedremo, la linea tra antisemitismo cristiano e razzismo era sottile, ma la mistica nazionale poté accettare senza problemi questi miti considerandoli propri della razza ebraica. Per il nazionalismo laico non esisteva il problema di come gli ebrei potessero essere resi cristiani mediante il battesimo, dal momento che la loro razza era congenitamente malvagia, né ritenevano che rientrasse nel dramma della salvezza cristiana l'affrancamento degli ebrei del Vecchio Testamento dal loro status di inferiorità razziale. Tutti i razzisti preferirono ignorare per quanto possibile il cristianesimo.

A questo proposito un giornalista come Wilhelm Marr in Germania rappresenta un caso tipico: nel suo *La vittoria dell'ebraismo sul germanesimo* (*Der Sieg des Judentums über das Germanentum*, 1879) egli rifiutava le accuse cristiane contro gli ebrei come indegne di persone illuminate, ma poi ripeteva tutti i miti sulla mancanza di radici e sulle attività cospiratorie degli ebrei, i quali a suo parere erano più forti dei tedeschi, perché stavano vincendo la battaglia razziale per la sopravvivenza. Marr suggeriva una controffensiva capeggiata dall'antisemita Russia.

L'ex membro della Dieta germanica Hermann Ahlwardt divenne più famoso di Marr grazie alla pubblicazione del suo *La disperata lotta tra i popoli ariani e il giudaismo* (*Der Werzweiflungskampf der arischen Völker mit dem Judentum*, 1890), e due anni più tardi questo direttore di scuole primarie scrisse un altro libro di eguale tenore intitolato *Nuove rivelazioni: i fucili ebraici* (*Neue Enthüllungen Judenflinten*, 1892), in cui ancora una volta dava l'allarme contro la minaccia ebraica e sosteneva che la fabbrica d'armi ebraica di Löwe stava vendendo all'esercito tedesco fucili difettosi, cosa che rientrava in una cospirazione mondiale ebraica mirante a distruggere il Reich; nonostante l'assurdità dell'affermazione il governo aprì un'inchiesta sulle accuse [16].

Fino allora i tentativi di agire come se la cospirazione ebraica fosse vera rimasero ai margini del pensiero europeo, e, tranne che in Russia, non ebbero successi nei tempi brevi. Essi furono solo gli antesignani della ben concertata guerra contro gli ebrei che ebbe inizio soltanto dopo il trauma della prima guerra mondiale, nel 1918, e ad opera di uomini come Hitler, che non solo credeva nei *Protocolli*, ma si trovò alla fine a disposizione i mezzi per agire come se essi fossero veri. La loggia antimassonica e antiebraica fondata da Jules Guérin a Parigi nell'ultimo decennio dell'Ottocento fu giudicata una scempiaggine [17], come di poco più importante si era rivelato il primo congresso internazionale dei piccoli e rivali gruppi antisemiti (principalmente della Germania, Austria e Ungheria) tenutosi a Dresda nel 1882, benché avesse voluto presentarsi come un punto di raccolta contro la cospirazione ebraica mondiale. Il suo scopo era stato quello di trovare un terreno comune d'intesa nella lotta antiebraica, ma il congresso non riuscì a eliminare la tensione tra i cristiani antisemiti come Adolf Stoecker e i razzisti, disposti a far uso della violenza e convinti che gli ebrei battezzati non differissero affatto dal resto della loro razza. Alla seconda sessione di questo congresso che ebbe luogo nel 1883 fu dato il titolo « Alliance antijuive universelle », con chiaro riferimento all'Alliance israélite universelle, intesa come rappresentante simbolica del nemico [18].

Le leggende intorno agli ebrei, in quanto parte del misticismo razziale, si diffusero ben al di là dei relativamente piccoli gruppi ossessionati dalla cospirazione ebraica e troppo indaffarati per avere altri interessi. Cosa più importante, comunque, è che esse diventarono uno strumento mediante il quale i movimenti di destra cercarono di cambiare la società. L'immaginario pericolo costituito dagli ebrei poteva essere sfruttato per raccogliere gente dietro gruppi di interessi come unioni agrarie e partiti conservatori in appoggio alla loro battaglia contro i liberali e i socialisti. Ma anche i movimenti cattolico e protestante poterono far ricorso ad antiche leggende per lottare con maggiore efficacia contro l'ateismo. Ma furono soprattutto coloro che volevano rafforzare la mistica nazionale mettendo l'accento sull'eguaglianza nel popolo a servirsi degli ebrei come elemento di contrasto. Ed è abbastanza singolare a questo proposito che un agitatore come Wilhelm Marr, che era un democratico sostenitore del suffragio universale e della libertà di pensiero, accusasse gli ebrei di essere dei liberali, un popolo senza radici che cercava di sostituire la schiavitù delle risorse finanziarie alla oppressione da parte dei re [19]. Di siffatti nazional socialisti, come essi furono indicati molto tempo prima che Adolf Hitler si appropriasse del nome, ci occuperemo in seguito. Inoltre il razzismo si alleò saldamente con il nazionalismo attraverso il mistero della razza e persino con la scienza attraverso il darwinismo. All'interno di questo contesto furono mantenute in vita le leggende relative agli ebrei di cui abbiamo parlato, ma questa volta come aspetto della guerra razziale che appariva imminente.

Persino il « Congresso universale sulle razze », svoltosi nel 1911 a Londra e mirante a esprimere valori umanistici e cristiani, ammise la possibilità dell'esistenza di razze « pure », e ciò malgrado la presenza di oppositori del razzismo come John Dewey, Annie Besant e del leader negro americano W. E. B. DuBois [20]. Il congresso fu un ulteriore segno del persistente e profondo interesse per la razza.

Ma gli ebrei, dal canto loro, furono esenti dall'influenza del pensiero razziale che sembrava tanto diffuso nell'intera società europea? Seppero contrapporre al mito dell'ebreo come principio del male un mito dell'ebreo come razza pura e nobile? Molti, anzi la maggioranza degli ebrei che negli stati dell'Europa centrale e occidentale erano ormai perfettamente assimilati si ritenevano membri a pieno diritto delle nazioni in cui vivevano, non cioè un popolo separato, bensì piuttosto uno degli elementi etnici che, come i sassoni, i bavaresi o gli alsaziani, costituivano tutti insieme la nazione più vasta. La prima guerra mondiale rafforzò queste tendenze e dopo il 1918 associazioni di reduci ebrei costituirono in molte nazioni europee il principale punto di riferimento per un simile tentativo di integrazione nazionale. Tuttavia noi dobbiamo occuparci principalmente di quegli ebrei che si consideravano un popolo separato: il nazionalismo ebraico non strinse forse anch'esso alleanza con il razzismo, imitando in ciò il nazionalismo europeo?

Le opinioni razziali di Gobineau erano state fatte conoscere ai lettori del periodico sionista « Die Welt » nel 1902, e non semplicemente per innalzare lodi alla purezza razziale, ma principalmente per controbattere l'accusa che gli ebrei fossero un popolo degenerato. Gobineau era stato un ammiratore degli ebrei, proprio perché, a suo parere, essi avevano resistito alla degenerazione moderna ed ora le sue teorie potevano essere usate nel modo più vantaggioso per dimostrare che « gli ebrei hanno conservato il loro vigore... grazie alla purezza del loro sangue ». Si sarebbero quindi dovuti evitare ad ogni costo i matrimoni misti; le razze ebraica e ariana non avrebbero dovuto compenetrarsi fra di loro, ma solo vivere fianco a fianco in reciproca comprensione [21]. Qui sono chiaramente avvertibili le influenze del razzismo, anche se il concetto di sangue non è definito in termini di « sangue e terra », ma piuttosto come tramite degli impulsi e delle peculiarità dell'animo. Tuttavia questa accettazione del pensiero di Gobineau (e di Houston Stewart Chamberlain, come vedremo più avanti) si rivelò eccezione piuttosto che regola tra gli ebrei. Se alcuni ebrei furono attirati verso il razzismo, fu però la scienza della razza che sembrò esercitare una maggiore attrazione per loro.

Gli ebrei, per esempio, collaborarono al tedesco « Archiv für Rassen- und Gesellschaftbiologie », ma, come la maggior parte dei collaboratori di quel giornale, anche per loro credere nella realtà della razza non voleva significare che una qualsiasi razza fosse necessariamente superiore a un'altra. Per esempio Elias Auerbach, uno dei pionieri dell'insediamento sionìsta in Palestina, scriveva nel 1907 che mentre nel remoto passato la razza ebraica era stata il risultato di numerosi incroci, ora essa era pura perché si era tenuta separata attraverso i secoli. Egli concludeva l'articolo con una citazione da Gobineau il cui senso era che un *Volk* non è destinato a perire fino a che riesce a conservare la propria purezza e unicità di composizione [22]. Eppure Auerbach era fautore di una Palestina binazionale, ebraico-araba, e avversario di qualsiasi forma di predominio dell'un popolo sull'altro. Era dunque possibile credere nelle razze pure e non essere tuttavia un razzista; anzi questo fu un atteggiamento caratteristico della maggior parte degli ebrei che credevano in una razza ebraica, condiviso però anche da molti gentili.

Auerbach non era l'unico a credere nella razza. Lo scrittore tedesco J. M. Judt in *Gli ebrei in quanto razza* (*Die Juden als Rasse*, 1903) entrò più nei dettagli, scrivendo che gli ebrei, come razza, hanno in comune tratti fisici e fisiognomici [23]. Anche in precedenza, nel 1881, Richard Andree, un tedesco non ebreo ma fondatore della disciplina dell'etnografia e della demografia applicate agli ebrei, aveva affermato che essi rappresentavano un ben preciso tipo razziale, mantenutosi intatto attraverso i millenni. Secondo Andree però ebrei e ariani avrebbero una origine comune, essendo entrambi popoli caucasici ed entrambi portatori della cultura moderna, in contrasto con i neri, rimasti invece allo stadio primitivo [24]. Andree, come Judt, tentò di basare le sue argomentazioni sui principi dell'antropologia e della fisiognomica.

Fu però il medico, antropologo e sionista austriaco Ignaz

Zollschan (1877-1948) a diventare il più famoso teorizzatore degli ebrei in quanto razza. Nella sua opera principale *Il problema razziale con speciale attenzione al fondamento teoretico della razza ebraica* (*Das Rassenproblem unter Besonderer Berücksichtigung der Theoretischen Grundlagen der Jüdischen Rassenfrage*, 1910) egli sosteneva che la razza è trasmessa dalla cellula umana e non è perciò soggetta a influenze dall'esterno. In questa sua vasta opera Zollschan elogiava le convinzioni razziali di Houston Stewart Chamberlain, come quella sulla nobiltà che la purezza razziale conferirebbe a un gruppo o quella della necessità di elevare la razza a livelli sempre più alti di eroismo. Zollschan pensava che Chamberlain avesse ragione a proposito di razza, ma torto a proposito degli ebrei, perché avvertiva come l'evoluzione della cultura non potesse essere attribuita a merito di una razza sola (come gli ariani), bensì di una vasta serie di razze pure, ivi compresa quella ebraica. L'aspetto sgradevole e materialistico della razza ebraica contemporanea sarebbe scomparso con il ritrovamento da parte di essa di una propria identità nazionale e con l'uscita dal ghetto [25]. L'ideale di Zollschan, da lui riaffermato nel 1914, era una nazione dal sangue puro, incontaminata da malattie dovute ad eccessi o immoralità, con un senso altamente sviluppato della famiglia e costumi virtuosi profondamente radicati [26]. Lo stretto collegamento tra misticismo razziale e moralità delle classi medie difficilmente avrebbe potuto trovare una formulazione più chiara.

Zollschan si staccò dal sionismo dopo la prima guerra mondiale nella convinzione del tutto errata che il mondo postbellico avrebbe visto il declino dell'antisemitismo e la fine delle idee di sovranità nazionale [27]. Contemporaneamente egli cominciò a mettere da parte le sue precedenti opinioni sulla razza, un processo culminato in *Il razzismo avversario della civiltà* (*Racism against Civilization*, pubblicato a Londra nel 1942); ma bisogna tener conto che a quel tempo l'estendersi dell'ombra del nazismo sull'Europa rendeva difficile per qualsiasi ebreo sostenere idee di razza, anche se lo avesse fatto in precedenza.

Comunque prima del nazismo e specialmente anteriormente alla prima guerra mondiale il dibattito tra gli ebrei se essi dovessero considerarsi o no una razza era stato vivace, e si era svolto specialmente sul tedesco « Zeitschrift für Demographie und Statistik der Juden ». La mente direttiva del giornale era il

darwinista sociale Arthur Ruppin, responsabile dell'insediamento
ebraico in Palestina dal 1908 sino alla sua morte nel 1942.
Come Auerbach, Ruppin credeva, sia pure senza troppa coerenza,
nell'esistenza delle razze. Nonostante ciò, nei molti decenni da
lui trascorsi in Palestina, egli fu favorevole al binazionalismo.
In un primo tempo Ruppin pensò che la razza fosse un istinto
non passibile di cambiamenti, anche se è abbastanza tipico che
nel suo *Darwinismo e scienza sociale* (*Darwinismus und Sozialwissenschaft*, 1903) egli fosse stato un sostenitore dell'eugenetica
e non di una dottrina della superiorità razziale. Bellezza e forza
erano da lui fatte dipendere da fattori ereditari, non ambientali,
e a questo proposito Ruppin discusse in effetti di tipi razziali.
Nel 1940 però, occupandosi del *Destino e futuro degli ebrei*
(*Jüdische Schicksal und die Zukunft*) egli condannò la confusione
tra i concetti di « popolo » e di « razza » riferendosi con ciò alle
ricerche compiute da Virchow tra gli scolari tedeschi che portavano a negare l'esistenza di razze pure.
    L'accettazione da parte degli ebrei del concetto di razza
era quanto meno ambigua; il fatto di costituire il bersaglio
del razzismo non comportava come necessaria conseguenza l'imi-
tazione del nemico. Ma cosa si può dire di quegli ebrei religiosi
ortodossi che credevano nella verità del concetto di popolo eletto?
Per la maggioranza di loro, l'essere gli eletti significava dare
un esempio vivente di come si dovesse vivere la vita e non
implicava alcuna pretesa di predominio. Inoltre tutti i popoli
potevano essere giudicati virtuosi, persino i gentili, purché osser-
vassero almeno le sette leggi di Noè, anziché i 613 comandamenti che vincolavano invece gli ebrei osservanti. Perciò la fede
nel monoteismo, l'osservanza dei comandamenti contro il furto,
l'omicidio, il falso giudizio e l'adulterio, come pure l'astensione
dal mangiare membra viventi di animali, avrebbe dato a chiunque
la qualifica di prescelto. In questa ortodossia non era implicito
alcun razzismo.
    Certo, le dinastie rabbiniche cassidiche erano convinte che
le capacità di comando si trasmettessero talvolta attraverso il
sangue, ma ciò non era sostenuto uniformemente da tutti e non
era comunque un concetto più razzista di quello tradizionale relativo alle stirpi reali. Ma nonostante il diniego totale del razzismo
in teoria, la linea di demarcazione con il razzismo era a volte
quasi furtivamente valicata da parte di questi ebrei ortodossi,

così come da parte dei cristiani credenti, anch'essi generalmente ritenuti indenni da questo modo di pensare. Il vero credente nei secolo XIX e XX conservò sempre nell'ambito della propria fede qualche concetto irreligioso di superiorità e predominio [28].

Inoltre, il sionismo non ha avuto in realtà un orientamento razzista, malgrado le occasionali idee di Zollschan o persino di Auerbach, i quali non ebbero in effetti gran peso nel movimento. Eppure lo stesso Theodor Herzl scrisse una volta che sia che gli ebrei fossero rimasti nei paesi che li ospitavano, sia che fossero emigrati, si sarebbe dovuto migliorare la razza ovunque si trovassero, e che sarebbe stato necessario renderla amante del lavoro, guerriera e virtuosa [29]. Spesso si sente in Herzl l'influsso dell'ambiente viennese, sia nell'uso vago e generico del termine « razza », sia nella condanna dei « kikes » (termine spregiativo per ebrei) che rifiutavano di seguire la sua guida. Ciononostante egli affermava che « nessuna nazione presenta uniformità di razza » [30].

Molto più caratteristico fu l'atteggiamento di quegli influenti giovani sionisti che all'inizio di questo secolo credevano in una mistica nazionale senza però credere nello stesso tempo nella razza. Ogniqualvolta il movimento sionista ha tentato di essere scientifico, proclamavano nel 1913, esso si è impantanato in misurazioni craniche e in ogni sorta di « sciocchezze razziali » [31]. Il giudaismo è invece una unità culturale interiore, l'espressione esterna di un'interna fede nella realtà della nazionalità ebraica. La storia del mondo, come si espresse nel 1913 il giovane sionista Robert Weltsch, non è fatta dagli zoologi, ma dalle idee, ed egli paragonava la nazionalità ebraica all'*élan vital* di Bergson. Il mistero della razza era accettato, ma si rifiutava il razzismo, che spesso nella società gentile entrava a far parte di questi misteri [32].

Persino durante gli anni '30 di questo secolo, quando Max Brod affermava che alla base dell'isolamento degli ebrei vi era la razza, egli intendeva con ciò esortare all'eugenetica; ma per lui, come per Martin Buber, il *Volk* ebraico era solo un primo passo verso l'unità e l'eguaglianza tra gli uomini, riflesso dell'unicità di Dio. Il nazionalismo ebraico non ha accolto il razzismo quando invece, in quello stesso periodo, altri nazionalismi europei stavano diventando, loro sì, sempre più razzisti.

Coloro che non credevano all'esistenza di una razza ebraica — e costituivano la schiacciante maggioranza degli ebrei — avevano come punto di riferimento l'influente *Caratteristiche raz-*

ziali degli ebrei (*Die Rassenmerkmale der Juden*, 1913) del medico ebreo Maurice Fishberg, un famoso dottore ed antropologo che viveva a New York, il quale sosteneva che gli ebrei non presentavano caratteristiche tali da poter far parlare di razza a sé e polemizzava con E. Auerbach che ne sosteneva invece l'esistenza. A riprova del suo assunto, Fishberg citava quegli ebrei biondi che si possono incontrare ovunque in Europa, ebrei alti con teste allungate, nasi greci e occhi azzurri. Questo « tipo ariano tra gli ebrei », come egli lo definì, non era altro, a suo parere, che il risultato di incroci razziali con razze nordiche e slave [33]. Ma un'altra voce, anche più autorevole e non ebrea, si alzò per sostenere che gli ebrei non erano una razza e nemmeno un popolo separato. Felix von Luschan, un professore austriaco all'università di Berlino, già aveva ribattuto ad Auerbach che non esisteva una razza ebraica, ma solo una comunità religiosa ebraica e che il sionismo si presentava in effetti come avversario di ogni cultura con quel suo spingere gli ebrei a tornare in Oriente dove regnava ancora la barbarie. Questo antropologo, un gentile che godeva di grande stima, affermava che gli ebrei, come ogni altro popolo, erano un miscuglio razziale; secondo von Luschan in realtà esisterebbe una sola razza, l'*homo sapiens*; non vi sarebbero dunque razze inferiori, ma solo popoli con culture diverse dalle nostre e le caratteristiche che distinguono fra loro gli uomini sarebbero originate da fattori climatici, sociali e altri di tipo ambientale. Uomini come Chamberlain, egli scriveva, non sono scienziati, ma poeti [34].

Molti sionisti che pur facevano uso di termini come « sangue » o « razza », in realtà concordavano con von Luschan, perché malgrado le pretese scientifiche del secolo XIX, l'uso di termini come « sangue », « razza », « popolo », « nazione » fu spesso impreciso e interscambiabile. Talvolta ci si serviva di parole come sangue e razza per indicare, in forma semplicistica, la trasmissione di valori spirituali, senza alcun riferimento all'aspetto esteriore o alla purezza della razza. L'« uomo nuovo » di cui sia i razzisti che i sionisti sognavano era l'opposto di ogni razionalismo, ma per i sionisti egli rappresentava un « nazionalismo umanitario », volontaristico e pluralistico insieme [35].

Le idee sul mistero della razza attecchirono soprattutto nell'Europa centrale, ma le leggende intorno agli ebrei trovarono buona accoglienza anche in Francia e nelle più primitive regioni balcaniche. Senza radici e portato a tramare in segreto, l'ebreo divenne un mito. Come avevano rivelato Aasvero o i *Protocolli dei saggi anziani di Sion*, egli era il vero nemico, tanto più reale in quanto i miti medievali erano stati adeguati ai tempi moderni.

I timori e le superstizioni dei tempi passati erano entrati profondamente nella coscienza europea e potevano essere sfruttati per mobilitare la gente contro le frustrazioni del presente. Eppure la civiltà europea era, malgrado tutto, una civiltà cristiana, nonostante la crescente diffusione del pensiero laico. Se il razzismo si era presentato come una scienza e una fede nazionale, quale sarebbe stato l'atteggiamento delle Chiese cristiane nei riguardi della razza?

IX

CRISTIANESIMO INFETTO

Il razzismo aveva cercato di stringere alleanza con le principali tendenze del secolo: nazionalismo, spiritualismo, moralità borghese e fede nella scienza. Ma esso, nonostante la propria pretesa di avere il monopolio della salvezza, tese la mano anche al cristianesimo che, dal canto suo, non poteva che trarre svantaggio da una adesione al razzismo, che avrebbe svuotato di ogni valore il sacramento del battesimo, capace, secondo la dottrina, di trasformare gli uomini in cristiani prescindendo dalla loro origine o razza. Molti fedeli cristiani e uomini di chiesa in piena coerenza con i loro principi respinsero il razzismo e altri, come i quaccheri, altrettanto coerentemente, aiutarono i perseguitati. Ma il passato della maggior parte delle Chiese protestanti e della Chiesa cattolica non era certo un passato di netta opposizione all'idea del razzismo.

Per comprendere il mutuo rapporto tra cristianesimo e razza dobbiamo ritornare sui nostri passi. La persistenza di stereotipi relativi agli ebrei e ai neri era stata accettata da molti cristiani e dalle loro Chiese, anche se in teoria il battesimo avrebbe dovuto farli scomparire. Inoltre, finché si fosse continuato a pensare che la civiltà europea fosse una civiltà cristiana e lo stato uno stato cristiano, gli ebrei che conservavano la propria fede avrebbero sempre corso il pericolo di apparire degli stranieri. In Inghilterra, al volgere del XVIII e del XIX secolo, per esempio, nemici e persino amici dell'emancipazione ebraica avevano cercato a volte di salvaguardare il carattere cristiano del loro stato e della loro società stabilendo una netta divisione tra il « Dio di Mosè » e il « Dio dei cristiani » [1]. In Germania, nello stesso periodo, il giovane Johann Gottlieb Fichte biasimava la religione del Vecchio Testamento perché eretta sul nazionalismo e l'odio ed estranea a ideali di libertà ed eguaglianza. In realtà, parallelamente all'emancipazione ebraica, all'inizio del secolo XIX si sviluppò un'avversione per il Vecchio Testamento, giudicato o come riguardante unicamente gli ebrei e quindi privo di alcun interesse per i cristiani, o come subordinato al dramma cristiano della salvezza [2]. Lo stereotipo ebraico fu inserito nella concezione cristiana del mondo; e si rimane colpiti nel vedere quanti uomini tolleranti e di buona volontà considerassero gli ebrei degli stranieri, incapaci di un corretto comportamento civile.

I vari tentativi di sradicare il cristianesimo dalle sue origini ebraiche facilitarono al razzismo la messa in un canto del Vecchio Testamento, visto come una barriera di difesa degli ebrei in quanto indispensabili attori nel dramma della salvezza. Il vecchio patto minacciava costantemente il nuovo e alcuni teologi cristiani pensarono che fosse giunto il momento di tagliare, una volta per tutte, il legame tra genitore e figlio; e se da una parte il giudaismo fu considerato un fossile da coloro che, con Hegel, credevano nell'inevitabile progresso dell'autocoscienza dell'uomo attraverso la storia, dall'altro i nazionalisti cercarono di collegare il cristianesimo al loro proprio passato tribale piuttosto che a quello israelitico.

La posizione di Hegel indusse i suoi discepoli a polemizzare con il cristianesimo tradizionale per scoprire il vero spirito storico del mondo, e furono questi « giovani hegeliani » a stabilire la direzione della nuova esegesi biblica. David Friedrich Strauss nel suo *La vita di Gesù* (*Das Leben Jesu*, 1835), applicò allo studio della Bibbia quello che egli chiamava il più rigoroso metodo storico, ma nello stesso tempo cercò di lasciare intatta l'« essenza intima » della fede cristiana. Strauss proclamò la nascita di Cristo, i miracoli da lui compiuti e la risurrezione, verità eterne la cui esistenza era indipendente dai fatti storici. La stessa vita di Cristo non potrà mai essere narrata, a suo parere, come una storia perché essa simboleggia l'eterna lotta per la perfezione spirituale. Gli eventi biblici devono essere esposti o come semplice storia o come mito, e in ambedue i casi gli ebrei e il giudaismo restano estranei al messaggio di Cristo: questo è il succo della più approfondita esegesi biblica e dei popolari tentativi del secolo XIX di cimentarsi con la vita di Cristo.

Ernest Renan nella sua tanto influente *Vita di Gesù* (*La vie de Jésus*, 1863) ha scritto che Cristo non ha rinnovato la vecchia religione (il giudaismo), bensì ha proclamato una « religione eterna dell'umanità » opposta al dogmatismo e all'intolleranza del Vecchio Testamento. Gesù era esente dal provincialismo della razza ebraica; inoltre, secondo Renan, l'intolleranza sarebbe una caratteristica ebraica e non cristiana, conseguenza della rigorosa applicazione della legge tipica del giudaismo biblico che, a suo parere, soffoca la potenza dell'amore. Queste accuse non erano originali ed anzi esse ricorrono frequentemente nell'esegesi biblica del secolo XIX. Ma, almeno secondo Renan, il giudaismo biblico avrebbe perduto la sua importanza persino presso gli stessi ebrei di pari passo col progredire della civiltà. Ecco perché gli ebrei moderni non sono più svantaggiati dal loro passato e sono in grado di dare importanti contributi al progresso moderno [3].

Molto tempo prima, in Germania, Karl August von Hase, un teologo luterano e professore a Jena, aveva fatto le stesse osservazioni di Renan. Nel suo popolare *La vita di Gesù* (*Das Leben Jesu*, 1829), che era stato concepito come libro di testo per le scuole [4], il cristianesimo veniva contrapposto, in quanto religione per tutta l'umanità, al ristretto particolarismo degli ebrei. Il giudaismo è, per von Hase, imprigionato nelle leggi e nella fede di un singolo *Volk*; gli ebrei sono il prodotto dell'evoluzione storica e se anche la vita di Cristo sulla terra si svolse in un contesto storico, il Salvatore in quanto tale si pone fuori della storia: egli simboleggia la scintilla del divino in ogni uomo. Perciò il cristianesimo è una fede valida per ogni tempo, mentre gli ebrei e la loro religione sono esistiti in un ben preciso periodo storico. Né Strauss, né Renan e nemmeno Hase chiedevano la persecuzione degli ebrei moderni, né erano dei razzisti, ma le loro opinioni su Gesù e sul Vecchio Testamento aprirono la strada al Cristo germanico di Houston Stewart Chamberlain [5].

Bruno Bauer, uno dei più influenti tra i giovani hegeliani, verso la metà del secolo XIX aveva attaccato il cristianesimo che a suo dire estranierebbe l'uomo dallo stato che invece dovrebbe essere la sua unica forza integrante. Ma il nazionalismo tedesco aveva in realtà già cercato di annettersi il cristianesimo recidendo le sue radici ebraiche e sostituendole con l'antico passato tribale. I protestanti dall'inizio del secolo XIX in poi desiderarono una « nuova unità, nuovi e migliori princìpi per il culto interiore di Dio, senza la legge mosaica, che riguarda unicamente gli ebrei » [6]. Tale avversione al Vecchio Testamento continuò per tutto il resto del secolo e fu approfondita mediante analogie tra la salvezza nazionale e quella cristiana, popolari specialmente in Germania sin dai tempi delle guerre di liberazione contro Napoleone. Nei raduni annuali della Chiesa protestante tedesca (*Kirchentage*) successivi al 1848, per esempio, innumerevoli erano i sermoni in cui il cristianesimo veniva identificato con il *Volk*. La vita di ogni singola nazione sarebbe determinata come tale dalla provvidenza per creare un popolo veramente eletto; ecco perché la rivelazione cristiana deve essere scaturita dalla storia stessa della nazione e non da una qualche radice straniera, semitica [7]. L'« Associazione protestante », fondata nel 1863, cercò di favorire una chiesa cristiana nazionale di questo tipo.

Il protestantesimo militante tedesco appoggiò anche una politica estera ostile sia alla Francia che all'Inghilterra, sostenendo che i « papisti », identificati con i francesi, rendevano l'uomo schiavo, e dichiarando, verso la fine del secolo, che « il protestantesimo straniero sviluppatosi in Inghilterra non può attecchire presso il popolo tedesco perché ipocrita nel suo preteso umanitarismo che in realtà cerca di conquistare oro e imperi » [8]. I nazionalisti francesi a loro volta consideravano alla stessa stregua, cioè materialisti e aggressivi, protestanti ed ebrei. Questi antagonismi nazionali tuttavia divennero raramente razzisti e tra Germania e Inghilterra, per esempio, la porta fu sempre lasciata aperta, in dipendenza del fatto che l'una nazione appoggiava le ambizioni dell'altra [9]. L'ebreo, d'altra parte, si mantenne al di fuori di questi compromessi tra le nazioni dell'Europa.

L'antisemitismo crebbe nell'ambito di simili concezioni cristiane, ed era fatale perciò che alla fine del secolo XIX si arrivasse alla religione nazionalistica di Paul de Lagarde o di Julius Langbehn che facevano del *Volk* il vaso di Dio, la vera rivelazione dello spirito divino. La dinamica religiosa incarnata da Cristo, il quale si era rivelato al *Volk*, doveva essere liberata dalla legge imposta al cristianesimo dagli ebrei [10]: san Paolo fu accusato di essere rimasto fedele alle sue originarie tradizioni ebraiche e di aver cercato di imprigionare il cristianesimo nella legge mosaica [11]. La ristrettezza, il provincialismo e il legalismo che molti teologi protestanti scoprirono nel Vecchio Testamento furono imputati a san Paolo, che divenne una sorta di quinta colonna nell'ambito del cristianesimo. In questo modo fu possibile completare la frattura tra il vecchio e il nuovo patto e liberare il cristianesimo dalla sua base tradizionale.

Il protestantesimo tedesco combatté il razionalismo e la religione razionalistica e cercò di ravvivare i misteri del cristianesimo, ma in realtà, proprio come la nuova esegesi biblica, esso laicizzò la religione. Ora la incarnazione cristiana veniva collocata all'interno del *Volk* e il risultato fu che la semplice conversione degli ebrei non poteva più bastare. Per essi sarebbe stata necessaria, oltre all'immersione nell'acqua santa, quella nello stesso *Volk*. Ma come sarebbe stato possibile ciò per coloro che non avevano fatto parte del *Volk* sin da tempi remotissimi? Naturalmente sorse così il problema se gli ebrei sarebbero mai potuti diventare cristiani, e pur se la risposta fu in larga misura evitata, fu chiaro che gli ebrei che fossero rimasti tali non avrebbero potuto trovare alcun posto nella vita nazionale. Anche se i cattolici trovarono difficile accettare questa conclusione, molti giunsero a condividere tale modo di vedere.

Per il protestantesimo, specialmente in Germania, riuscì più facile entrare a far parte della mistica nazionale grazie al fatto che Martin Lutero era stato considerato un grande patriota, per la sua lotta contro il cattolicesimo ultramontano. Per tutto il secolo XIX e sino al XX inoltrato, Lutero fu esaltato come il grande liberatore dello spirito tedesco dalla servitù cattolica e romana [12]. Un protestantesimo tedesco consapevole di sé combatté contro la Francia cattolica, e successivamente il *Kulturkampf* bismarckiano, il cui profondo significato fu quello di tagliare i legami stranieri del cattolicesimo tedesco, fomentò la disputa. Ma anche un settore del cattolicismo tedesco cercò di dimostrare il proprio patriottismo escludendo gli ebrei dalla « nazione cristiana ».

Non sempre le barriere contro l'assimilazione degli ebrei erano state così alte, né si deve andare a ricercare un cristianesimo *volkisch*, cattolico o protestante che sia, troppo indietro, sin all'inizio del secolo XIX: per esempio, come abbiamo visto, in alcuni villaggi e città tedeschi ebrei, cattolici e protestanti officiavano insieme nella medesima chiesa per celebrare la vittoria sui francesi nella battaglia di Lipsia (1815) [13]. A quel tempo non era necessario che gli ebrei rinnegassero il proprio giudaismo per diventare membri a pieno diritto del *Volk*, proprio come avveniva per protestanti o cattolici. Ma verso la metà del secolo, con gli attacchi alle origini ebraiche del cristianesimo e l'enfasi posta sullo stato cristiano, essere un ebreo volle dire essere uno straniero. Coloro che, pur assimilando il singolo ebreo, volevano eliminare gli ebrei in quanto gruppo perché erano dei non cristiani, giustificarono la propria intolleranza con lo stereotipo ebraico; coloro che si entusiasmavano per la libertà e l'eguaglianza pensavano che per fare propri questi ideali l'ebreo dovesse liberarsi della sua religione: e il razzismo poté facilmente approfittare di questo restringimento di valori.

Questi uomini riesumarono l'ideale illuministico: al singolo individuo è dovuto ogni diritto, ma nessun diritto all'ebreo in quanto legato a una religione arcaica. Fu questo un modo per risolvere l'urto tra le culture ebraica e cristiana in Europa. In un primo momento vi era stata la tendenza al persistere dello stereotipo ebraico fianco a fianco con la richiesta di emancipazione. Così la lettera scritta dal preside di una scuola elementare al consiglio comunale della cittadina tedesca di Bruchsal nel 1809 chiedeva istruzione in comune nella scuola elementare per i bambini ebrei e tedeschi, nonostante tutte le difficoltà da superare, fra le quali vi erano non solo l'odio inveterato dei cristiani per gli ebrei, ma anche la mancanza di pulizia di questi ultimi e il loro cattivo odore. Ma alcuni bambini ebrei, aggiungeva la lettera, non avrebbero mai superato questa condizione di inferiorità, e si sarebbero perciò dovuti far sedere sempre separati dai ragazzi cristiani [14].

La persistenza dei ghetti rendeva crudamente evidenti le differenze tra cristiano ed ebreo. Lo scontro tra queste differenti culture in Europa era difficile da superare. A Roma il ghetto è esistito sino al 1863, in Boemia e Moravia sino al 1848 e dal 1814 era stato ricostituito il recinto della colonia ebraica in Russia e Polonia. Dobbiamo però distinguere tra persecuzione cristiana e razziale. In Europa, sia in Russia che in Occidente, i tumulti antiebraici rimasero un fatto largamente tradizionale sino al 1918; i loro slogan riecheggiavano quelli del passato e si concentravano sugli ebrei uccisori di Cristo, usurai e praticanti l'omicidio rituale.

I principali tumulti antiebraici avvenuti in Germania (1819, 1830, 1844 e 1848) ebbero in parte la loro causa nei motivi economici, come la carestia e il declino dell'artigianato e in questi casi erano le classi più umili, le vittime della società — uomini, donne e bambini — a insorgere contro gli ebrei. Tuttavia i simboli da loro esibiti parlavano di un'antica tradizione: una bandiera bianca con una croce rosso sangue o un pupazzo rappresentante Giuda impiccato; le accuse di omicidio rituale lanciate dai pulpiti delle chiese incoraggiavano tali rivolte [15].

Anche in Francia l'accusa di omicidio rituale si mantenne viva nelle regioni rurali, favorita dalla Chiesa cattolica [16]. Quanto all'impero russo, naturalmente, tali accuse, che qualche volta provocavano *pogrom*, rientravano nella politica del governo, una situazione di cui non si è avuto l'eguale in nessun luogo di Europa. Ma tutti questi tumulti e *pogrom* non ebbero mai come risultato lo sterminio degli ebrei, piuttosto la loro conversione coatta (come in Russia) o la loro emigrazione. Il razzismo finì per significare sterminio, ma per arrivare a ciò sarebbe occorsa una burocrazia più raffinata e anzi tutti gli strumenti sofisticati di uno stato moderno avanzato, non certo uccisioni occasionali, per quanto brutali esse fossero.

La teologia cristiana non ha mai patrocinato come scopo primario lo sterminio degli ebrei, ma piuttosto la loro esclusione dalla società in quanto testimoni viventi del deicidio: i *pogrom* erano solo una conseguenza secondaria dell'isolamento degli ebrei nei ghetti. Come scriveva il vescovo cattolico Alois Hudal nel 1937, per cercare di cattivarsi il favore dei nazisti, non era stata la Chiesa ma lo stato ad abolire il ghetto [17]. Lo sforzo compiuto dal cristianesimo è stato quello di trasformare gli ebrei negli stereotipi della colpa, oggettivata mediante la bruttezza, la sporcizia e la mancanza di spiritualità. L'affollato ghetto dove gli ebrei conservavano il loro abbigliamento tradizionale e le leggi della loro religione trasmise in realtà questa immagine degli ebrei a un mondo esterno facilmente soggetto ad essere intimorito dall'insolito e dal diverso. Costringendo gli ebrei a vivere nei ghetti si diede perciò, agli occhi dei gentili, un'apparenza di verità ai miti sugli ebrei.

La trasformazione dello stereotipo in realtà fu un tentativo costante; così le accuse lanciate contro gli ebrei furono convertite in profezie autorealizzantisi, un tema su cui torneremo continuamente. Ancora una volta, anche sotto questo aspetto, il razzismo ricevette aiuti persino quando era apertamente respinto. Come abbiamo già visto in precedenza, lo stereotipo era basato su quel genere di bellezza classica che simboleggiava una razza superiore.

Il cristianesimo accettò questo metodo di basarsi su stereotipi
rappresentanti il brutto e il bello e anzi l'arte cristiana del
secolo XIX offre infinite espressioni di ciò; Cristo sulla croce è
spesso rappresentato come biondo, alto e flessuoso.

Perché tutto ciò si realizzasse, ci volle del tempo e fu solo
dopo la metà del secolo XIX che gli ebrei piuttosto che i neri
divennero il punto di riferimento per il razzismo e che le Chiese
cristiane assunsero sempre di più un atteggiamento ostile verso
gli ebrei, considerati simboli di un incombente ateismo e di
totale mancanza di radici. Ciò si verificò specialmente da parte
del cattolicesimo, che si vedeva assediato dai nuovi orientamenti
liberali e scientifici del tempo. È abbastanza tipico che quando
verso il 1880 si riaccese in Polonia l'antisemitismo, ciò si dovette in larga misura alla reazione cattolica contro il positivismo
scientifico, come anche a un più generico timore, diffuso tra la
popolazione, per un ulteriore sviluppo del capitalismo. A quel
tempo Jan Jelenski, che pure in passato era stato un fautore del-
l'assimilazione ebraica, si mise alla guida del movimento cattolico
antisemita destinato ad avere lunga vita [18].

In Germania, la Chiesa cattolica che, oltre a combattere la
modernità, doveva dimostrare il proprio attaccamento alla nazione,
chiese un ritorno puro e semplice alla tradizione precedente alla
Riforma, caratterizzata dall'unione tra Chiesa e stato. L'ebreo
divenne il simbolo di tutto ciò che non era riuscito a tenere il
passo con il processo storico e gli ebrei presero il posto dei
demoni dei vecchi tempi che avevano giocato tanti tiri ai pii
cristiani [19]. Indubbiamente la dottrina cattolica era nella massima parte ostile a un razzismo che sembrava attaccare la Bibbia
e che affermava l'inutilità per gli ebrei del sacramento del battesimo. Eppure in realtà il cattolicesimo, così come si era evoluto durante il secolo XIX, analogamente alla sua controparte
protestante, era separato dal razzismo da una linea molto sottile
che poteva essere facilmente valicata.

Il battesimo non poteva certo essere rinnegato, ma l'antica
speranza della conversione fu messa in ombra, negli ultimi decenni dell'Ottocento, dall'odio per gli ebrei. Sia che si trovasse
in Germania, Austria o Francia e sia che si presentasse sotto la
maschera dell'ateo, del liberale o del massone, l'ebreo simboleggiò il nemico di un cattolicesimo assediato. In Francia, molti
settimanali cattolici locali manifestarono stima per Edouard Dru-

mont, il più celebre antisemita del tempo, malgrado il suo razzismo e la sua condanna del clero smidollato [20]. I cattolici tedeschi disapprovavano l'emancipazione di singoli ebrei perché motivata da una filosofia razionalista e illuminista, ma essi vedevano anche dietro la lotta di Bismarck contro la Chiesa l'ombra dell'ebreo [21]. A volte nelle regioni di lingua francese e tedesca i cattolici preferivano far distinzione tra il singolo ebreo e il giudaismo: l'uno considerato redimibile, l'altro no [22]. Ma poco conta quale fosse l'atteggiamento verso l'ebreo singolo, perché lo stereotipo era sempre presente. « Che cosa è un ebreo? » chiedeva il settimanale cattolico di Nantes nel 1892, e rispondeva: « un ebreo è un imbroglione, un ladro e tutto il resto » [23].

Questi orientamenti del cattolicesimo ebbero un'esatta corrispondenza nel protestantesimo, anche se quest'ultimo fu meno paranoico non dovendo obbendienza a nessuno fuori dei confini nazionali ed essendo sotto il controllo dello stato. Ciononostante entrambi temevano un'ondata montante di ateismo, liberalismo e scienza, ed entrambi tentarono di riconquistare il campo perduto accentuando il proprio nazionalismo e il proprio impegno sociale. Cattolicesimo e protestantesimo ricorsero, a sostegno del loro antisemitismo, alle loro origini rurali, all'immutabile mondo della campagna — che in realtà stava cambiando con troppa velocità. Gli interessi agrari erano destinati a dare un potente appoggio e guida alle Chiese che stavano perdendo la loro forza di attrazione nelle aree urbane. La Lega agricola tedesca (fondata nel 1893), per esempio, credeva fermamente in uno stato cristiano e protestante e i grandi proprietari terrieri tedeschi che la dominavano consideravano sia il razzismo che il protestantesimo una parte del loro impegno per il protezionismo agrario [24].

In Francia, i sindacati agricoli cattolici non erano razzisti, ma conservavano il tradizionale antisemitismo cattolico. Fondati nel 1886 da H. Gailhard-Bancel, questi sindacati basati sull'autonomia locale erano organizzazioni di braccianti agricoli e di contadini guidati dai proprietari terrieri, e avevano un accentuato carattere religioso, tanto che i riti cattolici e le festività del sindacato coincidevano. Elemento centrale della loro politica era l'opposizione alla centralizzazione dello stato, le province erano esaltate come la vera Francia (secondo la tradizione iniziata da Gobineau), ed ebrei e capitalismo erano posti sullo stesso piano, entrambi visti e temuti come strumenti di distruzione incombenti da Parigi sulla campagna [25].

In tutta l'Europa, la crisi agricola di fine secolo si servì degli ebrei come simbolo dell'odiata città, della mancanza di radici e della modernità. In molte regioni rurali gli ebrei in quanto commercianti di bestiame erano anche banchieri, per cui significavano anche ipoteche ed espropri. Non fu un caso se Xavier Vallat, uno dei giovani amici e ammiratori di Gailhard-Bancel, diventò commissario per la questione ebraica nella Francia di Vichy. Vallat, autorevole dirigente dell'Associazione dei reduci francesi e della federazione cattolica nazionale, voleva significativamente isolare gli ebrei dalla vita francese, ma rifiutò di collaborare con i nazisti nella deportazione degli ebrei francesi [26]. Faccia a faccia con i nazisti, egli rappresentava un antisemitismo tradizionale contrapposto al loro razzismo che non conosceva alcun limite. Il figlio di Gailhard divenne collaboratore dei nazisti.

I sindacati agricoli e la campagna cattolica condividevano l'antisemitismo comune a tutte le regioni sottosviluppate dell'Europa: l'ebreo era l'anticristo e un usuraio. Forse un opuscolo sull'omicidio rituale nato nella regione di Bayonne nel 1889 può spiegare questo modo di sentire: esso affermava che gli ebrei erano commercianti e banchieri che succhiavano la linfa della nazione e diventavano con l'omicidio rituale letteralmente dei « bevitori del sangue cristiano » [27]. Questa corrente sotterranea di medievalismo sussisteva anche in molte altre regioni rurali dell'Europa. Si è valutato che al confine tra la Serbia e l'Austria si siano vendute circa 10.000 cartine per sigarette con il disegno dell'assassinio di un bambino cristiano da parte degli ebrei [28] ed è possibile che anche altrove si siano mescolate usanze moderne con antiche superstizioni.

Questi sentimenti, presenti nelle campagne ad un livello per lo più rudimentale, furono espressi con chiarezza da quei cattolici che avversavano il laicismo e il liberalismo. Sin dalla rivoluzione di Vienna del 1848, nella quale gli ebrei avevano svolto un ruolo notevole, più di un prete li accusò di volersi impadronire dell'Austria con la politica liberale e lo sfruttamento capitalistico. Lo storico moderno Friedrich Heer ha ragione quando afferma che l'atmosfera di alcuni di questi circoli cattolici viennesi deve aver rappresentato l'ambiente favorevole alla formazione del pensiero antiebraico del giovane Hitler. Lo stesso papa Pio IX aveva dato un buon esempio di siffatta ostilità nei riguardi degli ebrei accusandoli di fomentare l'anarchia, la massoneria e una generale avversione per la Chiesa. E dopo il 1870, quando la Chiesa sembrava messa in difficoltà dai suoi nemici, il papa diede libero corso alla polemica antiebraica sulle pubblicazioni vaticane [29].

Tuttavia tale antisemitismo cattolico non fu in realtà violento, perché credeva appassionatamente nella legge e nell'ordine. È perciò tipico l'atteggiamento del fondatore del cattolicesimo sociale, l'austriaco Karl von Vogelsang (1818-1890), che combatté l'aperto razzismo e condannò gli antisemiti pan-germanisti che avevano adottato tra gli altri simboli l'immagine di un ebreo pendente dalla forca [30].

Secondo Vogelsang gli ebrei sono un popolo straniero, sono liberali e individualisti, avversari della giustizia e della comunità. Ma egli rifiutava di attaccare la religione ebraica in sé, pur auspicando la conversione degli ebrei e dei protestanti alla vera Chiesa, quella cattolica: questo, egli scrisse, « è l'antisemitismo cattolico » [31]. Gli amici francesi di Vogelsang, Alfred Du Mun e La Tour du Pin, condividevano la sua ammirazione per il Medioevo e giudicavano anche loro gli ebrei come gli araldi di un mondo moderno che era anticattolico perché aveva distrutto una società morale basata sugli stati medievali e sul « giusto prezzo ». L'accento cadeva sempre su un cristianesimo comune, e non su una razza comune. Molto più tardi Ignaz Seipel, discepolo di Vogelsang, prete e futuro cancelliere austriaco, scrisse che era un errore mettere l'idea di razza al di sopra dell'idea di nazione, perché quest'ultima ingloba in se stessa sia lo stato che la Chiesa [32].

Quanto a fondo le tendenze antiebraiche siano penetrate nel pensiero cattolico è rivelato dalle accuse contro il *Talmud* lanciate da August Rohling, canonico, professore di teologia cattolica e poi di lingue semitiche all'università tedesca di Praga. Il suo *Talmud-Jude* (1871) non era altro che una rimasticatura del precedente lavoro di Eisenmenger, *Giudaismo svelato* (*Entdecktes Judentum*, 1700), un tentativo di dimostrare l'immoralità degli ebrei servendosi di citazioni tratte dal *Talmud*. Gli attacchi contro la religione tradizionale durante il secolo XVIII avevano inasprito queste accuse contro un popolo che appariva irrimediabilmente soggetto al fascino della superstizione. I cristiani si unirono a questo coro contro gli ebrei; per esempio, il benedettino Magnus Schleyer scrisse nel 1723 che il *Talmud* era il tipico esempio dell'ostinazione degli ebrei, per colpa della quale essi erano stati condannati dalla Bibbia; si sostenne inoltre che il *Talmud* fosse pieno di esortazioni alla frode, alla lussuria e all'odio verso i cristiani [33] (un'opinione condivisa in eguale misura da laici e cattolici che in altre occasioni erano invece in lotta tra loro).

Il *Talmud* era diventato il simbolo della segreta e « pervertita » religione degli ebrei, in gran parte perché non faceva parte della teologia cristiana come il Vecchio Testamento; attaccare quest'ultimo, anche se era uno degli obiettivi dell'esegesi biblica, voleva dire rischiare una condanna in quanto dissenzienti dal cristianesimo. Ma il *Talmud* era al di fuori del dramma cristiano della salvezza e questo fatto ebbe un riconoscimento ufficiale in Germania quando nel 1881 la comunità ebraica di Berlino tentò di controbattere gli attacchi contro il *Talmud* appellandosi alla legge tedesca che proibiva si calunniasse una qualsiasi comunità religiosa: il pubblico ministero rifiutò di incriminare il giornale che aveva attaccato il *Talmud* sostenendo innanzitutto che esso non era un codice di leggi religiose, ma aveva un mero interesse storico, e subordinatamente, ma ancor più sinistramente, affermando che il giornale con le calunnie contro il *Talmud* non aveva attaccato gli ebrei in quanto comunità religiosa (cosa che avrebbe offerto loro un motivo per chiedere la protezione della legge), ma solo in quanto razza e *Volk* [34]. Perciò il *Talmud* doveva essere considerato un trattato razziale ebraico, senza alcuna attinenza con la religione.

Anche August Rohling giudicò il *Talmud* un breviario anticristiano e affermò che in esso i cristiani erano trattati come i servi di Baal, gli ebrei erano autorizzati a chiedere loro qualsiasi tasso di interesse, a praticare con loro la sodomia e a violentare le loro donne. E lanciò anche l'accusa che in questo « vangelo ebraico » i cristiani fossero definiti maiali, cani e asini, autorizzando a credere che le raffigurazioni animali, tanto spesso usate per insultare le razze inferiori, fossero ora rivolte contro i cristiani. Nel *Talmud*, concludeva Rohling, era esposto un programma perché il popolo eletto potesse assicurarsi il predominio sul mondo.

Il *Talmud-Jude* riscosse l'approvazione non solo dei cattolici austriaci e tedeschi, ma anche di una parte della stampa cattolica francese. In Francia, sotto l'influenza di Rohling, il *Talmud* non fu più considerato un semplice libro di magia, ma si disse invece che esso incoraggiava una « scandalosa immoralità »[35]. Edouard Drumont scrisse la prefazione all'edizione francese del libro di Rohling e in essa avanzò l'ipotesi che il *Talmud* costituisse una vendetta degli ebrei contro il Nuovo Testamento. Questa prefazione fu tradotta in tedesco e così il *Talmud-Jude* poté essere ora letto nel contesto della lotta contro il predominio ebraico sia in Francia che in Germania. Inoltre il libro citava passi sull'omicidio rituale in cui si affermava che chiunque spargesse sangue cristiano offriva un sacrificio a Dio. Rohling si dichiarò anche disposto a testimoniare, in un processo per omicidio rituale svoltosi nel 1883 a Tisza-Eszlar in Ungheria, che gli ebrei avevano l'ordine di svolgere simili pratiche[36].

La soluzione di Rohling per la questione ebraica era contraddittoria: non si sarebbero dovuti privare gli ebrei dei diritti umani, ma solo di quelli civili ed essi avrebbero dovuto essere espulsi dai paesi che li ospitavano perché « sfruttatori dell'umanità »[37]. In ultima analisi, Rohling giudicava gli ebrei non una comunità religiosa, ma una nazione che aveva commesso il deicidio. Egli guardava agli ebrei dal tradizionale punto di vista cristiano, come testimoni viventi della loro stessa colpa e sperava nella loro conversione.

La comunità ebraica rimase quasi paralizzata dal terrore di fronte al violento attacco di Rohling, proprio come quando, negli anni '90, scoppiò il caso Dreyfus. Sembrò inconcepibile alla prospera e stabile borghesia ebraica dell'Europa centrale e occidentale che le si potesse ancora rivolgere una simile accusa da parte di un canonico e di un professore, il cui senso di responsabilità non poteva essere messo in dubbio. Per questi ebrei ciò superava ogni capacità di comprensione, tanto più che accadeva proprio verso la metà di un secolo che essi consideravano liberale e illuminato. Tuttavia, una volta presa coscienza dell'enormità dell'accusa, la logica conseguenza della politica di assimilazione sembrò essere la prudenza: fu possibile ignorare questo affronto, proprio come fu possibile ignorare l'affare Dreyfus e andare avanti come se niente fosse successo[38]. È deplorevole che la borghesia ebraica abbia adottato nei confronti del Terzo Reich questa stessa tattica, quando però non avrebbe più funzionato; ma alla fine del secolo XIX, agli occhi della grande maggioranza degli ebrei essa deve essere apparsa coronata dal successo. Il rabbino di Vienna Joseph Bloch, un uomo eccentrico ed isolato, citò in giudizio Rohling e ottenne una sentenza (1885) secondo la quale « non esiste in tutto il *Talmud* un solo passo in cui si definiscano i cristiani o i pagani o gli idolatri con il nome di animali »: ma per il mito ciò non ebbe maggiore significato dell'accertamento, da parte di un tribunale svizzero nel 1934, della falsità dei *Protocolli dei saggi anziani di Sion*.

Il *Talmud-Jude* di Rohling rinverdì il mito che identificava negli ebrei l'anticristo e ovunque i razzisti come Drumont lo accettarono. Houston Stewart Chamberlain considerava il *Talmud* come un tipico esempio della mancanza di spiritualità degli ebrei; Alfred Rosenberg vi vedeva l'origine sia del bolscevismo che del capitalismo, a suo parere i due strumenti della dominazione ebraica. Infine il *Talmud*, come codice di leggi rivelatrici delle malvagità presumibilmente commesse dagli ebrei nei confronti dei non ebrei, avrebbe fatto bella mostra di sé nelle esposizioni antiebraiche organizzate dai nazisti, come in quella tenuta a Parigi nel 1941 [39]. La razza inferiore ora possedeva il suo breviario di immoralità.

Poiché, se si eccettua l'opera di Rohling, l'antisemitismo francese aveva ben poco recepito da quello tedesco [40], un confronto tra le sue due versioni è assai istruttivo. Le teorie sulla cospirazione fiorirono in Francia come in Germania, ma in Francia esse furono più diffuse a causa degli scandali finanziari di fine secolo in cui si trovarono coinvolti molti ebrei e anche a causa dell'odio dei cattolici per la massoneria « ebraica », un'associazione segreta che si diceva governasse la Terza repubblica. In Germania queste idee acquistarono importanza solo dopo il 1918. All'inizio Gobineau era stato respinto, in Francia, anche se, come abbiamo visto, la metastoria e il razzismo per i quali egli si era battuto erano penetrati in questo paese, come in tutta l'Europa, intorno agli anni '80 del secolo scorso. Il cattolicesimo perciò lasciò aperto uno spiraglio, proprio accettando lo stereotipo ebraico e tutto quello che lo accompagnava.

Le prese di posizione dei cattolici nei confronti degli ebrei non rimasero confinate nelle prediche o nei dibattiti, ma furono fatte conoscere alle masse attraverso movimenti politici sia in Austria sia in Francia. Karl Lueger, sindaco di Vienna tra il 1897

e il 1910, costituì il primo regime del continente basato su
un antisemitismo strettamente collegato con una militante fede
cattolica. Lueger era stato discepolo di Vogelsang e il suo antisemitismo e cattolicesimo erano mescolati a progetti di riforme
sociali; il suo movimento prese infatti il nome di partito cristiano
sociale. Le sue promesse furono accolte con entusiasmo in una
città da tempo mal governata dai liberali, e i cui problemi erano
aggravati da un impressionante sviluppo. Inoltre, la numerosa
immigrazione ebraica a Vienna, dalla Galizia e dall'impero russo,
diede un'apparenza di verità alla definizione data da Lueger degli
ebrei come il potente nemico di una incorrotta società cristiana.
Infatti il sindaco fu eletto da una vastissima maggioranza, con
grande contrarietà dell'imperatore Francesco Giuseppe II, cui non
piacevano né l'antisemitismo di Lueger né il suo stile demagogico
di guidare le masse.

   Lueger identificava gli ebrei con l'ateismo, il liberalismo, il
capitalismo finanziario e la socialdemocrazia, mali che i cattolici
sociali avevano sempre denunciato [41]. Egli perseguì una politica
che cercava di neutralizzare questi cosiddetti strumenti del potere
ebraico e riuscì a sottrarre la rete municipale dei trasporti e i
servizi pubblici di Vienna alla stretta mortale del capitale straniero (in massima parte inglese). Il risultato fu che egli diede
a Vienna un buon sistema di autobus e così pure migliori servizi
del gas ed elettrici, entrambi ora di proprietà della municipalità.
Riformò anche l'assistenza pubblica, creando istituzioni come
ricoveri per i poveri, orfanotrofi comunali e l'ufficio di colloca-
mento comunale. Fu abbandonato il concetto liberale del « fare
da sé » e furono aperti servizi sanitari e così pure scuole per
gli elementi più poveri della popolazione. Infine Lueger creò
intorno alla città una cintura di verde. L'amministrazione cittadina socialdemocratica posteriore alla prima guerra mondiale non
fece che continuare là dove Lueger aveva smesso [42].

   In tal modo l'« onesto lavoro », e cioè l'indipendenza dal
capitalismo finanziario, avrebbe trionfato e la proprietà privata
cristiana sarebbe stata salva. Lueger fu un sindaco popolare, ma
la sua amministrazione, cui arrise tanto successo, basata com'era
su una professione di antisemitismo, spaventò molti ebrei viennesi. In realtà Lueger non li perseguitò e alcuni di loro rimasero
suoi amici intimi. Una volta, scherzando, egli coniò la frase « sono
io a decidere chi è ebreo » [43]. L'antisemitismo verbale si sostituì

all'esclusione degli ebrei dalla vita viennese promessa dal programma elettorale del partito cristiano sociale. Lueger si preoccupò di dimostrarsi un cattolico praticante, un fedele figlio della Chiesa e dell'impero asburgico.

Malgrado la tentennante politica verso gli ebrei, non mancarono tra i razzisti degli ammiratori di Lueger: Edouard Drumont, per esempio, lo ha elogiato per aver dimostrato che l'antisemitismo non era fatto solo di retorica, ma era capace anche di realizzare riforme concrete, mentre Hitler, che in gioventù aveva assistito ai suoi funerali di massa, lo ammirava come sindaco, ma, con maggiore perspicacia di Drumont, lo criticava per non essere stato un vero razzista e non avere perciò attuato una coerente politica antiebraica [44].

Anche in Francia il più importante movimento politico di destra dimostrò il suo attivo cattolicesimo e insieme il suo antisemitismo, anche se non ottenne mai il potere ad alcun livello di governo. L'Action française era nata durante l'affare Dreyfus (1899) per sfruttare i sentimenti antirepubblicani e per riportare in Francia l'*ancien régime*: come prima cosa essa postulava la restaurazione della monarchia, sostenendo che, realizzata questa condizione e tornati gli ebrei sotto la regolamentazione vigente ai tempi dell'*ancien régime*, il problema ebraico non sarebbe più esistito [45]. Tuttavia l'atteggiamento nei confronti della razza per un'organizzazione nata durante l'affare Dreyfus non era così semplice: Charles Maurras, leader dell'Action française, asserì che la razza come realtà fisica non esisteva, ma contemporaneamente postulò una razza francese gallo-latina [46].

Non solo molti antisemiti accorsero sotto la bandiera dell'Action française, che era appoggiata da un vasto settore della gerarchia cattolica, ma Maurras aderì anche ad alcune iniziative apertamente razziste di Drumont. Inoltre, i « camelots du roi », il movimento giovanile dell'Action française, ebbe un carattere anche più accentuatamente radicale dei suoi leader. I camelots organizzarono dimostrazioni sulle piazze, non indietreggiarono di fronte all'uso della violenza e il loro attivismo culminò nel 1908, nell'occupazione della Sorbona per protestare contro un certo professor Thalmas, accusato di avere insultato Giovanna d'Arco. Questo gruppo giovanile cattolico e monarchico estese i suoi contatti sino agli anarchici i quali, da parte loro, si sentirono attratti dai suoi metodi violenti [47].

Ma l'alleanza tra monarchici e operai cui i camelots aspiravano non diventò mai una realtà, perché i loro iscritti comprendevano prevalentemente studenti, impiegati del commercio e apprendisti. In Germania, giovani di una identica provenienza sociale avevano aderito al movimento cristiano sociale, protestante e antisemita, di Adolf Stoecker, di cui tra poco ci occuperemo. L'associazione degli studenti tedeschi (fondata da Stoecker nel 1881) e l'Unione degli impiegati del commercio (1895) condividevano l'opposizione dei camelots al capitalismo finanziario e al socialismo, anch'esso simboleggiato dagli ebrei. Inoltre gli studenti tedeschi, analogamente a quelli presenti tra i camelots, erano meno interessati alla loro Chiesa che alla mistica nazionale, pur essendo entrambi questi radicalismi frutto di movimenti cristiani.

Vi era molta ostentazione in queste organizzazioni: per esempio, il fazzoletto macchiato di sangue del primo camelot ferito nei tumulti del 1908 fu conservato come se fosse la bandiera dei martiri [48]. Gli studenti francesi militanti nei camelots du roi erano pieni di *esprit*, mentre l'associazione degli studenti tedeschi era meno attivistica e più propensa al dibattito e alla polemica. Inoltre, i giovani francesi auspicavano la « guerra santa » contro gli ebrei, i massoni e i repubblicani, mentre i loro camerati tedeschi non avevano una repubblica contro cui combattere ed erano fedeli sudditi della corona: essi perciò si concentrarono sugli ebrei e abbracciarono un aperto razzismo, mentre i camelots mantennero su questo problema un atteggiamento ambiguo. Ciononostante questi studenti e impiegati del commercio presagivano la radicalizzazione a destra della gioventù francese, avvenuta nella prima metà del secolo XX. Allora, movimenti come il fascismo italiano e il nazionalsocialismo tedesco riscossero larghe adesioni tra giovani di questo tipo, alla ricerca di attivismo, entusiasmo e cameratismo. In Romania, l'edizione dei *Protocolli dei saggi anziani di Sion*, nella traduzione di coloro che sarebbero stati i capi della Guardia di ferro (1922-23), era dedicata agli « studenti romeni », le future truppe d'assalto del movimento [49]. Ma se dopo la prima guerra mondiale l'appoggio dato alla destra radicale dagli studenti e da altri giovani prevalentemente delle classi medie era aumentato, esso già esisteva negli ultimi decenni del secolo XIX.

Alcuni intellettuali appartenenti all'Action française costituirono nel 1911 un « Cercle Proudhon » ispirato da Georges Sorel e presieduto da Charles Maurras. Il Circolo comprendeva nazionalisti e sindacalisti, uniti nell'opposizione alla democrazia parlamentare e al capitalismo, e l'evocazione del nome di Proudhon simboleggiava appunto la volontà di distruggere questi strumenti del potere borghese. C'è però da chiedersi se il Circolo adottò anche l'odio di Proudhon verso gli ebrei.

Il Circolo asseriva che l'*Action française* voleva strappare il potere politico all'«oro ebraico» per consegnarlo al «sangue francese» e si impegnò a sostenere associazioni di piccoli produttori perché li riteneva particolarmente adatti a combattere sia le classi medie che la democrazia parlamentare. I borghesi erano diventati «giudaizzati», la repubblica era una creazione degli ebrei e dei massoni e all'elenco dei nemici della Francia cattolica e monarchica furono aggiunti anche i protestanti e i tedeschi [50].

I membri del Circolo condividevano l'amore di Maurras per l'armonia e l'ordine dell'*ancien régime*, da loro identificato con la ragione, anche se vedevano nell'uso della violenza una catarsi delle proprie frustrazioni. È tipico che il Circolo abbia elogiato la «bellezza della violenza al servizio della ragione», quantunque, al pari di Maurras, non abbia mai dato attuazione a ciò che andava predicando. Tuttavia alcuni membri del Circolo costituirono un'associazione più combattiva: Georges Valois, il fondatore dell'effimero movimento fascista francese «Faisceau» (1925-27), fu una delle menti direttrici del Circolo, ed Edouard Berthe, altro suo importante membro, nel 1920 divenne comunista [51]. La loro ansia di attivismo trovò modo di manifestarsi negli anni tra le due guerre mondiali, quando essa divenne un fenomeno generale, non più confinato nella sola Francia. Ciò che prima della guerra era stato solo parole e polemiche sembrò ormai, negli anni caotici del dopoguerra, a portata di mano.

Il passaggio all'attivismo e a un razzismo più combattivo interessò quei gruppi che provenivano dall'Action française, più che la stessa organizzazione madre, la quale non si adattò mai al nuovo *élan* del mondo postbellico ed espresse uomini più radicali di quanto Maurras avrebbe desiderato, uomini che una volta abbandonato il movimento, divennero in Francia i fascisti degli anni '20 e '30. Questo fatto mette in luce una cosa importante: più reazionaria e tradizionale era la destra, meno essa era apertamente razzista; maggiore il desiderio di riforme sociali e di appoggio popolare, maggiore anche la spinta verso il razzismo come arma da opporre al capitalismo finanziario e al liberalismo. Verso la conclusione del secolo XIX, gli angosciosi problemi della concentrazione capitalistica, della razionalizzazione di tutti gli aspetti della vita e della conseguente spersonalizzazione portarono alla ribalta una destra radicale che cercava un rimedio ad essi nell'azione sociale e nel razzismo. I movimenti cattolici seguirono il medesimo corso ma, con la loro abituale ambivalenza, si arrestarono di fronte a un razzismo che negava la rinascita cristiana.

Il punto di vista dei cattolici sugli ebrei e sulla razza fu bene sintetizzato dal vescovo Alois Hudal, che guidò la comunità cattolica tedesca a Roma negli anni '30 e '40. Nel suo libro *I fondamenti del nazionalsocialismo* (*Grundlagen des National-sozialismus*, 1937) egli auspicava un'alleanza tra il cattolicesimo e l'« uomo germanico » da poco ridesto[52]: il nazionalsocialismo avrebbe dovuto respingere il neo-paganesimo e diventare un movimento unicamente sociale e politico, senza pretendere di offrire una nuova e potenzialmente anticristiana visione del mondo. Il vescovo respingeva il razzismo e condannava Gobineau, Chamberlain e Alfred Rosenberg e scrisse che il cristianesimo non poteva accontentarsi di fedeli limitati ai soli ariani, né poteva tollerare attacchi al Vecchio Testamento. Per queste idee i nazisti misero all'indice il suo libro. Tuttavia in questo medesimo opuscolo, gli ebrei erano accusati di razzismo, perché rivendicavano una loro supposta superiorità che si diceva minacciasse la cultura e l'economia della Germania[53].

A giudizio del vescovo Hudal gli ebrei erano il simbolo del liberalismo e dell'avversione alla Chiesa ed egli pensava con nostalgia al tempo in cui essi erano esclusi dalla vita dei cristiani e vivevano nei ghetti. In sostanza il vescovo Hudal giustificò le leggi naziste di Norimberga che, viste come misure di autodifesa, miravano ad escludere gli ebrei dalla vita tedesca. Non era solo il timore per la modernità ad animare la prosa del vescovo, ma anche la necessità di trovare alleati nella lotta contro il bolscevismo[54]. Nel conflitto con la sinistra e il liberalismo la Chiesa fu trascinata nelle braccia della destra e una volta diventata sua prigioniera essa fu anche spinta ad avvicinarsi al razzismo, che del resto rappresentò sempre per lei una tentazione. Il fatto che il papa abbia affidato al vescovo Hudal il soccorso degli ebrei di Roma nel 1942 ha certo un suo lato ironico[55], ma dimostra anche quali siano state le conseguenze di un cristianesimo infetto.

Inutile a dirsi, la garbata ed esitante richiesta del vescovo di porre fine agli arresti degli ebrei incontrò solo disprezzo [56].

Anche il protestantesimo rimase contagiato dall'antisemitismo e dal razzismo, specialmente nelle zone dove era in maggioranza. L'attività politica di Adolf Stoecker rientrava nel suo zelo missionario: predicatore di corte presso Guglielmo II, egli aveva per la prima volta preso coscienza delle condizioni delle classi lavoratrici di Berlino quando aveva tentato di persuadere i lavoratori a partecipare attivamente alla vita della Chiesa e nel 1878 aveva fondato il partito cristiano sociale con il programma in parte di migliorare le condizioni di vita dei lavoratori, ma in parte anche di meglio integrarli nello stato tedesco da poco tempo unito. Il programma sociale di Stoecker aveva un carattere conservatore se confrontato con quello di Lueger: esso chiedeva una tassa sulla borsa valori e leggi contro l'usura, e al pari del movimento sociale cattolico favoriva il sindacalismo, visto come un auspicato ritorno alle corporazioni medievali. In ultimo, Stoecker attribuiva allo stato il compito di difendere la mano d'opera tedesca contro la concorrenza straniera. Il partito cristiano sociale avversava il liberalismo, la socialdemocrazia e il capitalismo finanziario, e aveva insomma gli stessi nemici del movimento sociale cattolico.

Stoecker cambiò tattica dopo il disastro elettorale del 1878, quando raccolse meno di 1.500 voti [57], e si concentrò sugli ebrei, considerati un ostacolo alla giustizia sociale. Una volta ancora l'antisemitismo dimostrò la propria efficacia sul piano politico: sappiamo infatti che tutte le volte che Stoecker, nel 1880 e 1881, teneva delle prediche sulla Bibbia, in chiesa erano presenti a malapena un centinaio di persone, ma quando fustigava gli ebrei aveva un pubblico di parecchie migliaia di persone [58]. Stoecker non incitava i suoi ascoltatori alla violenza, anzi adottava un tono moderato, facendo distinzione tra i buoni ebrei che si guadagnavano il pane con la dura fatica e quelli che controllavano la borsa valori. Inoltre egli credeva che il battesimo avesse la capacità di redimere completamente gli ebrei. Il successo di Stoecker mostra quanto la tradizione antisemita cristiana fosse profonda, ma la possibilità che essa riaffiorasse esisteva non solo in Germania bensì in ogni angolo dell'Europa.

Non sorprende che Stoecker si sia personalmente avvicinato sempre di più al partito conservatore tedesco. Questo poggiava su cosiddetti princìpi cristiani (anche se era stato fondato dall'ebreo convertito Julius Stahl) e verso la fine del secolo aveva rafforzato i propri legami con i movimenti antisemiti. In un raduno alla Tivoli Halle di Berlino nel 1892 i conservatori adottarono un programma che ricalcava le idee di Stoecker: esaltazione del cristianesimo, della monarchia e della patria, condanna del capitalismo finanziario e appello a respingere l'inammissibile influenza ebraica in Germania. Ma al raduno il giudizio del pubblico sugli ebrei era più radicale di quello formulato nel « programma di Tivoli », e nelle province i conservatori collaborarono talvolta con gruppi razzisti [59]. Con il declino della stella di Stoecker i conservatori ricevettero dall'alleanza con la Lega agraria un'ulteriore spinta verso un esplicito razzismo.

In Germania, così come in Francia e in Austria, la destra conservatrice trovò negli ideali cristiani e nella fedeltà alla legge e all'ordine un freno all'adozione esplicita del razzismo. Charles Maurras in Francia e i conservatori in Germania erano convinti che un'aperta sostituzione del razzismo al cristianesimo avrebbe distrutto l'ordine e l'autorità tradizionali e fatto correre il pericolo di violenze incontrollabili. Queste opinioni trovarono riflesso nell'opposizione dell'Action française al fascismo e nell'ostilità dei conservatori prussiani al nazionalsocialismo.

Grazie a questo atteggiamento l'antisemitismo cattolico o protestante da noi ora esaminato poté essere accettato come un mezzo per rafforzare il vecchio ordine. Ma la causa antiebraica riuscì a procurarsi rispettabilità anche alleandosi ad uomini che godevano di prestigio accademico, e ciò avvenne specialmente in Germania, dove la figura del professore era collocata ai gradini più alti della gerarchia sociale. Questo spiega la risonanza del famoso articolo di Heinrich von Treitschke, professore di storia all'università di Berlino, sulla questione ebraica (1879). Treitschke accusava gli ebrei immigrati in Germania dall'Europa orientale di essere le truppe d'assalto di un'invasione straniera destinata a dominare la borsa e i giornali. Questi « giovani venditori di pantaloni » sarebbero stati, a suo parere, i nemici di una Germania in cui cristianesimo e nazionalità si identificavano. Il famoso professore non era razzista, e auspicava la completa assimilazione nella nazione cristiana degli stabili ebrei tedeschi, ma escludeva quelli provenienti dai ghetti dell'Est che incarnavano un'« esistenza semitica » e che egli sprezzantemente definiva

« orientali di lingua tedesca ». In quanto tali essi erano l'esatto contrario degli ideali germanici e cristiani di giustizia sociale, perché privi di rispetto sia per la monarchia che per la patria [60].

Treitschke, nel suo tentativo di essere obiettivo, ammetteva, seguendo la tradizione del cristianesimo, la completa assimilazione di singoli ebrei, un punto di vista che però non era altro che la riproposta delle condizioni indicate dall'Illuminismo come necessarie per l'assimilazione; ma ai requisiti del lavoro onesto e della buona condotta civica, egli aggiungeva, come ulteriore ostacolo per l'ammissione tra gli « eletti », anche il battesimo. Come nell'età dell'Illuminismo, lo stereotipo ebraico era rimasto intatto, e per sottrarsi ad esso si pensava che il singolo ebreo dovesse faticare duramente.

In teoria, è vero, egli poteva ancora sottrarvisi, ma il razzismo e l'antisemitismo cristiano nutrivano anche tutti gli altri pregiudizi nei riguardi dell'ebreo. Le tradizionali accuse medievali e cristiane contro gli ebrei non erano state abbandonate e anzi ora esse si intrecciarono con i timori per il capitalismo finanziario e le limitazioni imposte dalla società moderna. La prima guerra mondiale spinse il cristianesimo ad accentuare le proprie tendenze patriottiche, con pastori e preti che benedicevano i rispettivi schieramenti in conflitto. A ciò si deve aggiungere che per le varie nazionalità comprese negli imperi austriaco e russo le Chiese erano diventate il simbolo della lotta di liberazione nazionale. Per quanto comprensibile possa essere questo collegamento tra le Chiese e le aspirazioni nazionali dei loro fedeli, bisogna però riconoscere che esso contribuì a indebolire ulteriormente un universalismo e una tolleranza dai quali la maggioranza delle Chiese cristiane da tempo si stava allontanando. Esse non si dimostrarono barriere efficaci all'attuazione della politica razziale, malgrado il fatto che alcuni coraggiosi uomini di chiesa si siano opposti alla politica nazista di sterminio degli ebrei.

Si era fatto in modo da far apparire gli ebrei un ostacolo al ritorno a una società giusta, cristiana e gerarchicamente organizzata. La recisione dei legami con l'antico patto aveva lasciato gli ebrei senza protezione di fronte al cristianesimo: ora essi furono visti non solo nel ruolo del tradizionale malvagio del dramma della salvezza, ma come la forza traente dell'ateismo e del materialismo dei tempi presenti. Anche le preoccupazioni sociali del moderno cristianesimo avevano trovato il proprio nemico, per

X

LA NASCITA DEL NAZIONALSOCIALISMO

Può sembrare che il ruolo svolto dall'Europa centrale nello sviluppo del razzismo nel secolo XIX abbia avuto una grande importanza, e si è ritenuto che fossero soprattutto le varie componenti della mistica razziale a soddisfare l'aspirazione per una vera comunità nazionale e per un organico rapporto con la vita e la politica. Ma gli elementi necessari alla costruzione del razzismo vennero dall'intera Europa e non solo dalla Germania o dall'Austria; anzi, durante gli ultimi decenni del secolo XIX, quando il razzismo era ovunque in rapido progresso, sembrò che la Francia fosse destinata ad essere il paese in cui il razzismo avrebbe acquistato un peso determinante sulla politica nazionale.

I contemporanei pensarono che il razzismo fosse penetrato in Francia all'improvviso e rapidamente dagli anni '80 in poi, agevolato dagli scandali finanziari, dalla corruzione della Terza repubblica, dalla cessione dell'Alsazia-Lorena alla Germania e in ultimo, ma non per importanza, dall'affare Dreyfus. In realtà però in questa nazione già esisteva un antisemitismo cattolico che aveva preparato il terreno al razzismo. Esso era particolarmente forte nelle campagne, dove, come abbiamo visto, preti cattolici e laici attaccavano spesso ebrei, massoni e repubblicani. Il fallimento nel 1882 dell'Union générale, una banca cattolica e monarchica — il primo dei grandi scandali finanziari che avrebbero scosso la Francia —, fu imputato dal clero a tutte le forze ostili alla Chiesa, ma particolarmente agli ebrei [1]. Tuttavia questi anatemi lanciati dalla destra non denotavano necessariamente un'adesione al razzismo, anche se talvolta erano a questo proposito ambigui.

La corrente principale dell'antisemitismo francese tentò di

collegare il nazionalismo con la riforma sociale e politica. Gli antisemiti si interessavano soprattutto dell'unità nazionale, rifiutavano il conflitto di classe, propendendo invece per l'integrazione tra le classi, senza però accettare l'esistente ordine capitalistico borghese. Essi desideravano una più equa distribuzione delle ricchezze e chiedevano la partecipazione di tutte le classi della popolazione al processo politico. È necessario spiegare un po' più nei dettagli la posizione sociale e politica di questo antisemitismo, perché esso diede dinamismo al pensiero razziale francese. Sin dalla metà del secolo scorso gli uomini e le donne che sostenevano simili opinioni erano stati definiti nazionalsocialisti, un nome che Hitler ha adottato per il suo partito molto tempo dopo che esso era diventato di uso comune per indicare una dottrina politica che aspirava a una forma di governo sociale e insieme nazionale.

Il nazionalsocialismo non accettava l'esistente sistema capitalistico, ma non condannava nemmeno l'intera proprietà privata. Al contrario, esso sosteneva che doveva essere mantenuta una società organizzata gerarchicamente, pur sempre però garantendo il diritto al lavoro e promuovendo sistemi di assicurazioni sociali per le classi lavoratrici. L'avversione del nazionalsocialismo era diretta solo contro il capitalismo finanziario: le banche e la borsa valori. L'abolizione della « schiavitù dei tassi d'interesse » avrebbe prodotto sia la giustizia sociale che l'unità nazionale. Edouard Drumont ha succintamente esposto, dopo il 1870, quali fossero i timori che assillavano i nazionalsocialisti: « L'espropriazione della società ad opera del capitale finanziario avviene con una regolarità paragonabile alle leggi della natura. Se entro i prossimi cinquanta-cento anni non si fa nulla per arrestare questo processo, tutta la società europea cadrà, legata mani e piedi, nelle mani di poche centinaia di banchieri »[2].

Arrestare questo corso voleva dire eliminare gli ebrei dalla vita nazionale, perché essi erano diventati i simboli del predominio del capitalismo finanziario. Già abbiamo visto il ruolo svolto dalla casa Rothschild nella crescita di questo mito e persino quello della leggenda dell'ebreo errante, mentre l'immagine dell'ebreo usuraio risaliva a tempi più antichi. Ora, con la crisi economica degli ultimi decenni del secolo XIX, nella quale gli ebrei erano coinvolti in modo rilevante, la figura dell'ebreo capitalista finanziario balzò in primo piano a simbolo del potere della ricchezza improduttiva contrapposta ai produttori, ingiustamente condannati a una vita di miseria e di bisogno. Qui è importante il rilievo dato alla produzione, perché pur avendo l'ebreo usuraio rappresentato sempre un'immagine opposta a quella dell'« onesto lavoro », ora essa fu proiettata sulle tensioni e le ansie di un capitalismo in sviluppo[3]. I critici del capitalismo finanziario si rivolsero al passato, quando per produttività si intendeva denaro guadagnato col sudore della fronte, mentre il suo accrescimento non accompagnato dalla fatica individuale era stato da sempre stigmatizzato come improduttivo. L'identificazione degli ebrei con il capitalismo finanziario fu tipica dell'intera Europa, così come gli interessi bancari della famiglia Rothschild erano un fatto che interessava tutto il continente; ma in Francia questo mito dominò su tutti gli altri e di tanto in tanto riscosse un notevole favore tra la classe lavoratrice.

Alphonse de Toussenel (1803-1885), già discepolo del socialista utopista Charles Fourier, ha avuto parecchia influenza nel rendere popolare il nazionalsocialismo e da lui sarebbe venuto il più importante attacco contro le colpe congenite e irrimediabili del dominio ebraico. In *Gli ebrei, re dell'epoca* (*Les Juifs, rois de l'époque*, 1845), che aveva per sottotitolo *Storia dell'aristocrazia feudale dei finanzieri*, egli ha fuso l'immagine medievale dell'ebreo usuraio con il populismo caratteristico di una società improvvisamente piombata nel vortice della fase iniziale del capitalismo[4].

Gli ebrei, secondo Toussenel, dominerebbero il mondo grazie al controllo del capitale finanziario e tale assunto era da lui rafforzato con attacchi contro la casa Rothschild: in effetti, dopo l'uscita del libro, questo simbolo della cospirazione capitalistica ed ebraica fu sommerso da un profluvio di opuscoli ad esso ostili. Le origini sociali di Toussenel erano nella campagna, vittima, a suo giudizio, del saccheggio perpetrato a suo danno dagli ebrei, un'opinione questa condivisa da molti scrittori tedeschi, secondo i quali l'ebreo era il nemico del contadino. Anche altri socialisti antisemiti, come Fourier e Pierre Joseph Proudhon, avevano un'origine contadina; tuttavia l'orientamento di Toussenel a favore della campagna, a differenza di quello di Proudhon, non implicava opposizione alla centralizzazione; anzi egli elogiava gli sforzi centralizzatori dell'*ancien régime* e criticava il declino dell'autorità centrale che, a suo parere, avrebbe comportato l'abbandono dei poveri e indifesi lavoratori.

Era il patriottismo che induceva Toussenel a guardare con nostalgia ai re dei tempi andati, da lui giudicati non dei despoti, ma espressione stessa dei loro popoli. E insieme agli ebrei il suo odio era diretto contro gli inglesi e gli olandesi, dei popoli protestanti che avevano cercato di ridurre la potenza della Francia. A metà del secolo XIX le idee di Toussenel non differivano molto da quelle che avrebbero espresso alla fine del secolo uomini come Edouard Drumont. Componenti costitutive del « socialismo » di Toussenel erano l'interesse per il diritto al lavoro, l'opposizione al capitalismo finanziario e la richiesta di eguaglianza per tutti i francesi. Egli credeva che tale eguaglianza fosse esistita nel Medioevo, quando i francesi avevano costituito una vera comunità.

Pierre-Joseph Proudhon (1809-1865) si differenziava da Toussenel soprattutto perché era convinto che alla base del governo vi dovesse essere la libera associazione e che la riforma morale dell'individuo avrebbe reso inutile l'uso della forza tra gli uomini. Ma questo ottimismo sulle possibilità umane si mescolava, nuovamente, con una mentalità ancora arretrata, che scorgeva negli ebrei e nel capitalismo finanziario il nemico implacabile e odiato. Le preoccupazioni sociali di uomini come Toussenel e Proudhon si basavano sul rifiuto della modernità e sull'avversione per la civiltà concepita come frutto dell'urbanizzazione. Perciò essi concordavano con Richard Wagner, il loro più giovane contemporaneo tedesco, sul fatto che l'eguaglianza tra il popolo e il perseguimento della giustizia sociale dovessero comportare la distruzione della « potenza dell'oro », di cui gli ebrei erano il simbolo, e in virtù della quale essi sfruttavano il popolo tra il quale vivevano.

L'ebreo che usava l'oro come un'arma era ritenuto incapace di lavoro onesto, e Proudhon arrivò a scrivere che l'ebreo « è per temperamento un anti-produttore, non è né un agricoltore e nemmeno un vero commerciante »: in breve, egli avrebbe solo caratteristiche negative[5]. Proudhon in pubblico si esprimeva con prudenza, ma in privato definiva gli ebrei i nemici della razza umana, che avrebbero dovuto essere cacciati da ogni impiego ed espulsi dalla Francia, mentre le loro sinagoghe avrebbero dovuto essere chiuse. Come Toussenel, anche Proudhon era spinto su una posizione razzista dall'avversione per il capitalismo finanziario. Egli dichiarò: « si deve rimandare questa razza in Asia o sterminarla »[6]. Le comunità da lui vagheggggiate erano basate sul consenso individuale di tutti i membri, ed esse, anzi, in virtù degli accordi volontariamente stretti tra tutti i loro futuri appartenenti, avrebbero assunto un carattere di reciprocità che avrebbe reso inutile il ricorso alla forza o all'autorità. Il fatto che l'appello alla cacciata della razza ebraica sia venuto da un uomo di principi comunitaristici ha un significato tutt'altro che casuale.

Attraverso questi uomini e i loro eredi, il razzismo è entrato a far parte di quell'esperienza comunitaristica che, verso la fine del secolo XIX, fu l'aspirazione di un gran numero di uomini. Il razzismo ha tentato di fornire il cemento per una comunità umana unita dall'affinità e non creata dalla coercizione sociale, una comunità auspicata sia dai nazionalisti sia da alcuni socialisti. Per Fourier, Toussenel e Proudhon era questo il socialismo comunitaristico, che non aveva nulla in comune con il marxismo; inoltre, essi erano d'accordo con quei nazionalisti per i quali i tratti caratterizzanti tale società erano la storia comune, la terra natale e un vago senso di interiore necessità. L'ideale comunitaristico di Toussenel e Proudhon faceva perno sulla nazione, mentre l'universalismo non rientrava nelle loro dottrine perché essi erano innanzi tutto interessati al destino della Francia.

La razza ebraica, essi sostenevano, era sfruttatrice, competitiva e amorale e perciò le doveva essere interdetta la partecipazione a una comunità genuinamente nazionale e socialista. La prima guerra mondiale ha contribuito all'esaltazione del cameratismo, il quale a sua volta ha rafforzato l'aspirazione per una siffatta comunità. Il fascismo avrebbe in un secondo tempo raccolto questa eredità, ma il razzismo, a cominciare dalle teorie di questi primi nazionalsocialisti francesi, aveva già stretto alleanza con questo ideale.

Se le concezioni socialiste di Toussenel e di Proudhon non avevano nulla in comune con quelle di Marx, essi però condividevano l'opinione di quest'ultimo sugli ebrei. Negli articoli sulla questione ebraica (1844) Marx ha sostenuto che gli ebrei simboleggiano non solo il capitalismo finanziario, ma il capitalismo di qualsiasi tipo, e Toussenel avrebbe sottoscritto l'esclamazione di Marx secondo la quale « il denaro è lo zelante Dio di Israele » [7]. La cambiale, sosteneva Marx, è il Dio degli ebrei e la legge ebraica non è che una caricatura della morale. Scarsa meraviglia suscita il fatto che il saggio di Marx sia stato ristampato di tanto in tanto dai socialisti antisemiti, poiché esso aveva anche il merito di rappresentare quel tipo di autoconfessione di un ebreo che per tutti i razzisti costituisce la prova della verità. Marx aveva posto a conclusione del suo trattato la frase: «l'emancipazione sociale dell'ebraismo è l'emancipazione della società dall'ebraismo», e aveva sostenuto che l'abolizione dell'«usura e delle sue pre-condizioni» (cioè il capitalismo) avrebbe fatto scomparire l'ebreo, dato che le accuse contro di lui non avrebbero avuto più niente su cui basarsi ed egli perciò si sarebbe umanizzato [8]. Questa argomentazione era l'opposto di qualsiasi razzismo, perché favorevole alla completa assimilazione e all'abolizióne dei conflitti tra gli uomini. In definitiva, Marx nelle sue conclusioni differiva radicalmente da quei socialisti francesi che volevano espellere o annientare gli ebrei [9].

Fu però Edouard Drumont (1844-1917) a diventare il celebrato e controverso nazionalsocialista della Francia fine secolo. Nel suo *La Francia giudea* (*La France juive*, 1886), di cui si vendettero più di un milione di copie, egli diffuse l'annuncio che i responsabili dell'attuale stato di degenerazione nazionale e sociale erano i semiti, trafficanti, avidi, orditori di trame segrete e scaltri. Anche il giornale di Drumont, «Libre parole», e gli altri suoi quattordici libri ebbero vasta circolazione; in aggiunta a ciò Drumont non si stancò di costituire leghe e di stringere alleanze con chiunque la pensasse come lui: in tutta la sua attività egli si rivolse alle classi più umili e agli operai perché collaborassero al successo della sua impresa, e cioè la costituzione di uno stato nazionale e sociale sbarazzandosi degli ebrei.

Drumont credeva che la questione ebraica fosse la chiave di volta della storia francese e invocò la rivolta delle masse contro l'oppressore ebreo; «Libre parole» si compiaceva di dare descrizioni commosse della miseria delle classi lavoratrici [10]. L'espulsione degli ebrei dalla Francia avrebbe instaurato la giustizia sociale, perché attuando questa misura le loro proprietà sarebbero state confiscate e distribuite tra tutti coloro che avevano partecipato alla lotta. Dato che Drumont credeva che tali proprietà fossero immense e dominassero tutta la vita economica, la loro ridistribuzione avrebbe comportato un notevole mutamento economico.

È abbastanza tipico che Drumont associasse agli ebrei i massoni e i protestanti, i quali avrebbero dovuto scomparire tutti dalla vita francese: anche se reputava il cattolicesimo necessario alla coesione sociale, egli non era personalmente un convinto credente e disprezzava il clero cattolico francese, perché debole e al soldo del capitale ebraico [11]. Non era perciò il cattolicesimo a impedirgli di considerare gli ebrei una razza.

Drumont continuò la lotta iniziata da Toussenel, di cui condivise l'antisemitismo, e per dare maggiore consistenza alla sua analisi sulla decadenza della Francia si servì di citazioni tratte da Jean-Baptiste Morel e da Cesare Lombroso. Il malvagio ebreo era riconoscibile dai segni del suo decadimento fisico: il naso adunco, lo sguardo sfuggente, le orecchie sporgenti, il corpo allampanato, i piedi piatti, le mani umidicce [12]. In Drumont era presente l'immagine dell'ebreo senza radici, collegato, in questo caso, al suo supposto lontano passato di popolo del deserto e nomade; egli infatti affermò che l'ebreo aveva l'« anima di un beduino, capace di dar fuoco a una città per bollirsi l'uovo » [13], e pensava che la Russia fosse l'unica nazione alla quale era stata risparmiata la decadenza grazie alla politica antiebraica da essa adottata.

Drumont smentì ripetutamente qualsiasi intenzione di proclamare la guerra santa o di attaccare la fede ebraica: « non ho mai insultato un rabbino », scrisse [14], ed evitò abilmente i problemi religiosi, dando così alla guerra contro gli ebrei il carattere di guerra razziale. La prefazione di Drumont al *Talmud-Jude* di Rohling presentava questo libro come un modello di come si dovessero descrivere la bramosia per il potere degli ebrei e la loro mancanza di moralità; e trattandosi di una fonte che non poteva essere collegata con il cristianesimo, essa poté essere accettata come prova della malvagità ebraica meglio dei passi tratti dal Vecchio Testamento. Infine Drumont diffuse contro gli ebrei anche la « calunnia del sangue » [15].

Drumont fu soprattutto un giornalista, ma, a differenza di Gobineau o di Chamberlain, per favorire la propria causa egli si impegnò anche nella creazione di movimenti sociali e politici. « La ligue anti-sémite », per esempio, fondata nel 1890, affermava che si sarebbero dovuti creare nuovi sindacati, con il compito di espropriare i monopoli finanziari, e chiedeva la concessione di crediti senza interessi. Ma questa e tutte le altre leghe da lui fondate ebbero dimensioni molto modeste e furono prive di importanza: fu solo grazie a un'autorità da lui esercitata indirettamente che Drumont riuscì finalmente a entrare in contatto con un movimento più vasto.

Il sindacato denominato « Les jaunes », fondato nel 1900, aveva più di 100.000 aderenti tra il 1903, quando si pose sotto l'egida di Drumont, e il 1908, anno in cui si sciolse. Il suo leader Pierre Biétry adottò l'anticapitalismo a sfondo antisemita di Drumont. « Les jaunes », così battezzati da quando alcuni operai che avevano rifiutato di aderire a uno sciopero adoperarono della carta gialla per riparare i vetri infranti delle finestre della loro sala di riunione, a quel tempo non erano un semplice sindacato d'impresa: essi organizzavano scioperi, pur sempre rispettando il prescritto periodo d'attesa, e favorivano la proprietà di fabbriche da parte di cooperative operaie. Ma le loro prospettive future puntavano sull'ascesa degli operai al rango di proprietari, e naturalmente si trattava di operai patriottici che combattevano gli ebrei, i rossi e i massoni insieme [16].

Il sindacato chiedeva sicurezza di lavoro, sistemi di assicurazioni sociali e tutte le altre cose tipiche di quel nazionalsocialismo di cui abbiamo parlato. Gli iscritti erano di diversa provenienza, andando dai macellai di Parigi, ai lavoratori tessili di Lilla, ai tessitori di Albi e a un considerevole numero di operai dell'industria. Altri aderenti alla destra francese, oltre a Drumont, si unirono a « Les jaunes », compiaciuti per un nuovo genere di sindacato che era patriottico, che considerava gli operai non dei proletari, ma dei futuri proprietari, e che tuttavia prendeva in campo industriale qualche iniziativa ostile al nemico capitalista.

L'entusiasmo era ben giustificato: in nessun altro posto dell'Europa centrale od occidentale precedentemente alla prima guerra mondiale la destra era penetrata tanto a fondo tra la popolazione con un'organizzazione di massa, tranne che nel 1897 in occasione dell'elezione a sindaco di Vienna di Karl Lueger. L'effimero successo di « Les jaunes » deve essere attribuito all'amara delusione provata dai lavoratori per il fallimento, precedente alla costituzione del nuovo sindacato, di un'ondata di scioperi; non appena però i sindacati radicali non furono più propensi a una politica di confronto con i loro datori di lavoro, gli operai tornarono alle loro vecchie organizzazioni di lavoro. Nemmeno gli agitatori forniti da Drumont riuscirono a impedire la fine di « Les jaunes »; ma quel tempo, intorno al 1908, Drumont stesso era ormai un personaggio isolato.

Nonostante ciò, ancora nel 1931 Drumont fu riesumato e presentato alla gioventù francese come un modello da G. Bernanos: il Drumont esaltato da Bernanos nella *Grande paura dei benpensanti* (*La grande peur des bien-pensants*, 1931) aveva una capacità di attrazione non diversa da quella da lui effettivamente esercitata quando era al culmine della sua influenza, il fascino cioè del risoluto radicale che aveva rifiutato di scendere a compromessi con i conservatori, i liberali e i socialisti, traditori della loro missione mirante alla liberazione dell'uomo e venuti invece a patti con la borghesia egoista e avida. Sotto la penna di Bernanos, Drumont divenne per le più giovani generazioni francesi l'esempio della giusta lotta contro una società che essendo senza Dio, era priva di significato. Drumont incarnava l'eroica lotta per una vita ricca di significato, impegnata alla realizzazione dell'individuo contro il nemico borghese, simboleggiato dall'ebreo senza anima [17].

Probabilmente, nel 1931, l'interesse di Bernanos non era rivolto tanto all'ebreo in sé quanto al significato generale delle idee di Drumont; ma non era facile togliere alla lotta che Drumont aveva sostenuto contro la supposta degenerazione dei suoi tempi il simbolo dell'ebreo e del resto, in *La grande peur des bien-pensants*, Bernanos non lo ha nemmeno tentato. Sebbene pochi anni dopo egli abbia ripudiato queste opinioni è significativo che sia stato Drumont, e non un altro qualsiasi possibile eroe della destra o della sinistra, ad essere preso ad esempio di chi giustamente si oppone alla fiacchezza del mondo moderno, mostrando eroismo e coraggio nello smascherare l'universale cospirazione ebraica contro il mondo. Nel 1931 il razzista Drumont fu presentato alla gioventù francese come un uomo eroico di irriducibile indipendenza, che aveva osato dire ai suoi concittadini alcune sgradevoli verità. In un'epoca desolatamente priva di eroi, questa, per un razzista, fu un'immagine piena di forza.

Anche i giovani della destra, che negli anni '30 si sentirono attratti dal razzismo, riscoprirono Drumont, ed erano uomini a quel tempo vicini all'Action française e al giornale « Je suis partout » [18]. Louis-Ferdinand Céline in *Bagattelle per un massacro* (*Bagatelles pour un massacre*, 1937) riprese l'attacco contro gli ebrei secondo la tradizione di Drumont, ma, se possibile, con maggiore violenza e indiscriminatezza.

In realtà vi era in quasi tutto il razzismo antisemita francese, così come si era evoluto dalla fine del secolo XIX sino al XX, qualcosa di isterico e di violento. Jules Guérin era veramente convinto che le logge massoniche servissero a mascherare le cospirazioni ebraiche e per sconfiggere gli ebrei e i massoni con le loro stesse armi egli fondò il « Grande Oriente », antiebraico e antirepubblicano: nella sua sede, in rue de Chabrol, Guérin raccolse armi per un colpo di stato e nel 1899 sostenne per parecchi giorni un assedio della polizia; un episodio, questo del « forte Chabrol », avvenuto nel cuore della città, che per settimane fu l'evento sensazionale di Parigi.

Il ricco ed eccentrico marchese di Morès nel 1892 aveva finanziato uno sciopero a Parigi di cocchieri e di macellai e aveva creato nei quartieri operai della città dei *bistros*, dove gli avventori, per avere birra gratis, dovevano sottoscrivere un progetto di crediti agli operai ideato da Morès e condanne contro la razza ebraica. Guérin e Morès, un tempo entrambi vicini a Drumont, organizzarono delle bande, il cui nucleo era costituito dai macellai del distretto parigino di La Valette, che inscenavano dimostrazioni e provocavano disordini per le strade. Monarchici, bonapartisti e alcuni industriali sovvenzionavano la loro causa e grazie a questi finanziamenti essi poterono pagare, secondo tariffe prestabilite, i macellai per le loro dimostrazioni [19].

Per alcuni giovani Guérin e Morès simboleggiavano una « vita eroica », « felice e impegnata » [20], proprio come quella di Drumont esaltata da Bernanos. I raduni di questi gruppi e le numerose leghe consacrate alla difesa della patria e alla diffusione dell'antisemitismo risuonavano di canzoni (« chansons anti-juives »), di grida di sdegno e di discorsi polemici: erano insomma gradevoli momenti di catarsi in un mondo apatico. Le richieste erano suppergiù sempre le stesse: espellere gli ebrei dalla Francia, confiscare le loro proprietà e realizzare così una più giusta distribuzione economica dei beni. Ma da quel che si ricorda sulla reazione del pubblico, risulta che esso era spesso anche più violento e che le sue grida abituali erano « morte agli ebrei » e « impicchiamoli! » [21]. La violenza trovò sfogo per le strade in marce e dimostrazioni, che provocavano scontri con la polizia, ma per lo più gli appelli alla violenza fisica contro l'odiata razza si limitarono ad espressioni retoriche durante i raduni.

Questi erano i nazionalsocialisti: i loro aderenti aspiravano sovente a una specie di democrazia popolare con una forte *leadership*, e spesso chiedevano un sistema di governo di tipo plebiscitario. I programmi politico, economico e sociale dei nazionalsocialisti attrassero uomini e donne che si collocavano nella tradizione giacobina: essi erano ostili al sistema esistente, ma fervidi patrioti, fautori di una forma autoritaria di governo basata sul consenso popolare, celebratori dell'ideale di giustizia e di eguaglianza. La Comune parigina del 1870, a giudizio di alcuni suoi protagonisti, aveva incarnato questo programma, e fu soprattutto la maggioranza dei seguaci dell'eterno putschista Auguste Blanqui a passare dall'impegno nella Comune di Parigi ai nazionalsocialisti guidati da Ernest Granger, uno dei più intimi amici di Blanqui [22]

I blanquisti che si avvicinarono a Drumont e alle leghe antisemite non abbandonarono il loro giacobinismo. Ernest Roche, colui che fu alla loro guida alla fine del secolo, accolse gli ideali di Drumont pur continuando a proclamare la solidarietà operaia [23]. Tra questi uomini e donne vi erano Henri Rochefort, direttore dell'«Intransigeant», e la famosa anarchica Louise Michel, e tutti avevano subìto condanne e persino un temporaneo esilio per aver partecipato alla Comune parigina. Ora, il nazionalismo implicito in questa insurrezione passò in primo piano, unito a una buona dose di antisemitismo o persino di razzismo, con in più un'incurabile propensione alla violenza.

Il nazionalsocialismo francese fu rafforzato dagli eventi dell'Algeria; questa non era, a rigor di termini, una colonia, ma un dipartimento della stessa Francia e in essa la tensione tra una popolazione in cui si mescolavano francesi, ebrei e musulmani era un fatto della vita quotidiana. Gli ebrei erano estremamente in vista, perché come commercianti, banchieri e professionisti costituivano la classe media locale, oggetto di invidia sia da parte degli impoveriti musulmani, sia da parte dei coloni francesi sempre in lotta per affermarsi. Contro la volontà e malgrado le proteste dei musulmani e dei coloni, gli ebrei algerini erano stati naturalizzati in blocco dal decreto Crémieux del 1870 e da quel momento l'Algeria aveva costituito un fertile terreno per agitazioni non solo antisemite, ma anche apertamente razziste [24].

Il grande successo ottenuto dal movimento nazionalsocialista e razzista algerino nelle elezioni degli anni '90 sembra presagire il futuro con maggiore chiarezza di quasi ogni altro singolo movimento razzista contemporaneo nella stessa Europa.

Il movimento razzista in Algeria elesse dapprima i sindaci di Orano e di Costantina nel 1896 e poi conquistò il governo della città di Algeri nel 1897. Max Régis, che era il capo del movimento e il cui razzismo era pieno di dinamismo e ignorava ogni limite, aveva solo venticinque anni quando fu eletto sindaco di Algeri: egli chiese agli algerini di « innaffiare l'albero della libertà con il sangue ebraico » [25] e, appoggiato da un consiglio comunale dominato dai suoi sostenitori, tentò di cacciare gli ebrei dalla città. Régis fomentò una settimana di *pogrom*, nel corso dei quali vi furono numerosi ebrei uccisi, un centinaio di feriti e moltissime botteghe di ebrei saccheggiate e distrutte [26]. A questo punto il governo centrale francese intervenne e congedò Régis dopo un solo mese di carica.

Drumont, eletto deputato dell'Algeria alla Camera dei deputati francese con l'aiuto di Régis, era il vero interprete del violento spirito razzista di molti suoi elettori. I contemporanei paragonavano Régis a Robespierre e il suo discepolo sindaco di Costantina a Saint-Just [27]. E in effetti, dopo la sua caduta, Régis, in esilio a Parigi, condivise il programma non solo di Drumont, ma anche di quegli ex comunardi del cui giacobinismo abbiamo già parlato; egli continuò ad auspicare quella guerra tra le razze che non gli era stato consentito di combattere ad Algeri [28].

Per la prima volta era stata messa in atto una politica violenta e coerentemente razziale contro gli ebrei, stretti nella morsa costituita da una parte dai coloni francesi e dall'altra dai musulmani algerini, e indicati all'ostilità popolare come appartenenti alla classe media e come bottegai. È significativo che il primo successo riscosso dalla politica razziale si sia verificato a livello locale, perché qui la gente aveva potuto manifestare direttamente le proprie preferenze e frustrazioni, non diluite nei problemi e nella politica nazionali. Certo, da molto tempo il governo nazionale aveva adottato contro i neri dell'impero francese una politica razziale, ma in Algeria la politica antiebraica fu avversata dal governo nazionale e perciò dipese dall'appoggio popolare. Il razzismo era collegato alla democrazia e fu questo collegamento a determinare in gran parte il suo futuro in Europa.

Il nazionalsocialismo non fu confinato alla sola Francia, anche se affondò più profondamente le sue radici soprattutto in questo paese. Anche l'Europa centrale vide l'ascesa di numerosi movimenti del genere ed ebbe pensatori che auspicarono un simile stato nazionale e sociale [29]. Tuttavia le condizioni specifiche nel cui contesto trovarono espressione tali problemi sociali e nazionali ebbero importanza non tanto per l'onnipresente odio per gli ebrei e per la sollecitudine verso gli operai, quanto per come gli ebrei furono collegati ad altri nemici che in Francia non esistevano. Così, nel periodo che va dal 1881 al 1907, Georg von Schönerer e il suo movimento pan-germanista in Austria condivisero l'impostazione nazionale e sociale di Drumont, ma nella lotta contro gli slavi essi dovettero prendere di mira anche altri bersagli: doveva essere distrutta la Chiesa cattolica, che era uno dei principali sostegni dell'impero multinazionale asburgico e perciò nemica della presunta aspirazione degli austriaci tedeschi all'unione con i propri fratelli nel Reich. Lo slogan di Schönerer, « indipendenza da Roma », rifletteva la lotta dell'Austria germanica contro le altre nazionalità dell'impero. Egli voleva l'annessione dell'Austria alla Germania e come pan-germanista condannava i popoli stranieri e così pure il governo asburgico. Tuttavia furono gli ebrei a diventare la sua ossessione, il simbolo di tutti i suoi nemici. Contemporaneamente, Schönerer mescolò violenza razziale e domanda di arianizzazione, difesa delle libertà civili dei lavoratori e richieste di una più avanzata democrazia politica ed economica e condannò la censura della polizia. Quello da lui proposto era insomma un tipico programma nazionalsocialista e nel suo collegare tutti i problemi sociali e politici all'unico tema centrale « gli ebrei contro il popolo » egli mostrò un modo di pensare simile a quello di Drumont » [30].

Schönerer riscosse tra gli studenti viennesi un certo successo, paragonabile alla popolarità raggiunta, suppergiù nello stesso periodo, da Stoecker tra quelli tedeschi. Le confraternite studentesche austriache cominciarono ad escludere gli ebrei e ad adottare la discriminante ariana per l'ammissione, una cosa che le confraternite tedesche avevano fino allora rifiutato di fare, anche se molte avevano messo all'ostracismo gli ebrei. Ma Schönerer era molto più radicale di Stoecker, che da buon protestante non era stato razzista. Sin dal principio della sua carriera politica Schönerer volle invece lottare contro gli ebrei seguendo il criterio dell'« occhio per occhio, dente per dente »: il battesimo non mutava nulla, « perché la porcheria è nella razza » (« *in der Rasse liegt die Schweinerei* »).

Per combattere democraticamente il dominio asburgico Schönerer chiedeva il suffragio universale maschile, che però avrebbe dovuto essere limitato alla popolazione germanica e da essa usato per riunirsi al Reich tedesco [31]. Gli slogan di Schönerer minacciavano indiscriminatamente di morte gli ebrei, gli Asburgo e il papa, ma se la prima minaccia era tale da attrarre molte adesioni, le altre due impedirono al suo movimento pan-germanico di penetrare tra le masse cattoliche.

A un certo punto Schönerer stabilì un collegamento con gli operai specializzati e dell'industria in Boemia, messi in difficoltà da un'immigrazione cèca che minacciava i loro livelli di vita. In effetti, la frizione esistente in questa regione tra tedeschi e cechi eccitava un diffuso e persistente razzismo. I cechi erano considerati dai boemi tedeschi dei parassiti, biologicamente inferiori, ma pericolosi per la razza superiore dato il loro vigore fisico e i loro tassi di incremento demografico. Questo *furor teutonicus*, che Schönerer fece divampare, era stato in origine suscitato dal decreto Badeni del 26 aprile 1897, che equiparava in Boemia la lingua cèca al tedesco. Ancora una volta la lingua fu ritenuta un elemento essenziale della nazionalità e tutti i settori della popolazione tedesca si unirono, nella difesa del loro antico monopolio, agli studenti, i quali, al solito, erano all'avanguardia dell'agitazione. Ma anche gli operai parteciparono all'opposizione: malgrado il loro nazionalismo dovuto alla pressione dei cechi, gli operai erano sindacalmente attivi. Forse all'inizio della sua carriera Schönerer sarebbe potuto diventare il Führer dell'Ostmark (come era chiamata dai pan-germanisti questa regione dell'impero austriaco), ma ormai nel 1904 era prevalente in lui l'interesse per gli studenti e i negozianti e non quello per i lavoratori [32].

Sempre nel 1904 fu fondato in Boemia il partito dei lavoratori tedeschi (*Deutsche Arbeiter Partei*) che nel 1918, poco prima di sciogliersi, si ribattezzò partito dei lavoratori tedeschi nazional-socialisti, un nome che definiva con maggiore esattezza gli obiettivi perseguiti dai lavoratori boemi [33]. Il partito dei lavoratori tedeschi patrocinava la liberazione dei propri aderenti nella cornice del *Volk* germanico, cosa che avrebbe richiesto una forte organizzazione sindacale, libertà di stampa e di riunione e così pure la trasformazione dell'Austria imperiale in uno stato tedesco democratico e *volkisch*. In realtà la concezione di tale stato era poco più di un generico slogan diretto contro il liberalismo, dato che al massimo significava chiedere consensi popolari in appoggio a un'aggressiva politica nazionale. Sotto l'egida di giovani dirigenti e appoggiata dalle organizzazioni giovanili, la lotta del partito fu rivolta simultaneamente contro i cechi, la socialdemocrazia « ebraica » e il capitale « ebraico »[34]. All'interno del *Volk* non doveva esservi lotta di classe, ma la violenza era ammessa contro i cechi e gli ebrei. Naturalmente questo ampliamento del nazionalsocialismo interessò anche altri movimenti dei lavoratori del tipo di « Les jaunes » in Francia.

Questi svariati movimenti nazionalsocialisti non erano informati gli uni degli altri, ma ognuno rappresentava una risposta a specifiche situazioni; il fatto che queste risposte avessero tante cose in comune è importante, perché dimostra che esse rientravano in quella generale aspirazione, presente in tutta l'Europa, a una comunità più egualitaria nell'ambito della mistica nazionale. I lavoratori boemi dibattevano idee che in un secondo tempo sarebbero state riprese dal nazionalsocialismo di Hitler, ma non esistono prove che Hitler fosse a conoscenza dell'esistenza di questi suoi precursori. Inoltre, quando il partito dei lavoratori tedeschi mutò nome, il partito di Hitler non era ancora nato; malgrado ciò, nel 1923, la maggior parte dei capi del più vecchio nazionalsocialismo erano entrati a far parte di quello nuovo, che stava estendendo la sua penetrazione in Boemia e in Moravia. Nel frattempo, nella stessa Germania, questo nazionalsocialismo riscuoteva, anteriormente alla prima guerra mondiale, qualche sporadico successo sia nella teoria che nella pratica. Le dottrine elaborate da Eugen Dühring a Berlino suggerirono, anche al di là della frontiera, qualche motivo di ispirazione al movimento austriaco[35].

Karl Eugen Dühring (1833-1921) potrebbe essere definito a ragione il Drumont della Germania, e in effetti i due uomini si conoscevano; ma le teorie economiche e sociali del pensatore tedesco erano più profondamente meditate[36]. Dühring non giunse mai ad avere un seguito organizzato pari a quello di Drumont, sebbene a un certo punto Friedrich Engels abbia visto in lui una minaccia per il socialismo e abbia perciò scritto il suo

Anti-Dühring (1876), un libro la cui fama sopravvisse di gran lunga all'oggetto del suo attacco. Tuttavia Dühring non fu un personaggio trascurabile e il suo appello era in un certo senso simile a quello di Drumont. Egli fu un uomo che disprezzò ogni compromesso, che mantenne la propria indipendenza e supposta integrità in un'epoca di compromessi e corruzione: sotto questa luce fu visto da molti tedeschi, sebbene non suscitasse facilmente l'ammirazione. All'inizio del secolo, diventato cieco e cacciato dalla cattedra nell'università di Berlino, Dühring divenne paranoico e quasi folle, convinto che tutti gli avessero rubato le idee e plagiato le opere [37].

Il giovane Dühring, invece, elogiato nel 1874 dal leader socialista August Bebel e che aveva fatto colpo su Eduard Bernstein, era stato un radicale di belle speranze che, entrato inaspettatamente a far parte dell'università di Berlino, in una facoltà tutta anti-socialista, vi aveva propugnato il diritto di associazione e di sciopero degli operai. Tuttavia, a differenza di Marx, Dühring assegnava allo stato il ruolo di mediatore tra operai e datori di lavoro, pur negando nello stesso tempo che l'economia fosse regolata da leggi immutabili. Friedrich Engels lanciò l'allarme contro le deviazioni di Dühring dall'ortodossia marxista e in effetti il fatto che potesse rappresentare un pericolo per il socialismo sembrò trovare conferma quando Karl Liebknecht rese pubbliche alcune lettere di operai favorevoli alle teorie di Dühring e non a quelle di Marx [38]. Ma non era il caso che Engels si preoccupasse, dato che la carriera di Dühring stava per cambiare bruscamente con la sua espulsione dall'università di Berlino nel 1877 perché aveva insultato i suoi colleghi. A questo punto Dühring cominciò a menare colpi in tutte le direzioni, contro i socialdemocratici che lo avevano sostenuto e anche contro Richard Wagner che aveva cercato di difenderlo.

Il razzismo di Dühring venne ora in primo piano, mentre anche le sue concezioni economiche cambiavano: egli cominciò col rifiutare lo stato (che come suo datore di lavoro lo aveva cacciato dalla facoltà universitaria) e divenne fautore della formula del « fai da te » nell'ambito di comunità indipendenti. Nel 1900 era arrivato a teorizzare la necessità di un superuomo che rimettesse le cose a posto. Nello stesso tempo egli condannò gli scioperi e i sindacati: il lavoratore avrebbe dovuto essere spinto a entrare nelle classi medie [39]. A questa drastica revisione di opinioni Dühring unì una maggiore enfasi sullo spirito del *Volk*, come requisito essenziale di una società e un'economia solide.

Nel 1880 Dühring pubblicò *La questione ebraica come problema di carattere razziale e il danno da essa arrecato all'esistenza, alla morale e alla cultura dei popoli* (*Die Judenfrage als Frage des Rassencharakters und seiner Schädlichkeiten für Völkerexistenz, Sitte und Cultur*), un libro che nel 1901 contava già cinque ristampe. Il titolo illustra sufficientemente bene il suo contenuto: non vi è peccato né difetto di cui la razza ebraica non fosse ritenuta responsabile. A differenza di Drumont, Dühring condannò anche il cristianesimo, giudicato da lui un'invenzione escogitata dagli ebrei per asservire il mondo. La vasta, anche se aberrante, cultura di Dühring era impressionante e così pure la sua fama di difensore dei lavoratori, il suo interesse per tutti i popoli e non per i soli tedeschi. E questo perché, anche se aveva individuato nei tedeschi le virtù della lealtà, della fiducia e del lavoro, in complesso riteneva che la razza ebraica fosse fatale a tutta l'umanità.

La guerra razziale costituiva per Dühring una realtà attuale, proprio come avevano affermato Wilhelm Marr in *La vittoria dell'ebraismo sul Germanesimo* (*Der Sieg des Judentums über das Germanentum*, 1867) e poi Houston Stewart Chamberlain in *I fondamenti del secolo XIX*. Il confuso nazionalsocialismo di Dühring esercitò tuttavia una certa influenza su alcuni circoli della sinistra anche molto tempo dopo la sua stessa scomparsa dalla scena.

Né Dühring né gli altri agitatori antisemiti riuscirono a spezzare a Berlino l'isolamento politico in cui si trovavano. Mentre in Francia alcuni operai finirono per impegnarsi in movimenti antisemiti con base a Parigi, in Germania furono le regioni rurali a offrire l'ambiente propizio all'unica vittoriosa penetrazione del razzismo nazionalsocialista durante il secolo XIX. La Lega contadina dell'Assia (1885-94), sotto la guida di Otto Böckel, non ebbe equivalenti in regioni più occidentali, dove per esempio i sindacati agricoli francesi rimasero sotto la direzione dei cattolici e dei conservatori. Questi ultimi anzi si dimostrarono i peggiori nemici di Böckel, che secondo loro rappresentava un pericolo per la loro alleanza con i gruppi agrari. Otto Böckel aveva tutte le caratteristiche del professore, si dilettava di poesia popolare, aveva studiato per diventare bibliotecario, ma, a differenza di Dühring, aveva talento per l'organizzazione e la propaganda.

Böckel era un nazionalsocialista che al programma antiebraico unì anche progetti di riforme sociali e di istruzione popolare [40]. Egli sosteneva che gli ebrei erano una razza di parassiti e di sfruttatori, un'opinione che ebbe grande successo in Assia, dove l'insediamento ebraico nelle piccole città era denso e dove gli ebrei erano mercanti di bestiame e anche banchieri. Böckel plagiò Toussenel intitolando il proprio libro *Gli ebrei, re del nostro secolo* (*Die Juden - Könige unserer Zeit*, 1886) e la sua lega contadina inaugurò la propria attività inviando il suo saluto a Eugen Dühring [41]. Nel libro erano presenti proprio questi modelli, Toussenel e Dühring, e vi si sosteneva che il problema ebraico era una questione di razza e non di religione. Ma Böckel, pur essendo privo di originalità di pensiero, riuscì per lo meno a mettere in pratica le sue idee.

Böckel e la Lega dell'Assia volevano farla finita con ogni uso illecito del capitale, ma non pensavano di abolire la proprietà privata; Böckel esaltò la formula del «fai da te», che secondo lui avrebbe dovuto essere realizzata mediante cooperative dirette dai contadini, che avrebbero acquistato e venduto non solo i prodotti agricoli, ma alla fine anche la maggior parte degli altri generi di prima necessità: poiché sarebbe stata abolita la figura del mediatore, le cooperative della lega contadina avrebbero stipulato dei contratti con le fabbriche perché producessero per loro a basso costo. Egualmente importante era la creazione di banche per la concessione di prestiti senza interesse. Böckel osò anche chiedere la nazionalizzazione di materie prime essenziali come il carbone [42].

Il movimento cooperativistico era imbevuto di razzismo: la Lega tentò di gestire mercati di bestiame «liberi dagli ebrei» e di eliminare gli ebrei dal prestito del denaro. Essa svolse un'intensa campagna propagandistica non solo attraverso la stampa, ma anche servendosi di una ventina di oratori che si recavano di villaggio in villaggio e di città in città per incitare, spiegare, e condannare gli ebrei e il capitale. Böckel si compiaceva di paragonare la sua lega contadina al partito socialdemocratico, ma in lui il radicalismo, presente nella pratica, era temperato nella teoria. Egli pretendeva fedeltà alla Chiesa e alla monarchia contro ogni

tentativo di rivoluzione e definì la sua lega il partito della legge
e dell'ordine [43], accogliendo così nel suo nazionalsocialismo qualcosa del programma conservatore congeniale alle regioni rurali.
Al culmine del suo potere, nel 1893, Böckel controllava undici
deputati al Reichstag [44], un numero indicativo del considerevole
seguito da lui ottenuto in Assia, uno stato in cui, anzi, per pochi
anni, il movimento di Böckel dominò la vita politica. Questa
fu senza dubbio la prima e più importante avanzata nazionalsocialista nell'Europa centrale, anche se il protestantesimo e la
fedeltà monarchica di Böckel le conferivano qualche connotato
conservatore. Alcuni nazisti compresero più tardi quanto essi
fossero debitori a Böckel ed eressero alla sua memoria un museo
a Marburgo, un distretto elettorale rimastogli fedele anche dopo
che aveva perduto la direzione del movimento.

Böckel si dimise dalla lega nel 1894, quando era diventato
evidente che le cooperative si trovavano di fronte al disastro
economico. Egli non era mai stato capace di procurare alla sua
vasta rete di cooperative una adeguata base economica, né era
riuscito a unificare i vari istituti di credito. Böckel non si interessava di questioni amministrative e ciò si dimostrò fatale per
una organizzazione così strettamente legata alla sua persona e
alla sua guida [45]. Pur essendo rimasto membro della dieta tedesca
sino al 1903, Böckel entrò rapidamente nell'oscurità, un destino
comune a tutti questi pionieri del nazionalsocialismo. Anche
Drumont e Schönerer uscirono di scena nel primo decennio del
secolo XX e i movimenti da loro guidati, troppo strettamente
legati alle loro personalità aspre e inflessibili e alle loro errate
valutazioni della situazione politica ed economica, si trovarono
perciò, nei primi quindici anni del secolo, schiacciati tra le forze
conservatrici, liberali e socialiste. Nel 1900 le crisi economiche
della fine del secolo XIX sembravano aver fatto il loro corso e
aver ceduto il passo a quella che è stata chiamata l'estate di
San Martino del mondo borghese. Per la definitiva avanzata del
nazionalsocialismo fu necessaria una catastrofe delle dimensioni
della prima guerra mondiale. La lega di Böckel si trasformò rapidamente in un gruppo di pressione agrario senza ambizioni nazionalsocialiste, anche se non rinunciò all'antisemitismo e se alla
fine, nel dopoguerra, i suoi dirigenti ancora in vita aderirono
al partito nazista. Tuttavia negli anni '20 l'Assia non divenne

nazionalsocialista né prima né in misura maggiore di altre regioni a eguale struttura sociale ed economica [46].

Sembra un'ironia, ma anteriormente alla prima guerra mondiale fu la Francia e non la Germania a sembrare più vicina a diventare la sede di un vittorioso movimento razzista e nazionalsocialista. La Germania non aveva un affare Dreyfus o uno scandalo di Panama o una Terza repubblica; in essa era abbastanza comune l'antisemitismo senza il razzismo, e quest'ultimo sembrava ancora trovare l'ambiente più adatto principalmente nelle discussioni accademiche, nelle consorterie intellettuali (come il circolo wagneriano), nei movimenti eugenetici o in alcune divulgazioni a livello popolare del darwinismo.

La prima guerra mondiale e le sue conseguenze rivitalizzarono il razzismo in tutte le sue forme, sia nazionalsocialiste, conservatrici o semplicemente nazionaliste, sia come scienza o mistero della razza. Tutto ciò non era prevedibile nel 1914, quando una relativa sicurezza e il benessere prevalevano tra le classi medie e quando le divisioni che avevano lacerato nazioni come la Francia sembravano essersi concluse in un compromesso. Nel 1914 il razzismo sembrò in gran parte essere confinato nelle colonie europee, mentre nella stessa Europa parve aver concluso il suo tempestoso cammino. Fu tuttavia in Europa che pochi decenni più tardi il razzismo sarebbe stato attuato a un livello senza precedenti. La guerra e le rivoluzioni furono gli stimoli potenti che diedero al razzismo la sua più durevole e orribile applicazione.

Parte terza

L'ESECUZIONE

GUERRA E RIVOLUZIONE

La prima guerra mondiale, il cui scoppio fu accolto con eguale entusiasmo patriottico dagli ebrei dell'Europa e dai gentili, doveva essere il preludio dell'orribile attuazione in Europa della politica razzista. La dottrina della razza era già penetrata in importanti gruppi e aveva fatto presa sulla coscienza popolare, ma furono la guerra e le sue conseguenze a trasformare la teoria in pratica. Gli ebrei, dato che costituivano la più importante minoranza vivente in Europa, erano ormai diventati per il pensiero razzista il nemico; ora, a causa della guerra e delle rivoluzioni che la seguirono, divennero molto più visibili e cominciarono ad essere isolati e perciò più facilmente perseguitati. In effetti quella stessa violenza che dagli anni della guerra si era protratta nel mondo postbellico costituì un'altra condizione necessaria per il trionfo del razzismo. La storia di cui abbiamo seguito le vicende partendo così da lontano si avvicina ora al suo momento culminante.

La mentalità prodotta dalla guerra e dal caos postbellico e così pure dalle rivoluzioni degli anni 1918-20 aprì la strada al futuro. In genere la guerra favorì aspirazioni al cameratismo, all'attivismo e all'eroismo sempre nel quadro della mistica nazionale, e da essa il nazionalismo uscì rafforzato qualsiasi fossero stati il suo passato e le sue mire, sia che si fosse trattato di cogliere la vittoria sul nemico, sia di realizzare la liberazione nazionale. L'unità nazionale proclamata in tutte le nazioni allo scoppio della guerra si era però spesso dissolta persino negli anni del suo svolgimento per le accuse di vigliaccheria mosse agli ebrei o per le tensioni tra gruppi rivali impegnati nell'Europa orientale nella lotta per la liberazione nazionale. Alla fine, l'assuefazione alle uccisioni in massa aggiunse alle conseguenze della guerra anche il fatto di aver reso più spietata la coscienza europea, anche questo un dato indicativo del futuro. Nessuna tra queste conseguenze della guerra aveva necessariamente un carattere razzista, ma ognuna sarebbe stata aperta alla penetrazione razzista allorquando i tempi fossero diventati maturi.

L'unità interna invocata allo scoppio della prima guerra mondiale si spezzò in Germania in modo estremamente sinistro: le statistiche sulla partecipazione ebraica nelle forze armate compilate dal Comando supremo l'11 ottobre 1916 costituirono un fiero colpo per l'ebraismo tedesco, che aveva considerato la guerra come un mezzo per completare il proprio processo di assimilazione. L'esercito sosteneva di aver ricevuto lamentele sul fatto che gli ebrei o erano stati esentati dal servizio militare o se ne erano sottratti trovando posti sicuri nelle retrovie[1]. Forse questa rilevazione statistica rientrava nella proposta del generale Erich Ludendorff per una più generale mobilitazione, ma nel Comando supremo erano all'opera anche forze anti-liberali e antisemite che, come Max Bauer, il più stretto collaboratore di Ludendorff, credevano nelle segrete cospirazioni internazionali[2]. Mentre l'esercito aveva rifiutato di far conoscere ai più noti antisemiti i risultati dell'indagine statistica, le organizzazioni ebraiche accolsero invece con favore la rilevazione pro capite, perché essa avrebbe provato l'infondatezza delle accuse rivolte ai loro membri. Gli ebrei erano stati posti in grande evidenza nel corso della guerra ed erano stati isolati dal resto della popolazione; solo il loro patriottismo era stato messo in dubbio e, qualunque ne fosse il motivo, ciò si adattava molto bene con lo stereotipo predominante. In nessuna delle altre nazioni in guerra era avvenuto alcunché di simile a questa « conta degli ebrei »: la Germania stava perciò passando in primo piano nel contestare l'emancipazione e l'assimilazione degli ebrei.

Per i tempi lunghi si rivelarono però più importanti quegli ideali fondamentali di attivismo, eroismo e cameratismo che tanta forza avevano acquistato con la guerra e che, per quanto innocui potessero essere stati presi da soli, nel contesto della guerra e del mondo postbellico furono facilmente fatti propri dal razzismo. La guerra di trincea aveva dato nuovo impulso a siffatta mentalità, perché per il combattente in prima linea la guerra fu un'esperienza totale, fu trovarsi costantemente faccia a faccia col nemico, sempre sotto il suo tiro.

Questo tipo di guerra incoraggiò lo spirito di cameratismo di quegli uomini che trascorrevano insieme i giorni e le notti nelle trincee affondate nel fango e portò anche all'esaltazione di quel corpo di soldati scelti che guidavano gli assalti contro il nemico, di quelle truppe d'assalto (come furono chiamate) che balzavano dalle trincee sotto il micidiale fuoco del nemico. L'appello al cameratismo — a quel « superamento dell'io », come lo definì il futuro capo dei reduci francesi François de la Roque — era destinato a risuonare ancora a lungo dopo la fine della guerra, e ovunque esso significò opposizione alla democrazia liberale, soddisfatta e priva di ispirazione. Contemporaneamente a questo appello venne l'esaltazione dell'« *élan* » sprigionantesi dal campo di battaglia. Anche in Italia Gabriele D'Annunzio esaltò il simbolo della « fiamma nera », emblema delle truppe d'assalto italiane [3] e tale fiamma era presa a simbolo della rigenerazione del singolo e della nazione ed egli contrappose la passione eroica incarnata dalle truppe d'assalto alla degenerazione moderna.

I combattenti simbolo del cameratismo e dell'eroismo rispecchiavano tali virtù anche nel loro aspetto esteriore. La prima guerra mondiale rafforzò quello stereotipo di cui abbiamo seguito l'evoluzione a partire dal secolo XVIII e il cui intimo valore si manifestava nel suo aspetto esteriore. Otto Braun, caduto in guerra e le cui lettere dal fronte tedesco pubblicate col titolo *Dagli scritti postumi di un giovane prodigio* (*Aus Nachgelassen Schriften eines Frühvollendeten*, 1921) ebbero numerose edizioni, elogiava la « bellezza virile » prodotta dall'attuale « età d'acciaio », e con « bellezza virile » egli intendeva riferirsi a forme rigorosamente classiche. Queste idee non rimasero confinate alla Germania, perché anche in Inghilterra buona parte della letteratura di guerra identificava la bellezza virile dei soldati con il loro essere biondi e avere forme classiche, come per esempio nella leggenda popolare in cui il poeta Rupert Brooke (anche lui caduto all'inizio della guerra) era ricordato come « il giovane Apollo dai capelli d'oro », tanto per citare un brano dell'epigramma di Frances Cornford. La « totale radiosità » dello stereotipo fu messa in risalto durante la guerra da scrittori che in massima parte non erano razzisti, ma cercavano nella società virile delle trincee i simboli viventi della vera comunità, della bellezza umana e del sacrificio [4]. In tutta l'Europa il bisogno di far fronte all'esperienza della guerra spinse a mettere in risalto questo stereotipo, anche se in Francia non si parlava di biondezza e se in Italia l'accento cadeva sullo spirito guerresco più che sull'aspetto degli eroi. Il razzismo postbellico si avvantaggiò certamente della rinnovata enfasi su questo tipo umano ideale, specie in quelle nazioni dove molti ancora giudicavano guerra la propria lotta per i cambiamenti sociali e contro l'umiliazione della nazione.

La Germania perciò non fu l'unico paese in cui la guerra rese più intensi questi miti e li proiettò, con grande confusione dei liberali e dei fautori del parlamento, nel mondo postbellico. Ma la Germania ebbe in Ernst Jünger il loro più famoso teorico, colui che esaltò il combattimento come la più intima esperienza dell'uomo, capace di generare una nuova razza di eroi: «... una razza completamente nuova, energia fatta persona e colma d'*élan*. Corpi agili, sottili e muscolosi, volti risplendenti con occhi che hanno visto migliaia di orrori. Questi sono gli uomini che vinsero, uomini d'acciaio... »[5]. Qui il termine «razza» era usato come abbellimento letterario, tuttavia ovunque — in Germania, in Francia, in Inghilterra — questa nuova «razza» fu ritenuta la manifestazione più bella della volontà nazionale. I presunti nemici di queste nazioni erano di una specie inferiore, erano rivoluzionari, massoni e, il più delle volte, ebrei.

L'esaltazione del cameratismo, dell'eroismo e di una nuova razza di uomini avveniva in tempi di stermini mai visti in precedenza e ai quali era necessario far fronte. Il risultato fu una sorta di brutalizzazione delle coscienze, frutto non solo dell'accettazione dell'inevitabile, ma anche di tentativi di venire a patti con una simile carneficina mediante la sua glorificazione. Fu detto che la morte in guerra dava nuovo significato alla vita; che cementava ulteriormente i legami di cameratismo tra coloro che avevano rifiutato la volgarità dell'esistenza quotidiana per andare incontro all'ultimo sacrificio. Fu evocata la stessa passione di Cristo per descrivere la morte in guerra come *imitatio Christi*: la fine della vita sul campo di battaglia cui sarebbe seguita la risurrezione.

La Germania, posta di fronte alla sconfitta, sottolineò in modo speciale che i soldati non muoiono mai, bensì continuano, risorti, a combattere non solo nel Valhalla, ma nel cuore di ogni patriota. I patrioti erano esortati a non cedere alla sconfitta, ma a lottare finché la nazione stessa non fosse risorta. Questo tema è meglio illustrato dall'introduzione di un libro che descrive i

700 luoghi sacri dedicati, durante la repubblica, ai caduti in guerra. Il libro sosteneva che i morti della guerra non erano affatto morti, ma tornavano nei sogni per assistere al miracolo tedesco. E miracoloso era il convincimento che la Germania non fosse stata sconfitta e che sarebbe giunto il momento di ricostruire il Reich e difenderne l'onore[6]. In questo nuovo martirologio, morte e vita erano una sola e identica cosa e costituivano quel miracolo che anni dopo un coro parlato della gioventù hitleriana per il giorno commemorativo degli eroi descrisse succintamente così: « La parte migliore del nostro popolo non è morta perché colui che vive possa perire, ma perché colui che è morto possa tornare a vivere »[7]. Anche in Italia D'Annunzio proclamò che la morte era non solo abolita, ma seppellita sotto la continuità delle generazioni, nella quale i giovani prendono immediatamente il posto dei più anziani e la bandiera passa dall'uno all'altro, e ognuno ha una spada in mano[8].

Siffatte idee sulla morte promettevano una sicura rinascita entro la mistica nazionale per coloro che avevano compiuto il loro dovere, e vista in questa prospettiva la morte diventava meno terrificante. Ma al nemico era negato questo conforto: egli doveva essere ucciso e non sarebbe mai più tornato. Vi era un tipo di morte riservato a chi aveva combattuto per la nazione e un altro al nemico. Vedremo più avanti il rapporto tra queste idee sulla morte e la realizzazione dello sterminio degli ebrei.

Per molti i corpi mutilati e i volti contratti dei morti sui campi di battaglia tornarono in vita attraverso i libri illustrati allora in voga, e, lungi dal provocare repulsione, suscitando in un gran numero di giovani, che erano nati troppo tardi per partecipare al conflitto, il rimpianto di avere perduto questa sfida alla virilità. Questi giovani avrebbero certo consentito con quel sacerdote tedesco che dichiarò che Dio benedice chiunque uccide un nemico[9].

Questo modo di pensare fu aggravato dalle conseguenze dell'occupazione della Germania negli anni 1919-20. La Francia si era servita a questo scopo delle truppe marocchine e senegalesi della sua armata del Reno e quando queste truppe di colore occuparono la città di Francoforte sul Meno nel 1920 fu impossibile evitare la reazione di massa e organizzata dei tedeschi. Per la prima volta questi si trovavano di fronte a un gran numero di neri e per di più nel ruolo di occupanti. I timori razziali, sempre pronti a riaffiorare alla superficie, furono risvegliati e incoraggiati dal neonato governo della nuova repubblica, perché la « violenza negra alla Germania » poteva suscitare verso la nazione sconfitta quelle simpatie dell'estero di cui si sentiva tanta necessità. Persino Hermann Müller, leader socialdemocratico e uomo fondamentalmente onesto, esclamò indignato che « i negri senegalesi » stavano profanando l'università di Francoforte e la Casa di Goethe [10]. La fatale accusa di *Kulturschande* (« violenza alla cultura ») fu perciò lanciata per la prima volta dopo la guerra contro i neri e non contro gli ebrei.

Immediatamente, ai timori razziali si aggiunsero, con un collegamento abbastanza comune, le preoccupazioni sessuali, ora però più gravi perché era opinione tradizionale che i neri fossero sessualmente più potenti dei bianchi. Nel 1921 il giornalista Alfred Brie parlò con grande abbondanza di particolari di donne violentate e descrisse il bestiale comportamento dei francesi di colore nei territori occupati. Sullo stesso tema apparvero anche dei romanzi e tra essi *L'oltraggio negro, romanzo della Germania violentata* (*Die Schwarze Schmach, der Roman des Geschändeten Deutschland*) pubblicato nel 1922 con una prefazione del conte Ernst von Reventlow, uno dei primi sostenitori dei nazisti. Il ricordo dell'occupazione era destinato a non svanire, tanto che nel 1940 un opuscolo nazista evocava il tempo in cui tale ricordo aveva impedito che i negri fossero accettati dalla cultura europea. Gli ebrei non erano stati dimenticati, e furono accusati, insieme con i francesi, di essere i responsabili dell'occupazione e di combattere una « guerra negro-ebraica » contro i tedeschi [11]. Le truppe di colore non riapparvero più in Germania, perché per l'occupazione della Ruhr nel 1923-24 i francesi badarono bene a non servirsene: il turbamento era stato troppo profondo e troppo efficace nel procurare simpatie per la Germania in paesi come gli Stati Uniti.

Ciononostante il razzismo fu in realtà diretto più contro gli ebrei che contro i soldati negri. L'occupazione francese e belga aveva attizzato il fuoco, ma fu semplice trasferirne la fiamma da queste truppe verso i tradizionali nemici del razzismo europeo. Se nei *pamphlets* e nei romanzi sugli anni dell'occupazione erano i negri a violentare le donne tedesche, Arthur Dinter in *Il delitto contro il sangue* (*Die Sünde wider das Blut*, 1918) diffuse in centinaia di migliaia di copie un messaggio più significativo.

Il romanzo ha come tema la violazione della purezza razziale di una donna tedesca ad opera di un ricco ebreo; e
benché poi la donna lo lasci per sposare un ariano, i figli avuti
da questo continuano a mostrare evidenti le caratteristiche proprie dello stereotipo ebraico. Ancor più foriero di infausti presagi è il fatto che la comunità ebraica di Amburgo dovette
denunciare nel 1919 la polizia per aver affisso alcuni manifesti
in cui si descriveva un criminale come « un grasso ebreo » dal
« naso ebraico » [12]. Nello stesso anno la polizia della Baviera settentrionale, pur deplorando l'aumento dell'antisemitismo, scrisse
che a ciò non esistevano rimedi, perché esso « ha le sue radici
nelle diversità di razza che separano la tribù israelitica dal nostro
Volk » [13]. La polizia esprimeva tali opinioni sotto la spinta della
sconfitta e della rivoluzione e rifletteva un razzismo che tentava
di fornire una spiegazione alla spietatezza della guerra e al conseguente disordine interno: la colpa era dell'ebreo.

Le rivoluzioni successive alla guerra misero gli ebrei in un'evidenza da loro mai avuta in precedenza, e non sorprende che gli
anni compresi tra il 1918 e il 1920 abbiano visto un aumento
improvviso del razzismo ovunque fossero avvenute o fossero state
minacciate delle rivoluzioni. Inoltre, secondo molti europei delle
classi medie, la rivoluzione avvenuta nella propria patria era conseguenza della recente vittoriosa rivoluzione bolscevica, tra i cui
capi, ancora una volta, sembravano prevalere gli ebrei. La gente
era portata a confondere spietati leader comunisti come Béla Kun
in Ungheria con uomini come Kurt Eisner in Baviera, benché
quest'ultimo aborrisse la violenza. È anche vero, del resto, che
nel 1918 un certo numero di ebrei entrò per la prima volta a
far parte di alcuni governi dell'Europa continentale, ed erano
governi di sinistra, conseguenza della rivoluzione nell'Europa centrale e orientale.

Il ruolo svolto dagli ebrei in queste rivoluzioni è stato tanto
importante perché esse, per la prima volta nell'Europa centrale
e orientale e così pure in Russia, promettevano loro una vera
eguaglianza e la fine della discriminazione. Alcuni, come Béla Kun
in Ungheria, avevano aderito ai partiti comunisti clandestini già
molto tempo prima della guerra e si erano perciò trovati in posizioni di comando quando era crollato il vecchio ordine. Anche
se la partecipazione ebraica a queste rivoluzioni è comprensibile
e se comunque essa interessò solo una sottile frangia di ebrei

nei rispettivi paesi, il vecchio stereotipo ne trasse però nuovo
vigore. Ogni mito, se vuole essere efficace, deve avere un'apparenza di verità e in questo caso fu stabilito un collegamento tra
gli ebrei che stavano contribuendo al rovesciamento del vecchio
ordine e la rivoluzione bolscevica, a dimostrazione, secondo alcuni,
che essi, in quanto gruppo, erano « antinazionali ». Gli argo-
menti di conversazione tra il giovane Heinrich Himmler e suo
padre in una birreria di Monaco nel 1922 erano tipici dei tempi:
« il passato, la guerra, la rivoluzione, gli ebrei, le angherie agli
ufficiali, i rossi, la liberazione » [14]. Il diario di Himmler registra
un'associazione di idee che riuscì utile a una destra tornata da
poco ad essere forte. Uomini come il giovane Himmler aderirono
a quei gruppi di attivisti che lottavano per una liberazione quale
essi l'intendevano, quella contro i rossi e gli ebrei, a pro della
loro patria.

Era nata sulla scia della guerra e della rivoluzione una destra
radicalizzata, e la sua patria fu l'Europa centrale e orientale, dato
che quella occidentale non era passata attraverso un analogo processo di sconfitta e di insurrezioni. Solo ora questa parte del-
l'Europa si dimostrò più aperta dell'Occidente alla penetrazione
del razzismo. In precedenza, ponendoci dall'angolo visuale del
1914 (come abbiamo visto), avrebbe potuto essere la Francia a
tradurre la teoria razzista in pratica; ma dopo il 1918 fu invece
la Germania a dimostrarsi più disponibile verso il razzismo e con
essa anche l'Austria e l'Europa orientale: in queste regioni gli
ebrei avevano acquistato un'evidenza che certo non ebbero in
Francia o in Inghilterra negli anni dell'immediato dopoguerra.

Gli ebrei non erano solo accusati di essere dei rivoluzionari,
ma continuava ad essere viva anche la loro vecchia immagine di
sfruttatori capitalisti. Essi perciò furono giudicati rivoluzionari e
insieme sfruttatori, un mito che li aveva perseguitati sin dalla
loro emancipazione e che dopo la guerra cominciò a trasformarsi
in quello della cospirazione ebraico-capitalista-bolscevica, nella
quale si erano alleate tutte quelle forze che si supponevano ostili
alla liberazione nazionale. Fu a questo punto che all'idea della
cospirazione si aggiunsero i *Protocolli dei saggi anziani di Sion*, che
i reazionari Cento Neri, fuggendo dalla Russia, avevano portato
con loro [15]. Il corrispondente da Mosca del « Times » di Londra
non aveva dubbi che gli orrori della rivoluzione bolscevica fossero un aspetto della vendetta ebraica [16].

Il convincimento che una cospirazione ebraico-bolscevica stesse dominando la Russia e fosse già pronta a impadronirsi del resto dell'Europa si presentò all'improvviso in ogni nazione. In Inghilterra scrittori come G. K. Chesterton e John Buchan furono affascinati dall'idea di simili cospirazioni [17], e persino il giovane Winston Churchill parlò dell'« oscuro potere di Mosca, punto di raccolta di cospiratori di ogni nazionalità emersi dai bassifondi delle grandi città » (anche se più tardi egli fu uno dei primi uomini di stato dell'Occidente a comprendere che il problema tedesco non poteva essere disgiunto da quello ebraico, perché l'orribile razzismo di Hitler era profondamente radicato nel regime nazista) [18]. Ciononostante le conseguenze di queste fantasticherie furono trascurabili in una nazione che aveva vinto la guerra e non aveva perduto il suo senso dell'equilibrio. Un giornale della destra francese nel 1920 diede a una recensione dei *Protocolli* il titolo, semplice ma rivelatore, di « Le origini del bolscevismo » [19]. Ma nemmeno in Francia simili idee ebbero la conseguenza di rendere operante il razzismo, perché anche in questo paese non vi erano state una sconfitta nazionale e una rivoluzione. In Germania però la pubblicazione, nel 1921, di *Kamerad Levi* di Fritz Halbach costituì un funesto presagio dei tempi futuri: nel romanzo era presentato un giovane agitatore comunista ebreo in ottimi rapporti col proprio padre, ricco banchiere, e poiché entrambi aspiravano al potere mondiale essi collaboravano per ottenerlo, ciascuno combattendo dalla propria parte della barricata. L'idea di una cospirazione ebraico-bolscevica ossessionò l'immaginazione di molte persone oltre Adolf Hitler, ma fu la fede di questo nell'autenticità dei *Protocolli* a dimostrarsi fatale: nella seconda guerra mondiale, durante la campagna di Russia, egli ordinò l'immediata esecuzione di qualsiasi commissario politico bolscevico catturato, considerandolo l'elemento di punta della cospirazione ebraico-bolscevica [20].

L'evidenza in cui gli ebrei erano stati da poco tempo messi ebbe immediati risultati. L'Europa centrale non fu testimone di *pogrom*, ma di un'ondata di provvedimenti antiebraici, adottati non dai governi, bensì da importanti organizzazioni sociali e culturali. Le confraternite studentesche tedesche adottarono la norma di pretendere, per l'ammissione, il requisito dell'arianità e le organizzazioni studentesche nazionali di tutta l'Europa orientale lanciarono una campagna per il numero chiuso nei confronti degli ebrei [21]. I partiti conservatori si sentirono spinti ad adottare l'antisemitismo come redditizia politica elettorale, mentre gli ebrei erano esclusi dalle associazioni dei reduci di guerra. Eppure, in paesi come la Germania o l'Austria, vi fu scarsa violenza aperta contro gli ebrei, anche se, a parte qualche sporadico tumulto (principalmente nelle università), si stavano accumulando l'odio e la paura che avrebbero trovato sfogo dopo il 1933. Ogni nuova legge antiebraica promulgata dai nazisti fu preceduta da tumulti popolari che erano diretti, anche se non necessariamente provocati, dal regime [22].

In Europa orientale, invece, la violenza fu un fatto comune dopo la prima guerra mondiale. Numerosi fattori determinarono questa situazione esplosiva per la questione ebraica. In numerose regioni gli ebrei costituivano *la* classe media e rappresentavano perciò un facile bersaglio; qui inoltre essi avevano svolto un importante ruolo di rivoluzionari e qui, per di più, i timori per la rivoluzione erano stati più intensi data la stretta vicinanza geografica con l'Unione Sovietica. L'esca era già pronta per essere accesa, perché gli imperi austriaco e russo avevano lasciato dietro di sé il problema di una sovrappopolazione rurale non accompagnata da uno sviluppo industriale sufficiente ad assorbirla. Alcuni pensarono che le condizioni sociali e l'influenza sovietica avrebbero provocato una rivoluzione guidata dagli ebrei, mentre altri videro in essi coloro che avrebbero perpetuato la miseria e la disoccupazione a loro proprio vantaggio. L'immagine dell'ebreo rivoluzionario e insieme capitalista sfruttatore è stata presente nell'Europa orientale proprio come in quella centrale.

Contemporaneamente a tutto ciò gli ebrei dell'Europa orientale stavano perdendo quel tanto di potere che erano riusciti ad ottenere [23]. Un tempo in queste regioni l'ebreo aveva svolto una funzione economica che lo rendeva indispensabile, ma dopo la guerra questa situazione aveva avuto termine. Gli ebrei, come classe media, erano spesso alleati con i grandi proprietari terrieri, che erano i detentori del potere politico e avevano ancora bisogno del loro aiuto economico [24]; ma per effetto della guerra in gran parte dell'Europa orientale si erano formate delle classi medie locali, e perciò gli ebrei, ormai inutili, divennero oggetto dell'odio come rivoluzionari, come oppressori capitalisti e come rivali della classe media. Nell'Europa centrale e occidentale invece gli ebrei non avevano mai svolto una funzione così indispensabile

ed erano circondati da una classe media in origine liberale e
pluralistica. Anche quando questa situazione scomparve, la moderazione e l'ordine impedirono i *pogrom*, sebbene successivamente alla guerra questi ostacoli contro la persecuzione e la violenza cominciassero a indebolirsi.

Nell'Europa orientale tali ostacoli non esistevano e la furia
popolare si abbatté contro i ben visibili e ormai inutili ebrei.
I *pogrom* del 1918 furono tra i più spietati mai avvenuti a
memoria d'uomo. Specialmente in Polonia, con i suoi tre milioni
di ebrei, l'idea della cospirazione ebraico-bolscevica nacque durante la guerra contro l'Unione Sovietica del 1920. Nel tentativo
di avanzata in Russia delle armate polacche fu impedito ai soldati e agli ufficiali ebrei dell'esercito polacco di prendere parte
ai combattimenti e si giunse addirittura a internarli nei campi.
L'esercito e la Chiesa professavano apertamente un antisemitismo
che divampò durante questo conflitto. Il risorto stato era polacco
e cattolico, malgrado le diverse minoranze comprese nei suoi confini, e nell'intero periodo compreso tra le due guerre la violenza
popolare contro gli ebrei infuriò malgrado la benevolenza e persino l'amicizia dimostrata nei loro confronti dalla dittatura del
maresciallo Pilsudski, andata al potere nel 1926. Ma dopo la
morte di Pilsudski, avvenuta nel 1935, le condizioni peggiorarono
in conseguenza dell'alleanza del partito conservatore e dei democratici nazionali con i militari, veri detentori del potere: i provvedimenti antiebraici allora introdotti andavano da quelli che
nelle università riservavano banchi speciali agli ebrei e introdu-
cevano il numero chiuso, al boicottaggio economico favorito dalla
Chiesa e dallo stato [25]. Infine, quando nel 1938 i nazisti espulsero
dal Reich circa 15.000 ebrei polacchi, la Polonia rifiutò di accogliere questi suoi cittadini a pieno diritto [26]: la loro vita e la
loro morte sulla terra di nessuno al confine tedesco-polacco furono
presagi di un fosco futuro per la massa dell'ebraismo polacco.

Il governo polacco succeduto a Pilsudski si oppose all'assimilazione ebraica e sostenne che gli ebrei erano una nazionalità
diversa. Il regime dei colonnelli affermava di respingere totalmente il razzismo, ma costrinse gli ebrei della Polonia ad emi-
grare. Lo stereotipo ebraico fu divulgato malgrado tutti i dinieghi
di razzismo e gli ebrei furono dipinti dallo stato e dalla Chiesa
cattolica come sporchi e sciatti, come usurai e persino come praticanti lo schiavismo bianco. La politica del governo fu sempre

ambigua: essa chiedeva moderazione agli antisemiti alla sua destra, ma nello stesso tempo si serviva dell'antisemitismo per rafforzare l'unità nazionale [27]. La violenza nella Polonia del dopoguerra fu sporadica e il razzismo ancora ambiguo, essendo intrecciato con il tradizionale antisemitismo cattolico.

In tutta l'Europa i partiti della destra radicale sorsero sulla scia della rivoluzione e della controrivoluzione e quando il terrore bianco prese il posto di quello rosso. Tuttavia i regimi giunti al potere erano reazionari, più che espressione della destra radicale; ma anche in questo caso l'antisemitismo entrò talvolta a far parte della politica del governo. L'andata al potere di Nicolas Horthy in Ungheria e la dittatura militare in Polonia dopo il 1935 offrono esempi di questo processo. Ma anche più a sud, in Romania, il problema ebraico rimase vivo. Si dovettero tuttavia attendere gli anni '30 perché queste nazioni, governate dai reazionari, sentissero l'influenza dei partiti della destra radicale che auspicavano una soluzione finale per la questione ebraica. I reazionari al potere in Polonia, Ungheria o Austria, timorosi di ogni agitazione, furono più capaci delle deboli democrazie parlamentari di impedire la violenza antisemita da parte della destra radicale. Essi temevano che l'antisemitismo radicale potesse provocare il collasso della legge e dell'ordine: alla fine, dopo la presa del potere da parte dei nazisti, Leo Baeck, capo dell'assemblea rappresentativa dell'ebraismo tedesco, avrebbe sognato, come ultima speranza per gli ebrei, una dittatura militare in Germania [28]. Né Horthy in Ungheria, né il re in Romania, né Ignaz Seipel in Austria e nemmeno Pilsudski in Polonia erano razzisti; il loro fu sempre un antisemitismo cristiano e tradizionale: gli ebrei dovevano essere tenuti fuori del governo e a distanza, ma lasciati in pace.

Alla fine questo atteggiamento fu contestato dalle Croci frecciate in Ungheria, dalla Guardia di ferro in Romania, dai nazisti in Austria e da altri movimenti del genere. Anche in Europa occidentale il tradizionale nazionalismo conservatore ebbe in un primo tempo maggiore importanza della destra radicale. La Francia aveva l'Action française, ma anche molti gruppi fascisti e razzisti, che però rimasero sino agli anni '30 piccoli e impotenti. L'Inghilterra non ebbe una importante destra radicale sino a quando, nel 1932, Sir Oswald Mosley fondò l'Unione britannica dei fascisti. Tutti questi gruppi erano all'inizio piccoli, ma a quel tempo né l'Inghilterra né la Francia avevano vissuto sotto la minaccia della rivoluzione o subìto gravi conflitti di nazionalità; entrambe, inoltre, erano uscite vittoriose dalla guerra. Ma persino in Germania la destra radicale fu solo una minoranza durante gli anni '20 se paragonata con il partito politico conservatore o con altri gruppi del centro e della sinistra. Questa destra radicale, sia che si trattasse della Lega *volkisch* di difesa e offesa (*Deutschvölkische Schultz- und Trutzbund*) sia dell'insignificante partito dei lavoratori tedeschi, nacque come diretta reazione alla rivoluzione. Il piccolo partito dei lavoratori tedeschi — che presto assunse il nome di partito nazionalsocialista dei lavoratori tedeschi — sorse da un'associazione di destra (la Thule Bund), costituitasi durante la rivoluzione bavarese del 1918. La « Lega *volkisch* di difesa e offesa », fondata da gruppi scissionistici di destra nel 1919, fu tra queste organizzazioni quella che ebbe maggiore importanza nei primi anni della repubblica di Weimar, tanto che vantò, nel momento di maggiore successo, 200.000 iscritti, una cifra forse al di sotto del vero[29]. Essa risuscitò le accuse di omicidio rituale e ristampò pure il *Talmud-Jude* di Rohling; curò la distribuzione dei *Protocolli*, che però erano stati tradotti in tedesco dall'effimera « Società contro l'arroganza ebraica »[30]. La Lega *volkisch* valicò la sottile linea di separazione tra la teoria e la pratica, agevolata in ciò dalla situazione rivoluzionaria, e si unì agli altri gruppi della destra nel praticare su vasta scala la violenza. Tali gruppi erano spesso guidati dai cosiddetti Corpi liberi, composti da soldati e da ufficiali che avevano rifiutato la smobilitazione e che, essendosi assunti in prima persona il compito di applicare la legge, sconvolsero il paese con un'ondata di assassinii perpetrati, come si espresse uno di loro, da «soldati di fanteria senza nazione »[31]. È stato calcolato che tra il 1919 e il 1922 siano avvenuti nel Reich tedesco circa 376 assassinii politici, di cui 354 commessi dalla destra e 22 dalla sinistra. Ma nonostante la differenza, le condanne detentive comminate alla destra assommarono a 90 anni e due mesi, mentre quelle alla sinistra ammontarono a 248 anni e 9 mesi, più dieci esecuzioni capitali. È chiaro che i giudici della nuova repubblica simpatizzavano con la destra, un altro triste presagio di quello che stava per succedere. Bisogna però aggiungere che in complesso i tribunali della repubblica di Weimar protessero gli ebrei dai loro accusatori. I cosiddetti assassinii della « Fehme » (ordinati da tribunali segreti autonominatisi) erano di solito commessi da studenti delle scuole superiori appartenenti alla destra, dei quali molti erano poco più che diciassettenni[32]. I seguaci dei movimenti *volkisch* furono sin dall'inizio giovani attivisti, tutto il contrario degli altri partiti, la cui struttura era basata su aderenti di età più matura: un ulteriore presagio, anche questo, del futuro.

La Lega *volkisch* di difesa e offesa aveva notevoli responsabilità in questi linciaggi celati sotto la maschera della giustizia, per esempio nei tentati assassinii di Philip Scheidemann, il socialdemocratico che aveva firmato il trattato di Versailles, e del pubblicista ebreo Maximilian Harden, come pure nel riuscito assassinio (tra i tanti) del leader del partito del centro Matthias Erzberger, da essa ritenuto responsabile della capitolazione tedesca. La campagna contro il ministro degli Esteri ebreo Walter Rathenau, in particolare, fu tutta accentrata sull'incitamento all'omicidio[33] e il suo assassinio, avvenuto nel 1922, indusse alla fine la repubblica a mettere la Lega fuori legge. A quel punto suo erede e successore fu il partito nazionalsocialista dei lavoratori di Monaco.

La violenza scatenata nel periodo postbellico dai gruppi di destra si dimostrò un'ottima scuola di assassinio per molti di coloro che in un secondo tempo furono coinvolti nello sterminio degli ebrei: Martin Bormann, il temuto capo della cancelleria di Hitler durante la guerra, e Rudolf Höss, comandante del campo della morte di Auschwitz, erano entrambi assassini della «Fehme» e nel 1923 avevano proceduto all'esecuzione di un giovane sospettato di aver rivelato alla polizia il nascondiglio in cui erano custodite delle armi[34].

Dopo la guerra, la violenza persistette in gran parte dell'Europa centrale e orientale, ma fu nella Germania sconfitta e preda del disordine che la destra radicale trovò sin dal primo momento i suoi più potenti alleati. La Lega agraria (*Bund der Landwirte*) e il sindacato degli impiegati del commercio si misero a disposizione della Lega *volkisch* di difesa e offesa[35]. Il putsch di Kapp del marzo 1920, col quale elementi di destra tentarono di abbattere la repubblica, fu importante perché dimostrò il collegamento esistente tra i conservatori, i Corpi liberi e il razzismo *volkisch*. Wolfgang Kapp era un pan-germanista membro dell'aristocrazia prussiana, con amicizie personali che arrivavano sino al commediografo e giornalista Dietrich Eckart che, come consigliere politico di Hitler, aveva aderito al neonato partito tedesco dei lavoratori. Alcuni appartenenti al Corpo libero di Ehrhardt, che collaborarono sul piano militare all'avventura di Kapp, volevano scatenare un *pogrom* contro gli ebrei, ma Kapp, a dispetto del suo antisemitismo [36], li tenne a freno: questa volta era perciò prevalso il conservatorismo tradizionale, rispettoso della legge e dell'ordine. Il putsch di Kapp si concluse nel giro di cinque giorni perché in questa occasione l'esercito rimase fedele alla nuova repubblica.

Ma nonostante la sua momentanea fedeltà, l'esercito era stato contagiato dall'antisemitismo: nel 1920, per esempio, un promemoria presentato da un reggimento al ministro-presidente bavarese chiedeva il massacro degli ebrei nel caso in cui gli alleati avessero di nuovo imposto il blocco alla Germania [37]. Alla fine l'esercito, deluso della repubblica, fu più esposto alla penetrazione delle idee della Lega *volkisch* di difesa e offesa, la cui pubblicistica era apertamente distribuita, nel 1920, da un generale. Il punto di vista dell'esercito fu succintamente esposto da un tenente nel 1924, quando sembrava che le iniziali crisi della repubblica fossero state superate: « Ebert [presidente della repubblica], i pacifisti, gli ebrei, i democratici, il nero, il rosso e l'oro [i colori della bandiera] e i francesi sono tutte forze che vogliono distruggere la Germania » [38]. Certo, gli ufficiali superiori cercarono di distinguere tra gli ebrei nel loro complesso e quelli che si erano distinti in guerra e che meritavano di essere trattati come se fossero stati dei buoni tedeschi. Tuttavia, all'elenco di coloro che erano stati contagiati dal razzismo bisogna aggiungere, oltre i grossi proprietari terrieri e i conservatori, anche la maggior parte dell'esercito (e così pure la marina, anche più radicale).

Dopo il 1918, il nazionalismo era dappertutto in aumento perché la guerra non aveva posto fine allo stato-nazione, ma ne aveva anzi promosso l'apoteosi. Persino la sinistra faceva sfoggio di spirito nazionalista e patriottico [39]. Gli ebrei, più visibili ed isolati di quanto fossero mai stati in precedenza, erano considerati un popolo straniero se non addirittura una nazione straniera. Essi si trovarono così nel pericolo di essere abbandonati due volte — come un popolo senza nazione e come un gruppo separato nella nazione e senza una propria base di potere. Sembrò che il razzismo avesse davanti a sé una facile preda.

Tuttavia un simile giudizio sulla situazione ebraica sarebbe apparso assurdo alla maggior parte degli ebrei europei persino in periodo nazista inoltrato. Per il momento essi avevano degli alleati: i governi dell'Europa occidentale e centrale erano rimasti fedeli agli ideali della tolleranza ed erano ostili alla discriminazione, e così pure i partiti politici della sinistra e del centro erano convinti fautori del processo di assimilazione degli ebrei. I partiti di centro erano forti in Inghilterra e in Francia sotto qualsiasi nome si presentassero, dato che per esempio in Inghilterra sia i *tories* che i laburisti erano impegnati a dar vita, nel loro paese, a una società pluralistica basata sulla moderazione e la tolleranza. E lo stesso si può dire per i partiti del centro e per i socialdemocratici in Germania, che in effetti divennero alleati degli ebrei nella loro lotta contro l'antisemitismo [40]. In sostanza, la tradizione liberale reggeva ancora, malgrado il declino dei partiti liberali; l'eredità liberale fu assunta in Inghilterra da tutti i principali partiti, in Francia dai socialisti e dai radicali-socialisti, in Germania dai socialdemocratici. Persino nell'Europa orientale, là dove, come in Romania, erano attivi dei partiti liberali, questi mostrarono un atteggiamento amichevole verso gli ebrei.

Ma quale fu il comportamento della sinistra radicale, che una minoranza ebraica estremamente in vista aveva appoggiato e a volte persino guidato nei tentativi rivoluzionari del dopoguerra? I comunisti e i partiti scissionistici della sinistra erano certamente convinti assertori della completa assimilazione degli ebrei. Karl Kautsky — il « papa » del socialismo prebellico — diede il tono, dopo la guerra, al dibattito sulla questione ebraica. Egli aveva aggiornato l'opinione di Karl Marx sugli ebrei, senza però introdurvi alcun cambiamento sostanziale. Nel suo *Razza e giudaismo* (*Rasse und Judentum*, 1914) accettava il negativo stereotipo ebraico attribuendo agli ebrei un attaccamento feticistico ai beni materiali, amore per il denaro e dedizione al commercio. Una volta crollato il capitalismo, sosteneva, gli ebrei sarebbero scomparsi; intanto però essi dovevano sforzarsi di abbandonare la loro religione e di aderire alla lotta proletaria per la liberazione dell'umanità, dalla quale sarebbero nate la pace e la fratellanza universali.

Mentre i socialdemocratici tedeschi, eredi del liberalismo pluralistico, non accettarono mai dopo la guerra questa posizione perché appariva loro troppo pericolosa in tempi sui quali incombeva una combattiva destra antisemita [41], i partiti comunisti fondati dopo la guerra sia in Europa che in Unione Sovietica accettarono invece le argomentazioni di Kautsky. Gli ebrei non costituivano una nazionalità separata, ma un popolo ingannato dal suo stesso ambiente. Si doveva condannare il capitale ebraico insieme con quello ariano. Tuttavia lo stereotipo, implicito nel giudizio di Marx e di Kautsky sugli ebrei, cominciò ad essere presente nel comunismo specialmente in Germania, dove quest'ultimo doveva competere, per procurarsi adesioni, con la destra radicale. Karl Radek, inviato del Comintern in Germania, elogiò nel 1923 il martire nazista Albert Leo Schlageter che si era opposto all'occupazione francese della Ruhr, e nello stesso tempo auspicò la fine del « capitale circonciso e non circonciso » [42].

Il messaggio era abbastanza semplice e fu ripreso dopo il 1930, quando il leader comunista Heinz Neumann si rivolse alle masse naziste perché si unissero ai comunisti in una comune lotta e per porre fine alla « guerra fratricida ». Contemporaneamente gli ebrei furono quasi del tutto eliminati dal comitato centrale del partito comunista e dalla maggior parte della sua stampa [43]. La politica sovietica diede incoraggiamento e guida al partito comunista tedesco per questa come per tutte le altre questioni. Stalin stava vincendo la sua lotta contro Trotskij e in Russia l'antisemitismo stava tornando di moda. Ma in questo caso non si trattava di razzismo, anzi l'obiettivo era la « scomparsa del giudaismo » auspicata da Karl Marx, grazie alla quale il singolo ebreo sarebbe diventato un membro totalmente integrato del proletariato. La tragedia volle che al netto rifiuto del razzismo si accompagnasse l'accusa che gli ebrei stessi fossero razzisti, e ancora una volta sia in Germania che in Russia ripresero ad agire le idee sulla cospirazione, questa volta non più ebraico-bolscevica, ma « ebraico-sionista » o « ebraico-cosmopolita », accusata di essere diretta contro gli ideali egualitari dei comunisti e contro le nazioni tedesca e russa.

A giudicare dalle apparenze, la posizione comunista altro non era che la perpetuazione di vecchi modi di pensare già prevalenti nel secolo XVIII, quando si auspicava l'emancipazione ebraica: al singolo ebreo erano dovuti tutti i diritti, agli ebrei in quanto gruppo nessuno. In pratica però il singolo ebreo nel partito tese ad essere guardato con sospetto come una potenziale quinta colonna. Dopo il 1918, persino la più netta negazione del razzismo poteva accompagnarsi all'accettazione dello stereotipo ebraico e del mito della presunta cospirazione degli ebrei. La forza del razzismo nell'Europa del dopoguerra non rimase perciò confinata alla sola destra radicale, ma si diffuse, apertamente o celatamente, in tutta la società e la vita politica.

Nel 1930 persino i socialdemocratici tedeschi furono incerti se presentare per cariche pubbliche in Germania dei candidati ebrei, non solo perché gli ebrei erano considerati dei turbolenti intellettuali, ma anche perché a quel tempo era la destra radicale a dirigere il dibattito sul futuro nazionale [44]: la sinistra o il centro dovevano discutere sul terreno occupato dalla destra razzista e questo fatto può certo essere considerato una delle principali vittorie dei nazisti prima della loro ascesa al potere. Fu in Germania che la destra ottenne questo vantaggio; l'Austria e l'Ungheria erano passate dopo la guerra attraverso eguali esperienze sociali e politiche, ma in questi paesi i regimi reazionari avevano favorito una almeno temporanea stabilità. La repubblica di Weimar non ebbe invece una vita molto tranquilla, perché all'agitazione politica era seguita la peggiore inflazione mai conosciuta da qualsiasi altra nazione europea. Col 1930 persino alcuni socialdemocratici tedeschi sottolinearono l'importanza dell'« ariano Engels » rispetto all'« ebreo Marx ».

La situazione in cui si trovò la sinistra non fu tipica della sola Germania, anche se qui essa ebbe le sue conseguenze più funeste. Nell'Europa centro-orientale la sinistra, pur essendo di solito definita « ebraica » dalla destra, in realtà non fu mai incondizionatamente favorevole agli ebrei. Per esempio, è stata una triste ironia che durante la rivoluzione ungherese del 1919, guidata dagli ebrei, fossero stati fomentati da settori della classe lavoratrice dei tumulti antiebraici e dei *pogrom*. I sentimenti antiebraici si manifestavano nel partito a livello della base e non solo in Ungheria, ma anche in Romania, dove i leader socialisti a volte fecero causa comune con gli antisemiti [45].

In Polonia il partito socialdemocratico fu prodigo di aiuti agli ebrei, così come il suo equivalente tedesco, e i suoi rapporti con la Lega socialista ebraica furono buoni, specialmente negli anni in cui la persecuzione degli ebrei era in aumento. Tuttavia la dittatura di Pilsudski costrinse i socialisti ad allearsi con altri partiti polacchi e la Lega fu lasciata isolata [46].

Anche se non si deve dare un rilievo eccessivo alla penetrazione del razzismo nella sinistra, fu proprio a causa di questa penetrazione che gli ebrei rimasero ancor più isolati e privati di efficaci alleati. La maggior parte degli ebrei in Europa trascorrevano vite normali e ordinate, deplorando il razzismo, ma ritenendo che anch'esso sarebbe passato. La maggior parte di loro e dei loro simili non comprese quanto profonde fossero le tendenze razziste presenti nel mondo del dopoguerra. Estremamente in vista, eppure isolati e privi di alleati risoluti e irriducibili, gli ebrei erano maturi per essere colpiti da una politica razzista la cui ora sembrava essere suonata. La posizione degli assimilati ebrei dell'Europa centrale era, malgrado la loro relativa prosperità e sicurezza, non dissimile da quella dei loro spesso disprezzati confratelli dell'Europa orientale, così descritta sin dal 1882 da Leo Pisker: « per chi è vivo l'ebreo è un uomo morto; per gli indigeni è uno straniero e un vagabondo; per i possidenti un mendicante; per il povero e lo sfruttato un milionario; per i patrioti un uomo senza paese; per tutte le classi un rivale odiato » [47]. La storia del razzismo in Europa aveva favorito questa situazione, anche se il razzismo da solo difficilmente può esserne ritenuto il responsabile. Il razzismo aveva sempre sfruttato ogni possibilità che gli si fosse presentata e ora la più grossa era proprio dietro l'angolo.

Guerra e rivoluzione furono il preludio del passaggio dalla teoria alla pratica; la teoria in sé non era mutata sin da quando era stata elaborata negli anni precedenti la guerra. Mediante l'eugenetica la cosiddetta scienza della razza aveva fatto alcuni progressi, ma fu il « mistero » della razza a radicarsi più profondamente nelle coscienze per effetto della guerra. La Germania e l'Austria, dove sempre questa mistica aveva trovato dimora, furono proprio le nazioni più direttamente colpite dalle conseguenze della guerra. Come abbiamo visto, il partito dei lavoratori tedeschi era nato a Monaco durante la rivoluzione come parte della Thule Bund, il cui stesso nome evocava il Nord ariano. Qui, Dietrich Eckart della Thule Bund, consigliere politico di Adolf Hitler, espose il suo antisemitismo razzista che addossava ogni male agli ebrei. Fu a Monaco che Alfred Rosenberg, in stretto contatto con i Cento Neri esuli dalla Russia, cominciò a scrivere il suo *Mito del XX secolo* (*Der Mythus des 20. Jahrhunderts*, 1930), secondo il quale la guerra mondiale era l'inizio della rivoluzione mondiale, ma non certo quella sognata da Lenin. L'anima razziale stava sorgendo dal sangue dei martiri della

guerra e si apriva un varco verso la vittoria: il razzismo era
la vera, unica « chiesa del popolo » che avrebbe preso il posto
del cristianesimo.

La situazione determinatasi dopo la guerra incoraggiò l'elaborazione e la diffusione della dottrina razzista. La Germania, che
a causa della guerra e della rivoluzione era diventata il centro
dell'attività razzista, produsse anche manuali popolari sul razzismo, che furono avidamente letti. L. Clauss in *L'anima nordica*
(*Die nordische Seele*, 1930) sostenne, per esempio, che l'anima
razziale creata dal sangue nordico era la fonte di ogni creatività
e che l'aspetto esteriore ariano non aveva alcuna importanza [48].
Questa « eresia idealistica » fu attaccata dal più prolifico autore
di libri sulla razza usciti nella Germania del dopoguerra, Hans
F. K. Günther, che nella *Dottrina razziale del popolo tedesco*
(*Rassenkunde des deutschen Volks*, 1922) definì e illustrò ancora
una volta gli stereotipi razziali del bell'ariano e del brutto ebreo.
Egli tentò però di conservare qualche aggancio con l'osservazione
scientifica, sostenendo che non esisteva un tipo razziale puro,
ma solo tipi meno perfetti, meno puri [49]. Malgrado ciò, in un
modo o nell'altro, tutti gli ariani partecipavano del loro « tipo
ideale », mentre tutti gli ebrei possedevano le caratteristiche do-
minanti della loro razza.

Questi libri non aggiunsero nulla di nuovo al pensiero razzista; essi erano dei semplici sommari di una più antica dottrina
scritti in stile popolare. Ma bisogna osservare che dopo il 1918
tali divulgazioni apparvero in massima parte in Germania e non
in altre nazioni europee, e che essi erano un indizio del fatto
che questa nazione stava passando all'avanguardia del pensiero
razzista, anche se non era ancora l'unica nazione ad essersi assunta
il compito di quella che Lucy Dawidowicz ha chiamato « la guerra
contro gli ebrei ».

XII

DALLA TEORIA ALLA PRATICA

I

La tempesta che aveva imperversato sull'Europa dopo la prima guerra mondiale distrusse più di una diga posta a protezione degli ebrei contro il terrore, la calunnia e il razzismo e i governi si dimostrarono troppo deboli o troppo riluttanti a reprimere la furia nazionalista seguita al fallimento delle rivoluzioni. Nello stesso arco di tempo nell'Europa centrale e occidentale il sistema di governo rappresentativo, fedele alla politica pluralistica, si trovò in grosse difficoltà, mentre in quella orientale trionfavano i regimi dittatoriali. Ovunque la fine della guerra aprì l'epoca della politica e dei movimenti di massa, fautori di un tipo di democrazia diverso da quello rappresentato dal governo parlamentare. La partecipazione politica fu caratterizzata dalla celebrazione di una liturgia politica svolta nell'ambito dei movimenti di massa o sulle strade e dalla ricerca di sicurezza attraverso miti nazionali e simboli che lasciavano poco o nessuno spazio a chi era diverso [1]. La guerra aveva trasformato la politica in un dramma imperniato su emozioni da tutti condivise e fu fin troppo facile al razzismo dare ad esso unità a mano a mano che se ne svolgeva la rappresentazione sulla ribalta europea.

In un primo momento il passaggio alla pratica razzista si verificò nel ristretto ambito di organizzazioni sociali e politiche non necessariamente espressione diretta della politica dei governi. Abbiamo visto per esempio che dopo il 1918 in Germania le confraternite studentesche, le organizzazioni degli ex combattenti e alcuni partiti politici avevano chiuso le porte agli ebrei. Sempre vi erano stati gruppi che avevano escluso gli ebrei per motivi razziali, ma ora essi si spostarono dai margini al centro della vita delle classi medie, e condizionarono l'accettazione di iscritti a « clausole di arianità ». I partiti conservatori dell'Europa centrale e orientale si comportarono nello stesso modo e così pure i vari movimenti nazionalsocialisti, ai quali la guerra aveva dato nuovo slancio. La Grande Crisi portò a compimento l'opera iniziata dalla guerra e dalla rivoluzione.

Si può ben dire che la guerra contro gli ebrei[2] sia cominciata, dopo il conflitto mondiale, con semplici scaramucce, che negli anni '30 si svilupparono in un'offensiva vera e propria; ed è di questa offensiva contro gli ebrei che dobbiamo ora occuparci, analizzando sino a che punto le varie nazioni europee vi abbiano partecipato. Il razzismo conferì dinamismo a questo attacco, alcune volte apertamente, altre in forma mascherata. La guerra contro gli ebrei durante gli anni '30 andò meno bene nell'Europa occidentale, benissimo in quella centrale e non male nell'Europa orientale, ma ovunque fu la storia passata a determinare quanto a fondo il razzismo fosse riuscito a penetrare nelle singole nazioni.

L'Inghilterra aveva dato il suo contributo all'evoluzione del razzismo, ma il razzismo inglese era diretto più contro i neri che contro gli ebrei ed entro i confini inglesi si era concentrato sull'eugenetica piuttosto che sulla creazione di una nazione ariana. Perciò l'Inghilterra non fu incline a una guerra razziale combattuta contro gli ebrei. Sir Oswald Mosley avrebbe constatato l'impossibilità di accendere la fiamma che ardeva così impetuosa in Germania, e infatti, in un primo tempo, l'Unione britannica dei fascisti prestò scarsa attenzione agli ebrei. Si dovette attendere sino al 1934, quando le camicie nere si trovarono in difficoltà, perché l'antisemitismo passasse in primo piano come un espediente volto a rinverdire le loro fortune politiche; né è da escludere che nell'adozione di tale politica abbia avuto influenza l'esempio offerto dal successo nazista[3]. Solo ora cominciò ad essere divulgato lo stereotipo ebraico e gli episodi di violenza divennero più frequenti: ma l'Unione non fu capace di mantenerne lo slancio[4].

La crisi che colpì il governo parlamentare nel 1931 fu risolta con la creazione di un governo nazionale che mantenne intatte le tradizionali istituzioni rappresentative britanniche. Fu vietata l'attività di qualsiasi esercito privato, proprio il contrario di quello che era accaduto in Germania prima che Hitler diventasse cancelliere, e persino le camicie nere rispettarono la legge sull'ordine pubblico del 1° gennaio 1937, che proibiva l'uso di uniformi e le dimostrazioni politiche. Non mancarono, è vero, alcuni piccoli gruppi scissionistici che, come quello di Arnold Leese, proposero sin dal 1935 di uccidere gli ebrei con il gas [5], ma essi non ebbero mai alcun peso sulla politica britannica, come non l'ebbe l'Unione britannica dei fascisti, proprio negli anni in cui invece la politica razziale tedesca stava entrando nella sua fase più dura. In Inghilterra, insomma, la guerra contro gli ebrei non ha mai avuto fortuna.

La Spagna è stata un'altra nazione europea che si è dimostrata refrattaria alla penetrazione del razzismo. La Falange fascista ha talvolta adottato la retorica antiebraica, ma in genere ha rifiutato il razzismo, nonostante che durante gli anni '30 alcuni esponenti del regime di Franco abbiano sentito l'influenza dell'Action française [6]. Ma l'antisemitismo non è stato per la Spagna un fatto importante e il vicino Portogallo, da parte sua, ha persino offerto asilo ad alcuni ebrei tedeschi perseguitati. La purezza del sangue può essere stata forse un criterio, sia pur vago, da utilizzare nella lotta contro i marrani nel secolo XVI, ma nel secolo XX essa non costituiva più un problema importante.

Neanche in Francia il razzismo riuscì a sfondare, sebbene questa nazione, più di qualsiasi altra in Occidente, si sia maggiormente avvicinata a posizioni razziste. La tradizione prebellica del razzismo e dell'antisemitismo vi permase viva e ispirò numerosi movimenti politici negli anni tra le due guerre; tuttavia la Francia non è mai passata attraverso il ciclo della sconfitta, della rivoluzione, della controrivoluzione e dell'inflazione, che tanto validamente ha contribuito in Germania a trasformare la teoria razziale in pratica.

La destra politica francese era stata dominata dall'Action française, ma anche precedentemente alla prima guerra mondiale alcuni aderenti dell'organizzazione di Charles Maurras se ne erano allontanati per adottare una linea politica più radicale; nel dopoguerra furono fondate organizzazioni fasciste che si consideravano rivali dell'Action française. Tra il 1925, quando Charles Valois, proveniente dall'Action française, fondò il « Faisceau », e il 1936, anno in cui Jacques Doriot, già esponente comunista, costituì il Parti populaire français (PPF), apparvero numerose leghe fasciste, di cui nessuna raggiunse però grande rilievo politico. Nel 1929 una di esse, i « Francistes », adottò per il proprio organo di stampa lo stesso titolo del giornale di Drumont, « Libre parole », e sulle sue pagine lanciò accuse contro gli ebrei, i massoni e i neri (ma nel 1943 un'associazione coloniale affiliata ai Francistes aveva aderenti di colore) [7]. I Francistes non furono i soli a rivendicare l'eredità antisemita prebellica e a servirsene in Francia negli anni tra le due guerre.

Ora all'elenco delle « cospirazioni ebraiche » fu aggiunto anche il bolscevismo, come del resto stava avvenendo un po' ovunque. Per esempio la lega Solidarité française, fondata nel 1933 dal grande industriale profumiero François Coty, pur nutrendo ostilità contro gli ebrei, si concentrò sulla lotta contro il bolscevismo, ed è abbastanza significativo che Coty abbia sovvenzionato anche l'Action française [8]. Le leghe erano in teoria avversarie di Charles Maurras, ma in pratica non erano tanto lontane dalle sue idee e segretamente ammiravano il vecchio anti-dreyfusardo [9]. Non è però possibile dire la stessa cosa per l'unico grande movimento fascista francese, perché il suo capo proveniva dal partito comunista e non dall'Action française.

Il Parti populaire français (1936) di Jacques Doriot è stato l'unico movimento fascista in Francia che abbia raggiunto notevoli dimensioni, anche se non è arrivato mai a superare la cifra di circa 250.000 simpatizzanti [10]. Due elementi catalizzatori portarono alla creazione di questo partito e sembrarono anche aprire nuove prospettive al futuro del fascismo francese. Il 6 febbraio 1934 numerosi raggruppamenti di destra dei reduci di guerra, cui si erano uniti l'Action française e altri movimenti conservatori, marciarono sulla Camera dei deputati. L'imponente e violenta dimostrazione di piazza non riuscì ad abbattere la repubblica, ma spinse Doriot e altri a far mostra di maggiore sollecitudine per l'unità della nazione e ad accelerare il loro passaggio all'opposizione nei confronti della repubblica. La costituzione, nel giugno 1936, del governo del fronte popolare diretto da Léon Blum rinvigorì l'opposizione alla repubblica delle leghe, che tesero ad assumere posizioni isteriche e a vedere in questo governo la realizzazione dei loro peggiori timori: « la Francia è stata abbandonata nelle mani degli ebrei » [11]. Nello stesso tempo Doriot auspicò l'amicizia con la Germania [12] e divenne un ammiratore dei nazionalsocialisti di quel paese [13].

Sino al 1937 il giornale del Parti populaire, « L'Emancipation Nationale », non si era quasi mai occupato degli ebrei, ma vedeva dappertutto cospirazioni comuniste. L'eccezione fu costituita dagli ebrei d'Algeria, criticati severamente per la loro supposta infedeltà verso la Francia: forse l'aver toccato in questo caso la corda antisemita può aver rappresentato un primo passo verso un più generale antisemitismo [14]. La crescente ammirazione per i nazisti è stata un altro stimolo verso questa direzione; Maurice-Ivan Sicard, direttore del giornale del partito, che in un primo tempo aveva smentito qualsiasi intenzione antisemita od opinioni razziste [15], dovette però, con le vittorie tedesche durante la seconda guerra mondiale, cambiare idea: nel 1944 egli ricevette il Prix de la France aryenne, fondato dal Parti populaire, e nello stesso tempo chiese l'espulsione degli ebrei dalla Francia, una cosa che, dati i tempi, equivaleva a farsi fautore della soluzione finale nazista [16].

È tipico tuttavia della situazione francese che né il movimento di Sicard, né quello di Doriot, siano diventati razzisti sino alla vittoria tedesca e all'occupazione di Parigi, dove il partito di Doriot aveva il suo quartier generale. Ma una volta che ebbe cominciato a collaborare con i nazisti, Sicard si mantenne coerente sino a dopo la sconfitta della Germania nella seconda guerra mondiale, tanto da rievocare con nostalgia, scrivendo sotto lo pseudonimo di Saint-Paulien, i tempi eroici della conquista nazista [17].

Il movimento di Doriot non è mai stato in Francia una forza politicamente vitale; il fascismo e il razzismo francesi sono rimasti invece il regno esclusivo degli intellettuali. In tutta l'Europa, durante gli anni '30, alcuni uomini di cultura avevano simpatizzato con i concetti di « razza e terra », ma in Francia gli intellettuali divennero i principali difensori di tali idee e solo in questo paese il razzismo divenne una moda letteraria più che un vero movimento politico.

Il gruppo di giovani scrittori che collaboravano al giornale « Je suis partout » (fondato nel 1930) univa all'ammirazione per Drumont e Maurras quella per la guerra, nella quale, come si compiacevano di proclamare, tutta la realtà esistente avrebbe potuto essere distrutta in qualsiasi momento. Pur essendo personalmente dei razzisti, la stima di sé e il loro patriottismo esigevano che essi differenziassero il proprio razzismo da quello nazista ed essi tentarono di farlo mettendo in rilievo che il loro razzismo antiebraico era più moderato e meno irrazionale di quello tedesco: il leader di questo gruppo, Robert Brasillac, criticò perciò i nazisti per aver trasformato la razza in un concetto metafisico (qualunque significato ciò potesse avere), mentre da parte sua giudicava tutti gli ebrei come un popolo pieno di caratteristiche sgradevoli [18]. Lucien Rebatet, altro importante giovane scrittore fascista, dichiarò nel 1938: « noi non siamo razzisti », ma nello stesso tempo si gloriò del fatto che la Francia avesse una potente tradizione antisemita e chiese una netta separazione tra i francesi e gli ebrei [19].

L'apparente moderazione si mescolava con la piena accettazione della definizione del regime esistente in Russia come « ebraico-bolscevico » e dello stereotipo ebraico, così come era raffigurato dalle vignette di « Je suis partout » [20]. Ma l'ammirazione per la violenza nazista indusse questi giovani scrittori ad assumere un atteggiamento più duro, che essi confusero con l'*élan* nietzschiano: così Lucien Rebatet, nel suo famoso libro *Le macerie* (*Les décombres*, 1942) sostenne, preso da una sorta di raptus, che si sarebbero dovuti uccidere migliaia di ebrei e deportare i rimanenti in colonie ebraiche da costituire in Russia o nell'impero britannico [21]. Per questi giovani scrittori il razzismo fu, in ultima analisi, la conseguenza della loro aspirazione a diventare dei superuomini nietzschiani, inneggianti alla violenza. Nel 1942 anche Brasillac paragonò Georges Sorel ad Alfred Rosenberg (il « signore francese della violenza » e il « signore tedesco della violenza ») [22]. Ma era un'illusione incredibile definire così l'autore del *Mito del XX secolo* e confondere il mito di Sorel sulla violenza con il mito razziale di Rosenberg; era però un'illusione che questi giovani scrittori condividevano con molti uomini più anziani di loro, con Sicard per esempio, che si offrì volontario nella Brigata francese delle SS, la Carlomagno.

Louis-Ferdinand Céline, che è un autore più famoso di Brasillac e Rebatet, è passato dalle preoccupazioni per la degenerazione manifestate nel romanzo *Viaggio al termine della notte* (*Voyage au bout de la nuit*, 1932) all'appello al massacro degli ebrei lanciato in *Bagatelles pour un massacre* (1937) [23]. In Europa anche altri personaggi della letteratura diventarono fascisti negli anni '30 e aderirono in genere a importanti movimenti fascisti e nazisti dei loro paesi. Questo fu il caso di Gottfried Benn, uno dei maggiori poeti tedeschi, che trovò momentaneo appagamento nel nazionalsocialismo. Le sue poesie sono piene di immagini di una società decadente e malata, simile a quella descritta da Céline in *Viaggio al termine della notte*. Il fascismo offriva a questi uomini quei valori assoluti di cui in passato avevano sentito la mancanza e così pure l'eccitante sensazione di partecipare a un virile movimento di massa. Ezra Pound, non avendo trovato nella sua patria un fascismo di questo tipo, preferì vivere in Italia, dove esso esisteva. I giovani e politicamente isolati scrittori francesi furono costretti a cercare ispirazione oltre i confini del loro paese, anche se molti di loro fecero brevi esperienze nel movimento di Doriot.

Né il fascismo né il razzismo penetrarono massicciamente in Francia, perché questa nazione, al di là dell'apparente irrequietezza e del sussoguirsi dei governi, godeva di una relativa stabilità. Inoltre, malgrado la sua tradizione antisemita e razzista, la Francia, essendo una nazione cattolica e largamente rurale, era troppo conservatrice per accogliere senza difficoltà il dinamismo razzista. Infine i fascisti si trovarono combattuti tra il proprio sciovinismo e la loro ammirazione per i nazisti; l'esaltazione in loro suscitata dai raduni del partito a Norimberga, ai quali molti di loro assistettero, e i timori per la potenza francese erano intimamente inconciliabili. In breve, il razzismo divenne in Francia un movimento letterario, sgravato da ogni responsabilità politica e dalla necessità di conquistarsi un seguito di massa [24].

Anche in Europa orientale è raro trovare aperte professioni di razzismo, per quanto gravi possano esservi state le persecuzioni contro gli ebrei. Qui, negli anni '30, gli ebrei furono favoriti dall'esistenza di movimenti antisemiti della destra radicale, che costituivano una minaccia per le dittature instauratesi nel dopoguerra. Gli ebrei trovarono perciò degli alleati nei governi impegnati a distruggere questi partiti di destra, che minacciavano la legge e l'ordine e anche le esistenti strutture politiche e sociali del potere. In nazioni come l'Ungheria e la Romania le dittature furono fondate sull'alleanza con le tradizionali gerarchie sociali e politiche e perciò furono costrette a difendere l'ordine ereditato contro chiunque avesse voluto abbatterlo. Inoltre, in nazioni in cui i partiti comunisti erano stati messi al bando e

il sovversivismo sovietico era considerato una minaccia permanente, il pericolo della rivoluzione veniva dalla destra radicale
e non dalla sinistra radicale.

Quando nel 1938 re Carol si proclamò dittatore della Romania,
la sua azione fu dettata dalla necessità di far fronte alla crescente
pressione della « Legione dell'Arcangelo Michele » [25]. Questo movimento era stato creato nel 1927 con l'obiettivo di trasformare
la Romania in una dittatura sostenuta da contadini e operai. La
Guardia di ferro — l'organizzazione di massa della Legione fondata nel 1930 — nutriva un odio fanatico per gli ebrei che giudicava il simbolo della classe media romena sfruttatrice del
popolo [26]. Gli ebrei in effetti costituivano in Romania un vasto
settore della classe media, mentre la Guardia di ferro era in gran
parte composta da contadini, guidati da studenti, il cui leader
era il giovane Corneliu Zelea Codreanu. Questi era un nazionalsocialista, avversario del capitalismo finanziario e della corruzione
(entrambi predominanti in Romania). Codreanu auspicava una
rinascita nazionale da lui definita in termini di sangue, terra e
cristianesimo; ma per lui non valevano le usuali teorie tipiche
del razzismo, tanto è vero che, secondo un suo ammiratore del
secondo dopoguerra, il prete che lo aveva sposato era un ebreo
convertito [27]. Nonostante ciò Codreanu si era in ultimo convinto
che gli ebrei volessero impadronirsi di gran parte della Romania
per crearvi una nuova Palestina [28], e, fatto per lui ancor più
importante, che avessero inventato il bolscevismo e fossero insieme gli sfruttatori e i sovvertitori della Romania. Codreanu era
un cristiano mistico e ascetico, che parlava sempre del sacrificio
di Cristo e ne paragonava la risurrezione con quella della nazione.
Non era però facile distinguere tra il suo giudizio sugli ebrei e
il razzismo, proprio perché la sua ammirazione per Hitler era
sincera: gli ebrei, per lui, erano il male assoluto. Codreanu fu
un capo carismatico, e dopo il suo assassinio, avvenuto nel 1938
per ordine di re Carol, la Guardia di ferro non riuscì più a
esprimere una guida efficiente. Horia Sima, il nuovo capo, sperava che le vittorie di Hitler durante la seconda guerra mondiale
lo aiutassero a spianare la strada al potere della Guardia.

Nel 1940 i nazisti costrinsero re Carol ad abdicare e il nuovo
dittatore, generale Antonescu, tentò di governare insieme con la
Guardia di ferro: quando però si accese tra loro la lotta per
il potere, egli, con l'aiuto di Hitler, annientò la Guardia e ne

esiliò i capi. Ma nel 1941, durante i cinque mesi della dittatura frutto dell'alleanza della Guardia di ferro con il generale Antonescu, in Romania avvennero alcuni tra i più feroci *pogrom* di cui si conservi memoria, nel corso dei quali, nella sola Bucarest, furono massacrati più di mille ebrei [29].

In Ungheria la dittatura conservatrice di Nicolas Horthy dovette anch'essa fronteggiare un movimento della destra radicale, che non ebbe però mai la forza e il dinamismo della Guardia di ferro. Anche le Croci frecciate volevano abbattere il regime di Horthy e le semifeudali classi sociali sulle quali esso si fondava. Ma Ferenc Szálasi, il loro capo, più che un attivista era un sognatore, il cui mistico ideale dell'«ungarismo» aveva pochi elementi di concretezza capaci di provocare l'instaurazione di un nuovo ordine in Ungheria. Szálasi parlava di costituire uno stato contadino industrializzato e altamente sviluppato, ma in ultima analisi fu la rivendicazione della supremazia ungherese, all'interno su tutte le minoranze, all'esterno sul bacino danubiano, a dare al movimento dinamismo e forza d'attrazione. Malgrado ciò, le Croci frecciate, proprio come la Guardia di ferro, riuscirono a raccogliere sotto la loro bandiera masse di operai e contadini [30]. La destra radicale ottenne in Romania e in Ungheria un seguito così consistente perché fu il primo movimento a coinvolgere le masse nella politica, e ciò accadde in nazioni nelle quali non esistevano partiti marxisti che assolvessero a tale funzione.

Nel nebuloso «ungarismo» di Szálasi era presente la condanna della razza ebraica, anche se nell'ideologia delle Croci frecciate essa non occupava un posto altrettanto importante che in quella della Guardia di ferro. In effetti Szálasi rifiutò di collaborare alla deportazione degli ebrei dall'Ungheria [31]. Tutto sommato però Szálasi non ebbe una grande importanza, dato che diventò Führer dell'Ungheria solo dall'ottobre 1944 al febbraio 1945, quando le armate sovietiche stavano già occupando il paese.

Durante la guerra la destra radicale, con il suo odio fanatico per gli ebrei, non riuscì ad abbattere le dittature conservatrici né in Ungheria né in Romania. Perciò anche se gli ebrei furono vittime di persecuzioni, in queste nazioni non fu attuata alcuna sistematica politica antiebraica sino a quando la pressione tedesca non costrinse i riluttanti dittatori ad agire. Il razzismo non è mai stato una componente della politica perseguita dai regimi tradizionali, timorosi di ogni cambiamento.

In questo quadro dell'Europa orientale la Polonia ha rappresentato l'eccezione. Qui, come abbiamo visto nel precedente capitolo, la dittatura succeduta a Pilsudski ha saltuariamente seguito una politica razzista e a volte ha incoraggiato persino la violenza contro gli ebrei, tanto da indurre un giornale francese a paragonare il governo dei colonnelli al Terzo Reich di Hitler [32]. Un buon esempio del modo di comportarsi del governo polacco nei confronti degli ebrei è costituito dal fatto che ogniqualvolta veniva sollevata in riunioni internazionali la questione dei rifugiati ebrei tedeschi, il governo polacco insisteva che fosse presa in considerazione anche l'«eccedenza di ebrei» presente in Polonia, ammontante, a suo dire, a 3 milioni di individui. Tale atteggiamento offriva a tutte le altre nazioni un facile pretesto per impedire l'emigrazione degli ebrei tedeschi, dato che dietro di loro erano pronti a seguire milioni di ebrei dalla Polonia [33]. Comunque sia, persino la Polonia, nonostante le prese di posizione razziste, cercò di evitare, in quanto nazione cattolica, l'uso del termine « razza » [34].

Le regioni balcaniche che erano sotto l'influenza dell'Italia fascista seguirono una linea più moderata: è vero sì che il movimento « ustascia » andato al potere in Croazia sotto la guida di Ante Pavelic fomentò i *pogrom*, ma è altresì vero che allorché rinchiuse alcuni ebrei nei campi, dietro pressione italiana esso lasciò poi che la maggior parte di essi sopravvivessero e si oppose alla loro deportazione da parte dei nazisti. Inoltre Pavelic, seguendo l'esempio italiano, ha cercato di sottrarre a questi provvedimenti un numero non irrilevante di ebrei [35].

II

L'Italia ha protetto i suoi ebrei ovunque le sia stato possibile. Nell'ottobre 1938 Mussolini aveva promulgato le proprie leggi razziali, che vietavano i matrimoni misti, escludevano gli ebrei dal servizio militare e proibivano loro di avere grosse proprietà terriere; egli però volle che questa legge fosse inoperante nei confronti di quegli ebrei che avevano partecipato alla prima guerra mondiale o al movimento fascista e coniò personalmente lo slogan: « discriminare, non perseguitare » [36]. Le leggi razziali avevano lo scopo di dare al fascismo, ormai invecchiato al potere, un nuovo

dinamismo — un compito che esse non avrebbero assolto dato
che in Italia non esisteva una tradizione razzista antiebraica. Le
leggi razziali intendevano anche rappresentare un gesto di amicizia verso Hitler, ma nemmeno in questo caso diedero risultati
migliori, anzi i nazisti si meravigliarono per il fallimento fascista
nel far osservare le leggi. Mussolini non era un razzista; come
Adolf Hitler era un consumato uomo politico, ma al contrario
di lui non era oppresso dal peso di un grosso bagaglio ideologico
e da una visione apocalittica. Hitler giudicava ogni importante
problema in termini escatologici, e la sua soluzione doveva essere,
a suo parere, assoluta e « definitiva ». Per Mussolini il futuro
era qualcosa di indeterminato che in virtù di un vago concetto
di nuovo uomo fascista avrebbe sicuramente avuto una soluzione
positiva. Questo modo di vedere gli permise di assumere sulla
questione razziale una posizione cinicamente flessibile. Egli poté
così appoggiare il sionismo tutte le volte che ciò si dimostrava con-
veniente alla sua politica anti-inglese e insieme minacciare gli ebrei
italiani delle peggiori conseguenze se avessero mantenuto una
doppia fedeltà.

Verso la metà degli anni '30 era prevalso, all'interno del
fascismo, un senso di diffidenza verso ogni internazionalismo,
compreso il sionismo, e questo fatto, unito a qualche vaga idea
sulla cospirazione ebraica internazionale, aveva certamente facilitato al duce di insistere sulla promulgazione delle leggi razziali;
non vi è dubbio inoltre che la decisione gli sia stata agevolata
dall'importanza assunta dagli ebrei tra gli antifascisti italiani.
Tutto sommato però questi sentimenti antiebraici non ebbero
probabilmente altrettanta importanza della necessità di dare nuovo
élan al regime e di fare un gesto di amicizia verso il nazionalsocialismo. Mussolini decise di servirsi degli ebrei come pedine
del suo gioco politico: se poi gli fosse riuscito, con la paura,
di ottenere la fedeltà degli ebrei allo stato fascista, ciò sarebbe
stato per lui puro guadagno.

La guerra abissina del 1935 favorì un simile razzismo privo
di basi teoriche. In questa occasione il concetto di razza era
stato riferito ai rapporti tra italiani ed etiopici, e si era affermato
che la fraternizzazione con gli indigeni equivaleva a mancanza di
« dignità razziale ». La guerra fece nascere nella coscienza degli
italiani il concetto di razza, ma esso era diretto contro i neri,
non contro gli ebrei. In un primo momento Mussolini aveva

sperato che i sionisti lo avrebbero aiutato a far fallire le sanzioni decretate da tutto il mondo contro l'Italia; ma quando essi, dopo alcuni tentativi compiuti per persuadere gli inglesi ad abbandonare il boicottaggio, si dimostrarono per lui inutili, il duce pensò che le organizzazioni internazionali ebraiche gli si fossero rivoltate contro e si convinse perciò che la cospirazione mondiale ebraica contro il fascismo dovesse essere annientata [37].

Alcuni alti esponenti fascisti, come Roberto Farinacci, si rallegrarono per la promulgazione delle leggi razziali, perché erano stati antisemiti sin dagli anni '30, incoraggiati in ciò dalla loro ammirazione per i nazisti. Ma il fronte nazi-fascista contro gli ebrei da loro sognato non si concretizzò mai, dato che generali e funzionari statali collaborarono per salvare dai nazisti quanti ebrei fosse loro possibile. I pochi razzisti italiani rimasero isolati, almeno sino alla repubblica di Salò, instaurata da Mussolini dopo la capitolazione italiana e la sua fuga dalla prigionia.

Nel 1944 fu nominato capo dell'ufficio preposto alla questione razziale Giovanni Preziosi, il cui periodico, « La vita italiana », era diventato il portavoce dell'antisemitismo italiano. Nel 1921 Preziosi aveva anche tradotto in italiano i *Protocolli* ed era un aperto assertore delle teorie sulla cospirazione mondiale ebraica. Ma l'ufficio per la razza non ebbe mai effettivo potere, perché nella repubblica di Salò comandavano i tedeschi e Preziosi ne fu solo un collaboratore [38]. Julius Evola, l'altro importante teorico italiano della razza, mise l'accento sul mistero della razza, sull'« anima razziale » e si curò poco degli aspetti biologici e antropologici. Evola credeva in una pura razza italiana, ma siccome essa era tutta da inventare, non fece altro che trasferire le qualità dell'ariano germanico a una mitica « razza ariana mediterranea » [39]. Il sogno di Evola era la costituzione di un comune fronte europeo-ariano e desta perciò poca meraviglia che egli esaltasse le SS come un'*élite* biologica ed eroica e le paragonasse ai medievali cavalieri ghibellini [40]. Ma a differenza di quello che accadde ad altri pensatori che fuori d'Italia sostenevano le stesse cose, ben pochi italiani lo presero sul serio.

Dopo la seconda guerra mondiale, ormai diventato un anziano esponente politico dei neofascisti italiani, Evola ha cercato di giustificare il proprio razzismo ed ha affermato che esso era stato solo una sua opinione personale, al massimo un'adesione all'eugenetica. Nonostante ciò Evola è rimasto fermo nella convinzione che gli ebrei fossero dei sovversivi che combattevano una guerra segreta contro l'Italia, servendosi dell'alta finanza e delle rivoluzioni bolsceviche [41].

III

Il futuro del razzismo in Europa era soprattutto legato al successo o al fallimento della Germania nazista, e quando sembrò che questa nazione fosse sul punto di dominare l'Europa, l'intera politica razzista fu alla fine inserita in questo contesto.

Il razzismo divenne la politica ufficiale del governo tedesco il 30 gennaio 1933 quando Hitler assunse il cancellierato del Reich. Egli arrivò al potere in coalizione con il conservatore « partito del popolo tedesco » (DNVP), ma anche se vi fu qualche speranza che i conservatori potessero impedire una politica razzista, essa era mal riposta: già dopo meno di un anno i conservatori non facevano più parte del governo e per di più anch'essi si erano ampiamente serviti del razzismo per mobilitare le masse [42]. Certo, se a vincere fossero stati loro e non Hitler, gli ebrei tedeschi, pur venendo esclusi dalla vita tedesca, non sarebbero stati tutti cacciati dalla Germania o uccisi. Comunque sia, Hitler diede l'avvio alla sua politica ebraica non appena andato al potere. Tale politica vide un crescendo di misure sempre più dure contro gli ebrei, costantemente precedute da tentativi di eccitare le masse contro di loro, in modo da far credere di essere lui a seguire la pubblica opinione e non di esserne l'istigatore [43].

L'assassinio di massa non rientrava ancora nel programma nazista, che invece prevedeva solo il ritiro della cittadinanza agli ebrei, e ciò malgrado le innumerevoli canzoni delle Squadre d'Assalto (*Sturm abteilung*, SA) piene di immagini di pugnali grondanti sangue ebraico. A un livello più rispettabile, Joseph Goebbels, in un catechismo nazista del 1931, si limitava a tracciare delle analogie: è incontestabile, egli scriveva, che gli ebrei siano degli esseri umani, e infatti ciò non è mai stato messo in dubbio; ma anche la pulce è un animale, per quanto sgradevole; ed è questo il motivo per cui gli uomini non proteggono né ingrassano la pulce, ma cercano di renderla innocua [44]. Già abbiamo visto il ruolo importante e nefasto svolto dalle analogie animali nel razzismo. La moderazione della politica ufficiale e l'estremismo sulle piazze miravano a creare confusione sia tra gli ebrei che tra i tedeschi e a tutti sembrò all'inizio che Hitler avrebbe semplicemente attuato il programma ufficiale nazista, limitándosi ad escludere gli ebrei dalla vita tedesca.

Durante le prime fasi della sua politica ebraica, che prevedevano l'esclusione e l'emigrazione, Hitler trovò facilmente dei collaboratori volenterosi, cosa non certo riscontrabile in egual misura in occasione della «soluzione finale». Per esempio, il capo della gioventù hitleriana, Baldur von Schirach, e sua moglie protestarono contro la deportazione degli ebrei dopo che la signora von Schirach aveva assistito per caso a un rastrellamento di ebrei in Olanda. Hitler non reagì favorevolmente a tali interferenze nei suoi progetti [45]. Tuttavia coloro che presero parte alle fasi iniziali della politica ebraica non possono essere assolti dalla colpa di ciò che accadde in seguito. Una volta che il razzismo era diventato la politica ufficiale di un potente e dinamico governo, furono spalancate le porte alle sue logiche conseguenze, dato che in fin dei conti esso significava impegno totale. Ma per la maggior parte degli uomini, compresi molti nazisti, una politica di assassinio di massa sarebbe apparsa impensabile nell'illuminato secolo XX. Era possibile concordare con la propaganda nazista sul fatto che gli ebrei fossero degli stranieri in Germania e, ritenendo che ciò bastasse, chiudere gli occhi di fronte a qualsiasi misura che andasse al di là della loro espulsione dalla nazione. Inoltre i nazisti attuarono la politica antiebraica con grande lentezza, tanto che ancora nel 1935 molti ebrei fecero ritorno in Germania, rassicurati con l'inganno insieme con molti loro correligionari che vi erano rimasti [46].

Adolf Hitler non ha mai agito in maniera lineare, perché se da un lato era sempre ossessionato dall'avversione contro gli ebrei, dall'altro procedeva lentamente, a volte persino trattenendo alcuni collaboratori troppo impazienti. Così per esempio, tra tutte le versioni a lui sottoposte delle famigerate leggi di Norimberga del 1935, egli scelse, come vedremo, la più moderata [47]. Il tempismo politico di Hitler, che si sarebbe dimostrato tanto eccellente in politica estera, si manifestò anche nell'evoluzione della questione ebraica. Egli parve sempre agire perché spinto o provocato, come nel caso dell'assassinio del diplomatico tedesco Ernst vom Rath compiuto a Parigi nel 1938 da un giovane ebreo; in realtà invece tutto era stato ideato in modo da arrivare alla soluzione finale.

Hitler collegava lo « spazio vitale », di cui pensava che i tedeschi necessitassero all'Est, con lo sterminio degli ebrei, e nel suo pensiero spazio vitale e sterminio costituirono un'unica grande aspirazione, perché vasti spazi con la presenza di una popolazione locale ridotta in schiavitù gli avrebbero offerto l'opportunità di annientarvi il « nemico » ebreo senza che ciò suscitasse in Germania reazioni furibonde. Il progetto di eutanasia in via di attuazione nel cuore della Germania aveva dovuto essere interrotto (almeno ufficialmente) quando la gente si era resa conto di che cosa stava succedendo [48]. Questa esperienza deve aver rafforzato la risoluzione di Hitler di unire la conquista della Polonia con la soluzione finale. Visti a distanza, l'obiettivo e la politica di Hitler appaiono chiari, ma naturalmente a quel tempo non erano altrettanto evidenti. Il Führer badava a tenere per sé i suoi veri sentimenti e progetti, anche se ne fece qualche cenno a qualcuno tra i suoi più stretti collaboratori.

Per questo motivo è Hitler la chiave di volta della politica razzista nazista, in quanto egli fu il vero profeta della razza, colui che portò la teoria sino alla sua logica conclusione. In qual modo Hitler divenne un adepto della razza e quale tipo di razzismo suscitò il suo impegno appassionato e la sua fede cieca? A questo punto dobbiamo soffermarci ad analizzare l'evoluzione intellettuale del personaggio più importante in senso assoluto della storia del razzismo europeo.

Il giovane Hitler aveva assorbito il razzismo a Vienna, dove esso era molto diffuso, e lo aveva rafforzato con amicizie fatte negli anni immediatamente successivi alla prima guerra mondiale. Forse egli era già diventato un radicale antisemita a Vienna (non lo sapremo mai con certezza), ma la sua cultura razzista si arricchì a Monaco dopo il 1918.

Numerose devono essere state le influenze antisemite che a Vienna agirono su Hitler: il movimento di Lueger, di cui egli vide la fase finale; i più violenti pan-germanisti di von Schönerer; e, in ultimo, ma non per importanza, le sette razziste che alimentavano il « mistero della razza ». Sembra che l'influenza maggiore sia stata quella delle sette di Lanz von Liebenfels e Guido von List, entrambi divulgatori di questa miscela di razzismo e teosofia, ed è probabile che egli ne abbia letto la letteratura, perché nelle conversazioni di molti decenni dopo il suo discorso cadeva sempre sullo spiritualismo, sulle scienze occulte e sugli ebrei

definiti « il principio del male » e non giudicati creature di carne
e sangue [49]. Ma nulla del cinismo e del cattolicesimo di Lueger
fu accolto da Hitler, il quale inoltre ignorava certamente le teorie
della scienza della razza.

Dopo la prima guerra mondiale influenze di questo tipo
ebbero una certa diffusione. Un elenco di libri che si suppone
Hitler abbia preso in prestito dall'Istituto nazionalsocialista —
una biblioteca circolante fondata nei dintorni di Monaco tra il
1919 e il 1921 da un vecchio membro del partito — comprende
tutte le opere principali sul razzismo: Houston Stewart Chamberlain, Richard Wagner, Langbehn e almeno tre libri di Max
Maurenbrecher, che era un razzista *volkisch* ostile sia agli ebrei
che alla Chiesa cristiana. Vi sono inoltre molti libri del tipo
« Lutero e gli ebrei » o « Goethe e gli ebrei », tutti imperniati
sul supposto odio verso gli ebrei di questi eroi della cultura
tedesca. Nell'elenco vi è anche un'annacquata versione del *Talmud-
Jude* di Rohling, libri sulla socialdemocrazia come movimento
ebraico e il volume di Nicostenski *L'estasi sanguinaria del bolscevismo* (*Der Blutrausch des Bolschevismus*). È abbastanza inte-
ressante anche il fatto che Hitler avesse scorso il romanzo di
Zola *L'Argent*, in cui viene dipinto lo stereotipo dell'ebreo capitalista. Nell'elenco figurava anche il libro di Treitschke sugli ebrei.
A Hitler, perciò, doveva essere nota la più comune letteratura
razzista, tranne quella con pretese scientifiche. Bisogna aggiungere che poco meno della metà dei libri presi in prestito da
Hitler non avevano nulla a che fare con gli ebrei, ma trattavano
di storia medievale austriaca e tedesca, o dibattevano, da prospettive di destra, problemi contemporanei [50]. Hitler non è stato
un uomo di grandi letture, pensava che un libro andasse letto
cominciando dalla fine e affermò che se ne poteva afferrare il
messaggio leggendo qua e là tra le sue pagine [51]. Per quanto
riguarda la letteratura razzista, comunque, tutto ciò non aveva
grande importanza dato che il suo contenuto polemico era facilmente intuibile anche senza una lettura sistematica.

Di maggiore significato di qualsiasi lettura fu l'incontro avvenuto a Monaco tra Hitler e il commediografo e giornalista Dietrich
Eckart. Secondo Eckart l'ebreo era semplicemente il principio del
male, il responsabile della sconfitta tedesca, del bolscevismo e
della censura sugli scritti dello stesso Eckart, ai quali, a parere
del loro autore, non era arriso il riconoscimento che meritavano.

Idee come queste e ragionamenti da paranoico riempivano il foglio di notizie di Eckart « Auf gut deutsch ». Grazie al proprio amico Alfred Rosenberg, Eckart era venuto a conoscenza dei *Protocolli dei saggi anziani di Sion* e deve averli poi imprestati a Hitler. I tre uomini erano convinti che i *Protocolli* fossero essenziali per capire gli ebrei e i loro compagni di viaggio bolscevichi, socialisti e liberali. Tuttavia Eckart non voleva una soluzione violenta della questione ebraica e quelle poche considerazioni da lui dedicate a misure concrete contro gli ebrei prevedevano la ricostituzione dei ghetti e l'esclusione degli ebrei dalla vita tedesca [52]. Inoltre, per Eckart, non si sarebbe mai potuto fare a meno degli ebrei, dato che essi costituivano l'elemento di contrasto per i tedeschi e davano il necessario stimolo al *Lichtmensch* ariano [53].

Il programma di sterminio mirante a rendere prima la Germania e poi l'Europa « *Judenrein* » sembra che sia stato una conclusione cui Hitler pervenne da solo nella sua guerra contro gli ebrei. Negli anni in cui si formò il suo pensiero razziale Hitler era un isolato; ma ciò che lo differenziava dai profeti, dagli studiosi che non appartenevano ad alcuna scuola e dai poeti ai quali si doveva l'elaborazione del « mistero della razza » era un maggiore senso pratico e uno straordinario istinto politico. Come scrisse nel *Mein Kampf*, una concezione del mondo, se vuole essere presa sul serio, deve tradursi in realtà politica [54]; e per questa causa egli era disposto a scendere a compromessi, a essere politico e tattico, in attesa che i tempi diventassero maturi. Uomini come Chamberlain, Langbehn o Eckart, per citarne solo alcuni, disprezzavano ogni compromesso e pensavano di essere al di sopra del confuso mondo della politica. Hitler, pienamente a ragione dal suo punto di vista, inveiva contro quelli che egli chiamava « vaneggianti studiosi » *volkisch*, che mancavano di ogni senso politico [55].

Quando il 30 gennaio 1933 Hitler divenne cancelliere, la strada era aperta alla realizzazione del programma nazista. Egli assunse il potere in un momento di imminente guerra civile in Germania e il razzismo, che da lungo tempo si era alleato con la morale della classe media e con le forze della legge e dell'ordine, poté sperare in un futuro migliore. I nazisti e i conservatori promettevano la restaurazione dell'ordine e il rafforzamento della morale e del decoro nella vita pubblica e privata.

Ma in quel momento tutto ciò, per parecchia gente, significò accettazione del razzismo in quanto baluardo appunto della moralità, della legge e dell'ordine contro i principi negativi del bolscevismo, del comunismo e degli ebrei.

L'alleanza tra il razzismo e gli ideali della classe media, da noi messa in risalto in tutto il presente libro, volle dire che anche coloro che non erano accesamente antisemiti poterono tollerare gli iniziali, moderati provvedimenti contro gli ebrei e sentire un nuovo orgoglio per il loro essere tedeschi. Molti devono avere votato nazista perché, come afferma un testimone, era bello vedere impeccabili ragazzi marciare per le strade, offrendo uno spettacolo che prometteva ordine di fronte al caos e incarnava energia di fronte alla disperazione [56]. Dopo il gennaio 1933, la politica ufficiale diede espressione, in un primo momento, a sentimenti già da tempo diventati generali e dai quali, come abbiamo visto, non andava esente nemmeno la sinistra. I comunisti e i nazisti avevano collaborato nel famoso sciopero dei lavoratori dei trasporti di Berlino del 1932, ma ciò che più importa è che il partito comunista anche in precedenza aveva cercato di arrestare la crescita dei nazisti facendo propri alcuni dei loro motivi nazionalisti di attrazione. I socialdemocratici negli ultimi anni della repubblica esitavano a presentare ebrei per cariche pubbliche, mentre i comunisti li eliminarono quasi completamente dal loro comitato centrale [57]. Il razzismo nazista era riuscito a porsi al centro del dibattito e nessuno poté rifiutare di scendere a patti con il suo punto di vista.

Immediatamente dopo l'andata al potere la politica dei nazisti verso gli ebrei fu caratterizzata dalla prudenza: la posizione degli ebrei doveva essere indebolita per vie legali o con misure amministrative [58]. Ciononostante le SA provocarono tumulti antiebraici nelle città, per esempio a Breslavia, che non solo causarono danni materiali, ma suscitarono anche un'atmosfera di terrore. Hitler non desiderava simili azioni individuali, a meno che esse fossero controllate dall'alto, perché avrebbero dato alle irrequiete SA un'indebita autorità e perché erano proprio il contrario del piano razionalmente predisposto per l'esclusione degli ebrei accarezzato da Hitler [59].

Per servirsi del terrore ai propri fini e per fissare dei punti fermi nella sua politica ebraica, Hitler decretò il 1° aprile 1933 il boicottaggio contro le attività economiche degli ebrei. Anche se molte influenti corporazioni e molti giornali ebraici furono esentati da queste misure, Hitler colse però l'opportunità per compiere un altro passo contro gli ebrei su un fronte apparentemente del tutto diverso e decise l'allontanamento degli avvocati e dei giudici ebrei dai tribunali tedeschi [60]. Come sempre, un tipo di provvedimenti presi contro un particolare settore della comunità ebraica serviva a coprire analoghi tipi di provvedimenti diretti contro l'intera comunità. Inoltre, fu preparata e promulgata una legge, di più vasta portata, che escludeva gli ebrei dagli uffici statali di qualsiasi grado. Malgrado ciò le materie concernenti il trattamento degli ebrei erano estremamente confuse: ogni singolo stato tedesco, come la Sassonia, la Prussia o la Baviera, si giovavano delle proprie prerogative locali per agire come meglio credevano, adottando misure severe o moderate.

Tuttavia, malgrado questa confusione, fu chiaro anche ai funzionari del ministero degli Interni ostili al razzismo che non vi era niente che essi potessero fare a favore degli ebrei e che al massimo potevano proteggere solo coloro che avevano contratto matrimoni misti o erano di sangue misto [61]. Il 15 settembre 1935, vigilia del « giorno della libertà del partito », quando stavano per essere promulgate le « leggi a protezione del sangue tedesco » (cioè quelle che saranno note come le leggi di Norimberga), l'unica cosa certa era che Hitler si opponeva al terrorismo diretto contro singoli ebrei [62] e che si era impegnato a escludere gli ebrei dalla vita tedesca; non era però assolutamente chiaro quale definizione egli intendesse dare di un ebreo, né se, nel trattamento della questione ebraica, egli pensasse di andare oltre il programma del partito.

Tra le numerose stesure delle leggi di Norimberga che gli furono sottoposte Hitler scelse la versione più moderata. Era proibito agli ebrei sposare o avere relazioni extraconiugali con ariani, avere persone di servizio ariane o battere bandiera tedesca [63]. In un secondo tempo Hitler dichiarò che questa legge costituiva la sua parola definitiva sulla questione ebraica [64]. Egli avrebbe ripetuto l'identica cosa dopo ogni sua iniziativa in politica estera, ma solo per poi mancare di fede alla parola data. Tale tecnica, che confondeva gli uomini politici stranieri, confuse anche sia gli ebrei tedeschi, i quali potevano continuare a vivere con questa legge, sia molti tedeschi non ebrei. Non essendo stata formulata una definizione degli ebrei, nacque la speranza che alla fine essa avrebbe potuto essere generosa, estendendo il concetto di sangue misto anche ai casi dubbi, i quali in un secondo tempo avrebbero potuto essere esentati dall'applicazione della legge. Hitler, come ora noi sappiamo, pensava proprio il contrario: ma per il momento si compiacque di apparire un moderato, proprio mentre si stava assicurando una libertà di movimento da usare non a favore, ma contro gli ebrei.

La domanda su chi fosse un ebreo fu risolta dalla burocrazia: un ebreo per essere ritenuto tale doveva avere almeno tre nonni ebrei. L'ebreo che aveva solo due nonni ebrei era ritenuto tale solo se apparteneva alla comunità religiosa e aveva sposato un'ebrea. Tutti gli altri di sangue misto erano cittadini del Reich a pieno diritto, e persino se un tedesco si fosse convertito al giudaismo, avrebbe mantenuto la sua cittadinanza [65]. L'apparente generosità insita in questa definizione sembrò confermare le speranze di coloro che pensavano che la questione ebraica fosse ormai giunta alla sua fase conclusiva.

Oltre a tutto ciò, eccettuati i liberi professionisti, poco fu fatto per indebolire la posizione economica della maggioranza degli ebrei tedeschi. È vero che tra il 1933 e l'autunno del 1937 furono espropriati i beni di pochi ebrei molto in vista e potenti, per lo più proprietari di giornali e di grandi magazzini, ma, malgrado il boicottaggio decretato il 1° aprile 1933, i commercianti ebrei continuarono a guadagnare di che vivere un'esistenza accettabile. Tuttavia i segni premonitori del futuro erano già visibili, anche se in genere furono ignorati. Per esempio, nel settembre 1935 fu compilato un elenco completo degli ebrei viventi in Germania, cittadini tedeschi e stranieri, senza il quale la soluzione finale non si sarebbe mai potuta realizzare. Il fatto che Himmler e la Gestapo avessero ordinato la compilazione di questi elenchi ebbe un sinistro significato anche da un altro punto di vista: la politica ebraica stava passando dalle deboli mani dei ministri degli Interni e della Giustizia in quelle della polizia segreta, delle SS e di Heinrich Himmler. Infine la legge per la prevenzione delle malattie ereditarie promulgata il 14 luglio 1933, non recepì semplicemente i motivi ispiratori della campagna a favore dell'eugenetica, ma avrebbe alla fine portato all'eutanasia. Hitler parlò per la prima volta di eutanasia in privato, nella giornata del partito, quando vennero promulgate le leggi di Norimberga [66].

La fine del 1937 e l'inizio del 1938 videro una brusca svolta nella politica ebraica, in concomitanza con un rafforzamento generale del regime. Gli ultimi conservatori lasciarono il governo e il Comando supremo dell'esercito. Hitler era quasi pronto per la prova di forza in politica estera e così pure in quella ebraica. Nel novembre egli svelò i suoi segreti progetti di guerra ai capi del governo e dell'esercito (il Protocollo Hossbach), e nello stesso tempo decise di affrettare l'espulsione degli ebrei dalla Germania. La guerra doveva essere combattuta contro nazioni diventate fantocci nelle mani degli ebrei, ma all'interno della Germania la « cospirazione ebraico-bolscevica » aveva ancora una quinta colonna, e anch'essa doveva essere distrutta.

Al tempo in cui la svolta nella politica ebraica non aveva ancora avuto inizio ma era sul punto di realizzarsi, Hitler stesso diede il segnale dell'azione e svelò quale condotta intendesse seguire; in un discorso pronunciato il 29 aprile 1937 egli disse: « Non voglio costringere l'avversario a combattere... Invece gli dico: voglio annientarti! Poi la mia abilità mi aiuterà a metterti con le spalle al muro in modo che tu non possa colpirmi, mentre io potrò trafiggerti il cuore » [67]. Questa dichiarazione sulla questione ebraica lasciata cadere tra la fine di un periodo di politica ebraica e l'avvio di un altro non ha bisogno di commenti: essa spiega il disarmo graduale del nemico e le successive mosse per metterlo fuori legge. Era l'inizio dell'azione mirante a mettere sotto controllo la cospirazione ebraica temuta da Hitler. Dal tardo autunno del 1937 in poi non furono più ammesse esitazioni e ambiguità nella politica ebraica. Un vero e proprio profluvio di leggi si riversò dai ministeri e problemi lasciati in precedenza irrisolti furono ora definiti con rapidità. Gli ebrei non ebbero più la possibilità di giovarsi degli sgravi fiscali e degli aiuti statali che in caso di necessità erano loro concessi, e alla fine furono espulsi da tutte le professioni.

Ma il primo passo veramente importante nella nuova politica fu l'« arianizzazione » dell'economia, posta ora sotto l'energica guida di Hermann Göring. L'attacco concentrico contro la vita economica ebraica sferrato a partire dall'inverno del 1937 colpì ogni suo aspetto, dalle banche ai negozi di vendita al minuto, e fu accompagnato da azioni locali di boicottaggio, come quelle inaugurate da Julius Streicher a Norimberga. L'ingordigia dello stato nazista non fu l'unico motivo di questa arianizzazione: essa doveva servire ad ammonire gli ebrei che la loro vita in Germania era finita, una cosa che prima di allora non era stata molto chiara. Le misure economiche non ebbero una pubblicità altrettanto ampia della legge approvata il 28 marzo 1938, che toglieva alle istituzioni religiose ebraiche la protezione legale: un chiaro segno per gli ebrei di quello che era tenuto in serbo per loro, e cioè che essi non avrebbero avuto più « personalità giuridica » e che non sarebbero nemmeno più riusciti a salvaguardare la propria sicurezza personale. Ora essi erano formalmente privati di tutti i diritti e messi fuori legge: ciò che sino a quel momento era stato un dato di fatto, anche se mascherato, era diventato ora azione pubblica [68].

Queste misure non sarebbero forse state necessarie se la politica ufficiale di favorire l'emigrazione ebraica avesse avuto successo. Ma col 1937 essa era fallita, in parte perché gli ebrei stessi erano restii a partire, in parte per le difficoltà di trovare loro un rifugio. Malgrado ciò i nazisti avevano cercato di facilitare l'emigrazione mediante accordi per il trasferimento dei beni stipulati con la Palestina e con alcuni paesi dell'America latina, come l'Argentina e il Cile. Ma ora, dato che si stavano privando gli ebrei dei loro mezzi di sussistenza, fu tentata l'emigrazione coatta. Inoltre fu disposto che gli ebrei non potessero portare con sé alcuna proprietà, tranne solo 10 marchi a persona, e si lasciò che gli accordi per il trasferimento dei beni cadessero in prescrizione.

I primi ad essere fisicamente espulsi dalla Germania furono gli ebrei apolidi che non si erano curati mai di chiedere la cittadinanza tedesca. Seguirono poi gli ebrei polacchi viventi in Germania; essi erano assai più numerosi e molti di loro avevano vissuto da lungo tempo in Germania senza diventarne cittadini. Il 28 e 29 ottobre la Gestapo arrestò 15.000 ebrei polacchi e li ricacciò al di là della frontiera. Ma nemmeno i polacchi volevano quella che essi chiamavano l'« eccedenza di ebrei » e così uomini, donne e bambini vissero per un certo tempo sulla terra di nessuno, sospinti avanti e indietro [69]. Alla fine furono accolti dalla Polonia, ma la sorte di questa povera gente fu un presagio di ciò che stava per accadere: l'ebreo non era voluto in nessun posto, egli era, in realtà, senza uno stato in tempi in cui non avere una nazione significava essere un paria.

In Germania gli ebrei polacchi emigrati non erano mai stati accettati e sin dal 1919 e poi nel 1923 il governo repubblicano tedesco aveva cercato di perseguitarne ed espellerne molti [70]. Per i nazisti, questi ebrei incarnavano il vero volto del giudaismo mondiale, mentre gli ebrei più assimilati costituivano solo una quinta colonna: era proprio quello che aveva affermato Hitler nel *Mein Kampf* [71], e il 5 gennaio 1938 egli diede forma legale alle sue parole ordinando che ogni ebreo assumesse il prenome di Israel o Sara [72]. Tutti gli ebrei erano eguali, sia i poveri emigranti dell'Est europeo, sia le vecchie famiglie ebraiche tedesche, e perciò tutti, non solo i polacchi o gli apolidi, furono costretti a vivere sino in fondo il proprio stereotipo, a vivere sulla terra di nessuno.

Due eventi accelerarono le misure antiebraiche. L'Anschluss con l'Austria del marzo 1938 portò nel Terzo Reich altri 200.000 ebrei. L'emigrazione, che già si trovava in difficoltà, non poté più rappresentare una soluzione per un nemico il cui numero era tanto aumentato. In secondo luogo, il 7 novembre 1938 Hershel Grünspan, un giovane ebreo i cui genitori erano tra quei polacchi espulsi sulla terra di nessuno, sparò e uccise il consigliere Ernst vom Rath dell'ambasciata tedesca a Parigi. Hitler ebbe ora il pretesto per scatenare contro gli ebrei un'ondata di terrore che non si sarebbe mai più placata lungo l'intero periodo del suo regime.

In Austria, Hitler in persona inasprì le misure antiebraiche: non solo vi fu introdotta immediatamente la legislazione vigente nel Reich, ma egli personalmente abrogò lo status speciale degli ebrei di sangue misto, ai quali in Austria fu ritirata la cittadinanza a loro invece conservata nel Reich dopo la promulgazione delle leggi di Norimberga; non fu riservato alcun trattamento speciale agli ebrei che avevano combattuto nella prima guerra mondiale [73]. L'Austria costituì un'ulteriore prova di quanto stava per succedere: dal momento in cui essa fu unita al Reich ogni via di scampo fu chiusa. Ma neanche coloro che non erano dei veri e propri razzisti videro le conseguenze di questi eventi, perché erano accecati dalla prospettiva di unirsi alla più grande comunità tedesca. Tipico fu l'atteggiamento dell'arcivescovo di Vienna, cardinale Theodor Innitzer: nel 1933 egli si era rallegrato perché « la voce del sangue del *Volk* germanico » tornava a farsi sentire, ma tre anni dopo aveva condannato pubblicamente il razzismo.

Ciononostante egli ora accolse con entusiasmo l'Anschluss ed ebbe dei ripensamenti solo quando fu attaccata la Chiesa ed era ormai troppo tardi per agire[74].

Joseph Goebbels, cui era stato impedito di partecipare alla formulazione della politica ebraica, colse l'opportunità offerta dall'assassinio di vom Rath per scatenare dei tumulti antiebraici e volle che essi avvenissero nella notte tra il 9 e il 10 novembre 1938 (anniversario del fallito putsch di Hitler del 1923). Questi tumulti, organizzati ufficialmente, sono conosciuti come « la notte dei cristalli », perché in pratica ogni sinagoga della Germania ebbe le finestre infrante e l'interno distrutto, e la maggior parte fu arsa sino alle fondamenta. In seguito a quest'orgia distruttiva 30.000 ebrei furono rinchiusi nei campi di concentramento di Dachau e Sachsenhausen[75].

La « notte dei cristalli » deve essere vista nel contesto della prima grande ondata di arresti di ebrei e del loro trasferimento nei campi. La maggior parte di essi apparteneva alle classi più ricche e se era in grado di esibire le carte di emigrazione era lasciata libera: ma anche se questa volta i più uscirono dai campi, era stato stabilito un precedente a un aspetto della guerra dichiarata contro gli ebrei[76]. Hitler, naturalmente, fu favorevole all'azione e ordinò personalmente a Himmler, rivale di Goebbels, di non interferire.

Göring e Himmler si dolsero per l'operazione messa in atto da Goebbels: il primo perché vedeva distrutti beni del valore di milioni di marchi di cui avrebbe potuto liberamente disporre; il secondo perché vedeva messo in pericolo il suo piano per una soluzione preordinata della questione ebraica e il suo nemico, nella eterna lotta per il potere tra le sfere dirigenti, guadagnare un punto. A conti fatti, però, i loro timori erano infondati. Göring ebbe la sua ricompensa, dato che i danni furono fatti pagare, con una forte tassa, agli stessi ebrei; per di più l'arianizzazione che sino allora era stata concessa a caso, fu ora formalizzata in un lungo elenco di attività vietate una volta per tutte agli ebrei. I loro conti in banca e investimenti furono confiscati. E nemmeno Himmler fu lasciato a mani vuote: degli ebrei furono definitivamente incaricate le SS e Reinhold Heydrich si assunse la totale esecuzione della politica ebraica[77].

Le SS volevano procedere immediatamente all'espulsione di tutti gli ebrei, mentre Göring, che aveva la direzione generale della politica ebraica in quanto capo nominale della polizia segreta, voleva, durante il 1939, rinchiuderli nei ghetti. Hitler però, al quale ancora una volta era necessaria una pausa dopo l'adozione dei nuovi provvedimenti, tenne a freno Himmler, Göring e Heydrich [78], non perché essi avessero torto, ma perché i loro desideri erano prematuri. A questo punto Hitler rivelò una parte anche più ampia dei suoi piani, anzi il suo obiettivo finale: se il 29 aprile 1937 egli si era accinto, secondo le sue stesse parole, a mettere gli ebrei con le spalle al muro, ora, in un discorso del 30 gennaio 1939, ne proclamò addirittura l'annientamento. Gli ebrei avevano sconfitto la Germania nella prima guerra mondiale e perciò gli ideali della clemenza e dell'umanità erano, nei loro riguardi, mal riposti. « Oggi voglio essere ancora una volta profeta: se il capitalismo ebraico internazionale in Europa e fuori di essa dovesse ancora una volta riuscire a gettare le nazioni in guerra, allora il risultato sarà non la bolscevizzazione della terra, ma la distruzione della razza ebraica in Europa » [79].

Ancora una volta Hitler era stato il profeta di se stesso: era lui che stava gettando l'Europa in guerra con lo scopo di annientare gli ebrei.

Il mito di Aasvero, l'ebreo errante che vuole distruggere la Germania con il bolscevismo e che è in attesa di rallegrarsi per la devastazione dell'Europa, fu riesumato e presentato come una realtà [80]. Della guerra scatenata da Hitler si sarebbe data la colpa agli ebrei, che perciò sarebbero stati annientati. Come ha scritto Joseph Goebbels il 16 novembre 1941, gli ebrei avevano voluto la guerra e ora l'avevano [81]. Dal punto di vista di Hitler, non si era fatto altro che far cadere il nemico nelle sue stesse reti. Così, prima dello scoppio di una guerra tanto terribile, gli ebrei dovevano essere preparati per la distruzione, ma non dovevano essere ancora distrutti. L'opera di annientamento sarebbe cominciata dopo la conquista della Polonia.

XIII

RAZZISMO E ASSASSINIO DI MASSA

I

Il passaggio dalla teoria alla pratica nella politica ebraica del nazismo costituì il presupposto indispensabile alla « soluzione finale della questione ebraica ». Tutti coloro che vi furono coinvolti — vittime e persecutori — non avevano potuto prevedere che questa politica sarebbe sfociata in un assassinio di massa senza precedenti nella storia, e ciò anche dopo la dura svolta avvenuta nell'inverno del 1937. Quando, per la prima volta, Hitler impartì segretamente l'ordine verbale di dare pratica attuazione alla soluzione finale e ne affidò l'esecuzione alle SS [1], tra le sfere dirigenti di queste ultime il fatto aveva suscitato una certa meraviglia. Eppure non si sarebbe dovuto dubitare che per Hitler il razzismo fosse una cosa seria, anche se la sua volontà di portarlo sino alle conclusioni logiche non era stata altrettanto chiara sino al momento in cui i tempi non gli parvero maturi.

La legge del 14 luglio 1933 per prevenire la nascita di bambini malati era un provvedimento eugenetico in base al quale la sterilizzazione era volontaria, eccettuati alcuni casi previsti con grande precisione. Ma prima ancora che fosse passato un anno, le sterilizzazioni erano diventate obbligatorie e non era più necessario ottenere il consenso della vittima [2]. Furono fissati i tipi di malattia ereditaria che la sterilizzazione avrebbe dovuto impedire seguendo il criterio della capacità dell'individuo in questione di far fronte con successo alle necessità della vita e della sua prevedibile capacità di affrontare i pericoli della guerra. Entrambe queste considerazioni non avevano nulla a che fare con le usuali definizioni di malattia, ma erano invece relative alla possibile utilizzazione dell'individuo malato a vantaggio dell'intera società[3].

Chi era affetto da malattie congenite fu considerato un essere improduttivo[4] e, come abbiamo visto, il concetto di produttività aveva un grande peso nel pensiero razzista, secondo il quale la razza superiore è stata sempre definita come produttiva, mentre quelle inferiori non erano ritenute capaci di esibire alcun frutto tangibile del loro lavoro. Il libro che ebbe la massima influenza sugli eugenisti nazisti era imperniato proprio su questo problema; il malato congenito e coloro che hanno perduto la volontà di lavorare dovrebbero essere soppressi perché la comunità deve essere sollevata dall'onere di prendersi cura dei suoi membri inutili. L'avvocato Karl Binding e il medico Alfred Hoch avevano scritto *La rinuncia alla vita indegna affinché essa possa essere distrutta (Die Freigabe der Vernichtung Lebensunwertes Lebens,* 1920) durante gli anni della crisi economica postbellica. Secondo le loro teorie, mantenere in vita coloro che avevano cessato di essere utili a se stessi e alla società voleva dire sfruttare la volontà di lavorare degli altri e sprecare le ricchezze delle persone sane e produttive; i due autori contrapponevano il sacrificio di cui la gioventù era stata la vittima in guerra con lo sperpero causato dall'assistenza dovuta a queste inutili esistenze. L'eutanasia, concludeva il libro, era basata sul rispetto « della volontà di vivere di ciascun individuo »[5].

Binding e Hoch non erano razzisti e nel loro libro non si trova alcuna argomentazione basata sull'eugenetica razziale. Ma il concetto di utilità sociale, di capacità al lavoro e, ultima, ma non per importanza, l'idea che alcuni individui dovessero essere uccisi perché altri potessero vivere una vita completa, furono facilmente integrati nelle concezioni razziali. Le qualità lodate da Binding e Hoch erano anche quelle che caratterizzavano la « razza padrona » e l'eutanasia divenne perciò l'esito necessario dei tentativi di migliorare la razza liberandola dai parassiti.

Quando Hitler, il 1° settembre 1939, diede più ampi poteri ai medici e agli avvocati scelti per applicare il programma nazista, già si erano verificati casi di soppressione di individui affetti da malattie mentali e da anomalie fisiche. Il decreto sull'eutanasia fu predatato da Hitler in persona al primo giorno della seconda guerra mondiale — un gesto più significativo dello stesso decreto amministrativo. Hitler considerava la vittoria dell'ariano come l'obiettivo primario del conflitto: per lui era necessario non solo mettere le razze inferiori al loro posto, ma anche preservare gli ariani da qualsiasi potenziale fattore di indebolimento. Eutanasia e guerra erano altrettanto interdipendenti che guerra e soluzione finale. Durante il dicembre 1939 tutti i manicomi tedeschi furono obbligati a rispondere a un questionario sull'identità di ogni paziente e sulla durata della sua degenza; chiunque fosse stato ricoverato per cinque o più anni veniva sottoposto ad una attenta osservazione: era, lui o lei, pazzo criminale, schizofrenico o demente senile? In seguito tali malati sarebbero stati trasferiti in istituti del tipo di Grafeneck o Hadamar che, ritenuti segreti, erano invece noti a tutti come luoghi dove si praticava l'eutanasia. L'elenco delle malattie che comportavano il trasferimento veniva costantemente aggiornato, ma erano tutte infermità difficili ad essere definite con esattezza. Solo una « malattia » non suscitava equivoci: tutti i pazienti ebrei dovevano essere uccisi a prescindere dalla diagnosi. Gli ebrei malati mentali e neuropatici costituirono l'avanguardia dei 6 milioni di ebrei condannati a morte. Nel 1940 fu escogitato un nuovo questionario, in cui ora si chiedeva apertamente se i pazienti fossero abili al lavoro; nello stesso tempo si autorizzarono medici non specialisti in psichiatria a prendere parte alle operazioni di selezione [6].

Non mancarono delle resistenze e alcuni fra i più famosi istituti per malati mentali tedeschi rifiutarono di riempire il questionario, cavandosela in questo modo. Ma vi furono anche alcuni genitori e parenti che chiesero l'uccisione dei propri figli malati [7]. Non era possibile mantenere segreta l'eutanasia, perché essa si praticava in istituti vicini a centri abitati e ben presto genitori e parenti si insospettirono per tante morti troppo improvvise. Le Chiese presero l'iniziativa della protesta e tra i primi a far sentire la propria condanna furono il vescovo protestante Theophile Wurm e il vescovo di Berlino Konrad von Preysing. Fu tuttavia il vescovo di Münster Clemens August Galen a suscitare il massimo scalpore quando, il 31 agosto 1941, rendendo pubblico il programma, esclamò che se le cosiddette persone improduttive potevano essere uccise come delle bestie, allora « guai a noi tutti quando saremo vecchi e deboli ». Questa rivelazione fu solo il momento più drammatico del senso di insicurezza che l'eutanasia aveva diffuso tra l'intera popolazione [8].

I nazisti cercarono di rendere popolare l'eutanasia prospettandola come un sacrificio che si sarebbe risolto in un beneficio per la vittima, e per diffondere tale interpretazione si servirono di un film; in *Io accuso* (*Ich klage an*, 1941) si tentava di dimostrare l'innocenza di un medico che aveva ucciso la moglie malata incurabile. Vi si faceva riferimento agli eroici tempi dei romani quando simili morti erano permesse e agli antichi germani che avevano ammesso l'uccisione per pietà. Solo in un punto del film vi era un indiretto riferimento all'uccisione di un malato mentale, ma esso era fatto nel contesto delle argomentazioni di Hoch e Binding, in modo da sottolineare l'assurdità di mantenere un personale numeroso e molti edifici allo scopo di far sopravvivere « poche miserabili creature »[9]. Il film non fece grande impressione, ma i nazisti, nel loro sforzo verso la totalità ogni volta che fosse loro possibile, si servirono del cinema per divulgare le loro iniziative politiche, ritenendo l'immagine molto più efficace della parola scritta a trasmettere un messaggio. Così, i rastrellamenti degli ebrei nel 1940, ovunque avvennero, furono accompagnati dalla proiezione di un film antisemita, *Süss l'ebreo* (1940), che riscosse un grande successo. Süss Oppenheimer era un cortigiano ebreo del secolo XVII, giustiziato perché sospettato di sfruttamento e corruzione dello stato tedesco del Württemberg. Il film fu molto più popolare di *Io accuso*, forse perché il soggetto non toccava la vita quotidiana del tedesco medio e lo stereotipo razziale vi era molto ben presentato.

Malgrado la grande propaganda a favore dell'eutanasia, poco dopo il sermone del vescovo Galen Hitler diede l'ordine di sospendere il programma: le proteste del clero, unite all'ostilità dell'opinione pubblica, lo avevano convinto che i tempi non erano maturi per simili provvedimenti. Ciononostante l'eutanasia continuò ad essere sporadicamente praticata in segreto.

Quando però si giunse alla soluzione finale non è dato trovare in nessun ambiente un'opposizione analoga a quella che aveva provocato la fine ufficiale del programma di eutanasia. Anche in questo caso i tedeschi trasgredirono « le leggi di Dio e della natura » uccidendo gli ebrei convertiti, senza tenere in alcun conto il sacramento del battesimo; ma in questa occasione furono coinvolti pochi fedeli, nessun parente prossimo fu colpito da morte improvvisa e perciò non si diffuse tra la popolazione tedesca alcun senso di insicurezza. L'eutanasia riguardava tutti i tedeschi, mentre la deportazione e la morte degli ebrei toccava solo una minoranza, che era stata già « messa con le spalle al muro », proprio come aveva detto Hitler, e separata dalla popolazione nel suo complesso [10].

Il programma di eutanasia portò alla morte circa 70.000 persone, tra le quali un'alta percentuale di bambini e ragazzi. All'inizio si sparava alle vittime per ucciderle, ma presto si usò il gas in stanze che simulavano delle docce [11]. Qui è evidente il collegamento tra l'eutanasia e il metodo alla fine adottato per l'assassinio in massa degli ebrei. Ma il nesso tra eutanasia e annientamento degli ebrei fu anche più stretto. La pratica dell'eutanasia volle dire che i nazisti avevano preso sul serio il concetto di vita « indegna », e una vita così definita era caratterizzata da improduttività e da un aspetto esteriore degenerato. La psicologia di Lombroso ha svolto un ruolo importante nel procedimento di selezione per l'eutanasia: la deformità fisica fu considerata un segno di malattia mentale. Mentre i concetti di improduttività e i pregiudizi sull'aspetto fisico erano stati da sempre applicati agli ebrei, l'eutanasia mostrò per la prima volta la determinazione di Hitler di distruggere una vita considerata per tali motivi indegna, ed ha un sinistro significato il fatto che il malato mentale e l'ebreo fossero definiti in modo molto simile.

Contemporaneamente a tutto ciò il regime era convinto che si dovesse costantemente migliorare la stessa razza ariana. Persino quando fu liquidata la « vita indegna », Heinrich Himmler tentò di varare dei programmi tendenti a convertire in realtà le utopie sulla procreazione razziale che avevano affascinato i teorici della razza sin dai primi anni del secolo XX. Si cominciò a scegliere le SS secondo criteri razziali molto rigorosi, prescrivendo che gli aspiranti presentassero non solo la propria genealogia, ma anche la fotografia. Il Lebensborn (letteralmente « la fonte della vita ») fu istituito nel 1936, perché le donne madri di figli razzialmente puri potessero ottenere migliori cure mediche anche nel caso in cui non fossero sposate. Furono incoraggiati rapporti di appartenenti alle SS dei quali si riconosceva il valore razziale con donne razzialmente pure; ma gli ideali borghesi di Himmler frenarono questi tentativi di procreazione selettiva [12]: per lui la soluzione era il matrimonio e i membri scapoli delle SS non avrebbero mai ottenuto promozioni, mentre quelli con molti figli potevano contare sulla sua benevolenza. Alla fine, gli insediamenti pianificati di contadini tedeschi in territori slavi sarebbero serviti, oltre che da avamposti difensivi, da fattorie per il miglioramento della razza, realizzando in tal modo quel tipo di isolato paradiso ariano sognato da uomini come Willibald Hentschel [13].

L'eutanasia era un aspetto del confronto instaurato tra una vita indegna e una considerata particolarmente degna di perpetuarsi e si fondava proprio su quei concetti di razza inferiore e superiore di cui queste pagine sono piene. Ma gli ebrei non furono scelti solo a causa dei cosiddetti segni di degenerazione fisica, o della loro cosiddetta mancanza di produttività, ma anche per la loro supposta criminalità. Il concetto nazista di criminalità era imperniato sulle teorie di Cesare Lombroso, secondo il quale il criminale abituale era « un essere affetto da atavismo, che riproduceva cioè nella propria persona gli istinti feroci dell'umanità primitiva e degli animali inferiori » [14]. Questa degenerazione (come la chiamava Lombroso) si palesava nelle deformazioni fisiche del cranio, ma poteva essere deforme anche l'intero corpo. La frenologia aveva aggiunto a questo concetto l'assunto (ripreso da Gall) che « le teste dei ladri si somigliano più o meno tutte per la forma », e anche che i criminali, poiché sono dei « violenti », sono degli « sradicati » e « ricadono nel nomadismo » [15]. Lombroso aveva creduto che i criminali abituali non potessero essere riabilitati, perché era il loro stesso aspetto fisico ad essere coinvolto nelle loro azioni e perciò essi dovevano essere condannati a morte [16]. Gli ebrei, a causa della loro razza, erano considerati dai nazisti dei criminali abituali e quindi giustamente destinati all'annientamento.

Questo concetto di criminalità è stato ignorato dagli studiosi dell'olocausto, anche se la letteratura e il cinema nazisti ne sono pieni. Non vi è dubbio che la fede riposta in questo concetto di criminalità abbia facilitato l'accettazione dell'assassinio degli ebrei, perché essa era penetrata a fondo nella coscienza popolare ed era uno dei temi non solo della letteratura *volkisch* e nazista, ma anche di quella popolare, con la sua netta distinzione tra il buono e il cattivo, e con i suoi criminali, la cui apparenza fisica denunciava la loro opposizione alla legge. In un certo senso in queste storie si perpetuavano le teorie sulle malvagie caratteristiche mentali e fisiche ritenute tipiche della malavita da autori come Balzac ed Eugène Sue [17]. Almeno per alcuni gli ebrei erano proprio dei personaggi degenerati di questo tipo e, se anche non provenivano dalle fogne di Parigi, erano pur sempre paragonati ai topi. E infatti era proprio così che gli ebrei erano stati raffigurati nel film di grande successo *Süss l'ebreo*, quando si affrettavano a entrare nella città di Stoccarda dopo che il duca del Württemberg aveva consegnato lo stato nelle loro mani attraverso il suo ministro Süss Oppenheimer. Fu appunto nei giorni in cui il film veniva proiettato che gli ebrei in carne e ossa furono rastrellati e deportati all'Est.

Solo gli ebrei furono scelti per lo sterminio e per essi non si pose nemmeno il problema della loro utilità. Non vi furono questionari per salvare alcuni ebrei e condannarne altri. Persino l'assassinio degli zingari, che più somigliò all'olocausto degli ebrei, ebbe un carattere selettivo. Eva Justin, l'esperta nazista cui era stato affidato il problema degli zingari [18], diceva che essi erano « nomadi primitivi » e amavano il « dolce ozio »: prevaleva ancora una volta l'etica del lavoro — l'ideale della produttività come parte di quei valori della classe media che zingari, malati cronici ed ebrei avevano tutti violato. Ma Himmler pensava di creare degli insediamenti agricoli per alcuni zingari sottomessi, dato che li considerava discendenti dell'originaria razza ariana, mentre dovevano essere uccisi quegli zingari che si erano imbastarditi con sangue straniero [19]. Himmler perciò salvò alcuni zingari, anche se la maggioranza di loro fu messa a morte. Fu una cosa abbastanza orribile, ma nessun ebreo poté pretendere di avere vincoli di sangue con ariani per essere salvato. Si racconta che Himmler, guardando alcuni ebrei diretti verso la camera a gas, abbia scorto un ragazzo biondo e con gli occhi azzurri e gli abbia domandato se fosse ebreo e se entrambi i suoi genitori fossero ebrei; quando il ragazzo rispose affermativamente, Himmler replicò: « peccato, allora non ti posso salvare » [20].

Persino il trattamento dei polacchi sotto il regime nazista non mirava al loro sterminio, anzi essi dovevano diventare un popolo di schiavi; i massacri avvenuti durante la conquista nazista della Polonia nel 1939 furono per lo più perpetrati ai danni dell'intellighentzia polacca perché in tal modo i polacchi, privati dei loro intellettuali, preti ed educatori, si sarebbero più docilmente prestati, secondo quanto sostenevano i nazisti, a diventare degli schiavi della razza superiore. È stato ritenuto che il razzismo abbia portato alla rinascita della schiavitù, non solo negli imperi d'oltremare, ma nella stessa Europa. Infatti la schiavitù fu messa in pratica nei confronti di alcuni polacchi, e anche di molti ebrei, che furono « dati » ai comandanti dei campi di concentramento nazisti e alle loro famiglie perché li facessero lavorare come meglio credevano. È stato anche affermato non a torto che le centinaia di migliaia di ebrei che lavoravano nelle fabbriche belliche o tessili installate nei ghetti abbiano costituito una mano d'opera schiavizzata, perché essi non erano pagati e ricevevano solo un po' più di cibo degli altri. Tale lavoro nelle fabbriche, o per il vantaggio privato dei comandanti delle SS, sembrò offrire almeno una vaga speranza di sopravvivenza. Per gli ebrei (ma non per i polacchi) tale speranza si rivelò illusoria. La rinascita della schiavitù non deve però essere messa sullo stesso piano dello sterminio di un intero popolo: la schiavitù è stata un alleato tradizionale e un obiettivo del razzismo, la soluzione finale della questione ebraica è stata qualcosa di nuovo e assolutamente senza precedenti.

Il massacro che sembrò maggiormente assomigliare alla soluzione finale fu il tentativo turco, nel 1915 e 1916, di deportare gli armeni nel deserto siriaco e di ucciderne il maggior numero possibile. Fu un'operazione realizzata durante l'emergenza della guerra (proprio come il più tardo massacro degli ebrei), con l'intenzione di liberare una volta per sempre la Turchia da una minoranza irrequieta e motivo di divisioni. Le statistiche variano sul numero degli armeni uccisi, ma la cifra di 750.000 sembra abbastanza vicina al vero. Questo massacro non ebbe motivazioni razziali, perché la conversione all'Islam era un mezzo per sopravvivere. Gli armeni che vivevano radunati in villaggi e in città (e non sparsi come molti ebrei) opposero sin dal primo momento resistenza e talvolta cacciarono i turchi. Inoltre, a quei tempi, i metodi burocratici e le moderne tecniche della macchina omicida nazista non erano stati ancora perfezionati, anche se le uccisioni furono eseguite da una commissione centrale pianificatrice [21].

Questo massacro contribuì ad assuefare l'Europa a eventi del genere e ad attenuare la voce delle coscienze — un processo che fu accelerato dall'invasione giapponese della Manciuria quando, nel 1932, gli europei furono quotidianamente aggrediti da notizie su un numero inaudito di morti. Ma ancora una volta si trattò di un massacro che avveniva in luoghi remoti, tra popoli di cui gli europei poco sapevano e ancor meno si curavano. Gli eventi cruciali che abituarono la gente sia alla morte di massa che alla violenza di massa furono la prima guerra mondiale e le sue conseguenze. In Germania in particolare, come già abbiamo visto, la guerra favorì l'immagine dell'eroe spietato, consacrato alla violenza pur di salvare la razza [22].

La fine della primavera e l'estate del 1941, quando prima a voce e poi per iscritto Göring ordinò, il 31 luglio, a Heydrich di dare esecuzione alla soluzione finale della questione ebraica, videro il razzismo passare a una nuova fase.

La legislazione antiebraica era già entrata in vigore e si era riusciti a separare gli ebrei dal resto della popolazione e a « metterli con le spalle al muro » [23]. Lo scoppio della guerra fu giudicato il primo passo verso il loro annientamento: se l'alta finanza internazionale ebraica avesse ancora una volta gettato l'Europa in guerra, il risultato, aveva proclamato Hitler, sarebbe stato la distruzione dell'ebraismo, non dell'Europa. La spiegazione che gli ebrei dovevano ora essere sterminati perché erano responsabili dello scoppio della guerra fu una delle più importanti giustificazioni che Himmler diede dei suoi assassinii di massa [24]. Dopo la « notte dei cristalli » del 9-10 novembre 1938 alcuni ebrei erano stati temporaneamente internati nei campi. Ora essi vi entravano in modo più duraturo, come ultimo passo del loro isolamento e come primo del loro annientamento. Inoltre, ora nei campi si fecero dei tentativi di tradurre in realtà i miti sullo stereotipo ebraico. Proprio come Hitler che prima aveva aperto le ostilità e poi aveva detto « guarda cosa gli ebrei hanno fatto per distruggerci », così anche nei campi prima le condizioni della vita furono portate al livello della mera sopravvivenza e poi i nazisti poterono esclamare: « guardate gli ebrei; avevamo ragione noi a dire che sono privi di ogni moralità umana ».

Gli studi sulle condizioni nei vari campi hanno dimostrato che le SS incoraggiavano la corruzione con il favoritismo, la discrezionalità nella distribuzione delle scarse razioni alimentari e un costante sistema di terrore. Uomini e donne furono trasformati in individui costretti a fare qualsiasi cosa pur di sopravvivere. Le SS divennero maestri nel mettere gli internati gli uni contro gli altri. Si pretendeva che quei prigionieri cui erano state affidate funzioni di comando eseguissero una certa quantità di lavoro quotidiano ordinata loro dalle guardie e costringessero gli altri a lavorare duramente per raggiungere questo scopo. Al « kapo », come era chiamato il prigioniero che aveva tali funzioni, era permesso di picchiare a volontà i suoi compagni internati [25].

I campi, isolati dal mondo esterno, divennero piccoli regni governati dal terrore, dalla corruzione e dalle divisioni, e così fu facile sorvegliarli con pochi uomini. Ma si fece uso anche del fattore psicologico. Gli ebrei erano apparentemente spogliati della loro umanità e agli occhi delle SS divennero gente disposta a frodare, rubare, cercare di cattivarsi i favori e tradire gli altri. Questa trasformazione del mito in realtà non ha miglior testimone del comandante di Auschwitz, Rudolf Höss.

Höss ha paragonato il proprio comportamento morale quando agli inizi degli anni '20 era stato in carcere per un assassinio della « Fehme » (cioè un omicidio per vendetta politica), con quello degli ebrei posti sotto la sua autorità. Egli li accusava di agire in modo « tipicamente ebraico », evitando il lavoro ogni volta fosse possibile, corrompendo gli altri perché lavorassero al loro posto, e azzuffandosi tra loro in una selvaggia gara per quei privilegi e beni che avrebbero permesso di condurre una vita comoda e da parassiti [26]. Ancora una volta gli ebrei erano accusati di improduttività, di aborrire il lavoro onesto e di corrompere la società. Persino al cospetto della forca già preparata per lui allorché in Polonia dopo la guerra scriveva le sue memorie, Höss non seppe decidersi di ammettere la propria responsabilità nel comportamento delle sue vittime e di confessare che le condizioni deliberatamente create nei campi miravano a trasformare lo stereotipo in una profezia autorealizzantesi. Non sorprende che Höss credesse che gli ebrei, in quanto nemici del Reich, fossero i responsabili della loro stessa distruzione [27]. Per uomini che come lui parteciparono alla soluzione finale, il mito sugli ebrei divenne veramente realtà grazie al potere di cui i tedeschi seppero fare buon uso. Höss non volle ammettere — e forse lo ignorava — che decine di migliaia di ebrei resistettero attivamente al sistema creato dalle SS e che centinaia di migliaia conservarono la loro dignità nelle più inaudite circostanze [28].

Il modo con cui dopo il 1941 fu realizzata la deportazione verso Est era deliberatamente ideato per strappare ogni residuo senso di dignità agli ebrei non solo nei sovraffollati carri bestiame dove tanti di loro trovarono la morte, ma anche nei luoghi dove erano destinati. Le vittime erano fatte spogliare nude, esaminate e selezionate secondo la loro supposta capacità di lavoro. Gli abili erano inviati nei campi di lavoro; gli altri alle « docce » per essere uccisi con il gas. Per molti, tra questi uomini e donne solo da poco tempo strappati alla loro vita ordinata e ricca di rispettabilità borghese, tale umiliazione deve essere apparsa sconvolgente [29].

Dopo il 1941 gli ebrei furono deportati all'Est da tutta l'Europa e in un primo momento furono abbandonati alle loro risorse. Ma non si permise che tale caos continuasse. Essi furono distribuiti tra campi di lavoro come quello di Bergen-Belsen o nei ghetti che venivano a mano a mano creati. Dapprima Heydrich era contrario alla costituzione di ghetti ebraici, per timore che essi potessero diventare dei centri di resistenza (un timore che in un secondo tempo si dimostrò parzialmente fondato) [30], ma tale concentramento era essenziale se si voleva attuare la soluzione finale. Tra l'inverno 1939 e la primavera 1940 gli ebrei polacchi avevano già costituito dei « consigli ebraici » (*Judenräte*) che li governarono nelle singole località e che erano responsabili di fronte alle SS dell'esecuzione degli ordini. I consigli ebraici avevano poteri dittatoriali, ma solo come agenti amministrativi dei tedeschi; in quanto tali essi controllavano tutte le necessità della vita, dalla distribuzione del cibo all'alloggio: si trattò insomma di un'utilizzazione su vasta scala di un organo rappresentativo dell'ebraismo tedesco creato coattivamente nel 1933.

Non appena in Polonia furono costituiti gli *Judenräte*, gli ebrei furono fatti entrare a forza nei ghetti. Il ghetto di Varsavia fu istituito nel novembre 1939 e ad esso seguirono, durante il 1941, i ghetti di Lodz, Vilna, Lvov e di molte altre località minori [31]. Mentre nel Medioevo il ghetto veniva chiuso solo di notte con dei cancelli o una catena, ora, nella maggior parte dei casi, esso fu completamente isolato dalla popolazione circostante con delle mura. Con l'inverno 1941, quando quasi tutti gli ebrei polacchi erano stati rinchiusi nei ghetti, uno di loro osservò giustamente: « siamo segregati... scacciati dalla collettività della razza umana » [32]. Anche in questo caso stava verificandosi una profezia autorealizzantesi: quando il ghetto di Varsavia fu colpito da una epidemia tifoidea, i tedeschi diffusero tra una popolazione polacca certo non più capace di respingerlo lo slogan « ebrei = pidocchi del tifo » [33]. I ghetti dovevano ben presto diventare luoghi di fame e di morte, ma in essi gli ebrei fornirono anche una forza di lavoro coatto per le industrie belliche installate nel loro interno. Sino alla fine della guerra l'utilizzazione di simile lavoro forzato nelle industrie del ghetto o in speciali campi di lavoro continuò fianco a fianco con l'assassinio di massa. Tra le SS infuriò la polemica sul costante rinvio della deportazione di questi lavoratori industriali [34]; ma essa non fu mai risolta.

La tecnica dell'uccisione nei campi della morte illustra ancora una volta la tendenza a rendere l'assassinio il più efficiente e impersonale possibile. Dal 1941 in poi avevano operato, dietro il fronte tedesco, dei plotoni di esecuzione (*Einsatzgruppen*); tra questi *commandos*, però, era nato uno stato di tensione così forte che un alto ufficiale delle SS temette che gli uomini potessero diventare nevrotici o selvaggi [35]. Allora i tecnici del servizio di sicurezza del Reich costruirono un vagone a gas, collaudato per la prima volta per l'assassinio di ebrei nel novembre 1941. Ma anche così l'impegno era troppo grosso per un risultato troppo piccolo, dato che il vagone poteva contenere solo un limitato numero di persone e non potevano essere evitati pericolosi casi di resistenza. Inoltre non era facile mascherare l'uso cui erano adibiti i vagoni. Alla fine si fece ricorso all'esperienza fatta con il programma per l'eutanasia. Per la prima volta, nell'autunno del 1941, furono installate in fattorie abbandonate delle improvvisate camere a gas, ed esse, con l'estate del 1942, mascherate da docce, entrarono in piena attività. Ora non era più necessario avere alcun contatto con le vittime: esse entravano da sole e i comandanti dei campi dovevano solo verificarne la morte attraverso uno spioncino: il gas era fornito da prestigiose ditte private tedesche. Morì in tal modo un numero valutato a 5.933.900 ebrei, vittime, secondo metodi diversi, del razzismo europeo [36].

L'aspetto accentuatamente tecnologico della soluzione finale — il vagone a gas, l'abilità nell'uso dei mezzi di comunicazione di massa, l'efficienza burocratica necessaria per tenere aggiornata una simile sterminata operazione — tutto interagiva con il processo di disumanizzazione delle vittime. Uomini coinvolti nell'agghiacciante processo di distruzione umana pianificata poterono ritenersi degli esperti esecutori, che assolvevano un compito vitale per l'interesse nazionale. Rudolf Höss si reputava, come comandante di Auschwitz, un tecnico esperto, liquidatore del nemico traditore e responsabile dello scoppio della guerra, e insieme il modello stesso della rispettabilità borghese. Höss racconta, senza vergognarsi, che, guardando le lunghe file di uomini, donne e bambini avviati verso la morte, egli sognava la sua famiglia, il suo cane e i begli alberi di ciliegio. Per lui quelle nude figure

erano solo un'astratta massa uniforme di nemici, di esseri umani
degenerati. Gli fu così possibile proiettare i suoi sogni borghesi
nel bel mezzo della morte di massa [37]. Niente illustra meglio la
corruzione dei valori della classe media di cui il razzismo si
era con tanto successo appropriato. Höss pensava di essere una
persona rispettabile, morale, onesta, un buon padre e un buon
marito. Tutti gli artefici della soluzione finale si guardarono allo
specchio della rispettabilità borghese e si compiacquero per quel
che vi videro.

Il razzismo aveva accolto quelle idee sull'uomo e sul suo
mondo che abbiamo cercato di analizzare e le aveva dirette verso
la soluzione finale. Aveva fatto suoi i concetti di virtù borghese,
moralità eroica, onestà, sincerità e amore per il proprio paese,
proprio per dirigerli contro l'ebreo: gli organi di uno stato efficiente contribuirono alla realizzazione della soluzione finale e la
stessa scienza continuò, attraverso il razzismo, la sua opera di
corruzione. Soprattutto l'antropologia, che già aveva grandi responsabilità per la nascita del razzismo, ora, approfittando della soluzione finale, se ne servì per i suoi scopi.

Furono intrapresi studi antropologici sugli indifesi internati
dei campi: gli esperimenti erano organizzati dall'assistente personale di Himmler, Rudolf Brandt, e diretti da August Hirt,
professore di anatomia all'università di Strasburgo. Essi ebbero
inizio nel 1942, quando settantanove ebrei, cinquanta ebree, due
polacchi e quattro «asiatici» (cioè prigionieri russi mongoli)
furono sottoposti a misurazioni antropologiche (compreso l'angolo facciale). Essi furono poi uccisi e le loro teste e scheletri
entrarono a far parte della collezione anatomica dell'università.
Nello stesso tempo Bruno Berger, che aveva cercato di indagare
sulle origini ariane delle SS, eseguì studi etnografici. Berger
scelse tra i prigionieri quelli da lui ritenuti interessanti per la
loro conformazione cranica e dapprima osservò e misurò i crani
sui soggetti vivi; questi furono poi uccisi con il gas e i crani
preparati per ulteriori esami di laboratorio. Berger si era ramma-
ricato del fatto che, mentre esistevano per tutte le razze buone
collezioni di crani, mancavano invece quelle riguardanti la razza
ebraica, e ora osservò: «la guerra nell'Est ci offre l'opportunità
di correggere questo stato di cose» [38]. La preoccupazione degli
scienziati del Settecento, che, con le loro misurazioni antropologiche e il marcato interesse per il cranio umano, erano all'origine

del razzismo, di stabilire degli stereotipi si era ora trasformata in « assassinio per il progresso della scienza ». La maggior parte degli antropologi, è vero, si ritrasse inorridita di fronte ad esperimenti fatti su esseri umani. Ma proprio come in passato scienziati non razzisti quali Alfred Ploetz ed Eugen Fischer si erano convertiti, cedendo alle lusinghe, alla politica eugenetica del nazismo [39] (senza però essere coinvolti nella soluzione finale), così altri non seppero resistere alla tentazione di usare il proprio potere di vita e di morte per promuovere le loro ambizioni antropologiche o etnografiche.

Agli esperimenti compiuti da persone pratiche di scienza razziale si aggiunse l'attività dei medici che lavoravano per le forze armate tedesche. Gli ebrei furono da loro usati per scoprire quanto a lungo i piloti abbattuti potessero sopravvivere senza cibo o acqua, quanto freddo potesse sopportare il corpo umano e l'effetto di nuove droghe sulla coagulazione del sangue. La conclusione di questi esperimenti su cavie umane di una vivisezione che non ha avuto eguali nella storia era sempre la morte. Gli ebrei dei ghetti e dei campi erano diventati l'oggetto del fanatico interesse di Himmler per la scienza razziale e la medicina empirica [40].

II

Come aveva ripetutamente dichiarato durante la guerra, Hitler voleva annientare tutti gli ebrei dell'Europa e questo obiettivo in massima parte poté essere raggiunto relativamente agli ebrei caduti sotto la diretta occupazione nazista; altrove però esso non fu altrettanto facilmente realizzabile.

La guerra aveva prodotto sulla politica ebraica un conflitto di fondo. Come abbiamo visto in precedenza, Hitler preferiva che alla guida delle nazioni satelliti fossero dei dittatori conservatori piuttosto che dei capi fascisti [41]. Questi dittatori, poiché governavano con l'appoggio dell'esercito e delle tradizionali gerarchie sociali e clericali, erano capaci di garantire la legge e l'ordine dietro il fronte, mentre i locali regimi fascisti avrebbero potuto suscitare difficoltà. Per Hitler, in questo caso, vincere la guerra aveva la priorità, mentre la Guardia di ferro o le Croci frecciate volevano impadronirsi del potere e nello stesso tempo distruggere i loro nemici. Infatti, durante il breve periodo di collaborazione governativa con Antonescu in Romania, la Guardia di ferro scatenò contro gli ebrei un *pogrom* caotico e quasi incontrollabile. Uomini come Antonescu, Horthy o re Boris elusero gli ordini di Hitler sulla questione ebraica, tuttavia essi diedero quel tanto di collaborazione che impedì lo scandalo aperto. Per quel che riguardava Hitler, la questione ebraica in paesi come la Romania o la Bulgaria poteva essere rapidamente risolta una volta vinta la guerra: allora sarebbero potuti andare al potere quei giovani fascisti sui quali si erano fatti sentire la frusta e gli speroni degli oligarchi di Berlino.

Dittatori come Antonescu, Horthy, Boris o Pétain in Francia non erano razzisti; essi non amavano gli ebrei, ma non avevano alcun desiderio di mettere in pericolo la legge con la violenza o di rischiare il tradizionale ordine di cose annientando gli ebrei. Così, per esempio, Horthy collaborò alla parziale deportazione degli ebrei solo quando i tedeschi occuparono il paese e dopo essere stato minacciato e ricattato. Antonescu e Pétain cercarono un'altra via di uscita: essi protessero gli ebrei locali e abbandonarono gli ebrei stranieri in loro potere alla macchina di morte nazista. Pétain permise la deportazione degli ebrei apolidi dalla Francia di Vichy e Antonescu rifiutò di consegnare gli ebrei romeni, ma inviò invece a morte centinaia di migliaia di ebrei della Bessarabia, il territorio da lui ottenuto di recente [42]. In Bulgaria fu seguito un analogo corso. La Chiesa ortodossa bulgara protesse gli ebrei nella stessa Bulgaria dove, comunque, non era mai esistita una tradizione antisemita. Ma nelle regioni recentemente acquistate della Macedonia e della Tracia e in una piccola parte della Serbia gli ebrei furono deportati e uccisi, e ciò malgrado il coraggioso comportamento del patriarca ortodosso e del nunzio pontificio Angelo Roncalli, il futuro papa Giovanni XXIII. Anzi, Roma rimproverò Roncalli per la sua forte presa di posizione a favore degli ebrei [43].

In Slovacchia, il primo satellite del Reich di cui divenne presidente, nell'ottobre 1939, il prete cattolico Josef Tiso, le cose andarono in maniera diversa che non in Bulgaria o nel resto dell'Europa orientale. Qui nel 1941 furono approvate severe leggi razziali e il governo in un primo tempo favorì la deportazione degli ebrei. Ma in Slovacchia la Chiesa intervenne, per lo più per salvare gli ebrei convertiti al cristianesimo, e in conseguenza delle sue pressioni la deportazione fu solo parziale e cessò completamente nel 1943. Solo dopo l'occupazione tedesca del paese nel 1944 il governo procedette alle deportazioni ordinate dalle SS. All'inizio Tiso aveva combattuto anche i radicali in Slovacchia e di questa lotta si erano avvantaggiati gli ebrei. Ma dopo il 1944 Tiso tornò a trattare gli ebrei senza pietà, malgrado i tentativi del suo primo ministro di contenere la furia nazista[44]. Ovviamente nei singoli paesi non caduti sotto la diretta occupazione tedesca le condizioni variarono: qui abbiamo tracciato solo le linee generali di ciò che avvenne allo scopo di offrire un quadro completo del tentativo nazista di assicurare la vittoria del razzismo in Europa.

Il principale alleato della Germania, l'Italia fascista, sabotò la politica ebraica nazista nei territori sotto il suo controllo. Le leggi razziali introdotte da Mussolini nel 1938 sul modello delle leggi di Norimberga impedivano agli ebrei di svolgere molte attività e si tentò anche di raccogliere gli ebrei in squadre di lavoro forzato; ma mentre in Germania Hitler restringeva sempre più il numero di coloro che potevano sottrarsi alla legge, in Italia avveniva il contrario: le eccezioni furono legioni. Come abbiamo già detto, era stato Mussolini stesso a enunciare il principio « discriminare, non perseguitare »[45]. Tuttavia l'esercito italiano si spinse anche più in là, indubbiamente con il tacito consenso di Mussolini: la zona d'occupazione italiana in Francia divenne così il rifugio degli ebrei braccati. Ovunque, nell'Europa occupata dai nazisti, le ambasciate italiane protessero gli ebrei in grado di chiedere la nazionalità italiana. Le deportazioni degli ebrei cominciarono solo dopo la caduta di Mussolini, quando i tedeschi occuparono l'Italia. Da allora aumentò anche l'attiva persecuzione degli ebrei nella fantomatica repubblica rimasta a Mussolini, la repubblica di Salò, dove prevalse la piccola ala antisemita del partito fascista; ma erano comunque i tedeschi a comandare e a imporre la loro politica ebraica[46].

Malgrado le difficoltà incontrate dalle SS nel loro tentativo di deportare e uccidere tutti gli ebrei d'Europa, esse trovarono volenterosi collaboratori in ogni nazione. I partiti fascisti violentemente antisemiti dei paesi balcanici furono degli alleati naturali. Ma in Francia in un primo tempo i nazisti ricevettero scarsi aiuti alla soluzione finale. Xavier Vallat, primo commissario per la questione ebraica nella Francia di Vichy, era un capo dei reduci di guerra che odiava i tedeschi più degli ebrei. Da buon reazionario, egli condivideva la posizione di uomini come Pétain o Antonescu, pur avendo proclamato che gli ebrei erano una razza inferiore[47]. Ma nel 1942 fu chiamato a succedergli Louis Darquier de Pellepoix, il quale può essere giustamente paragonato a Dietrich Eckart, l'uomo che all'inizio degli anni '20 aveva avuto tanta influenza su Hitler; la pubblicazibne da lui diretta, « L'Anti-Juif », proprio come « Auf Gut Deutsch » di Eckart, imputava agli ebrei tutti i mali del mondo. Darquier era l'autore di una prefazione ai *Protocolli dei saggi anziani di Sion*, nella quale sosteneva che non era tanto la loro veridicità a contare, quanto la loro visione generale[48]. Egli non riuscì a ottenere che il governo di Vichy deportasse gli ebrei francesi, ma esercitò forti pressioni per l'espulsione degli .ebrei che non erano in possesso della nazionalità francese, e di questi circa 60-65.000 furono mandati a morte[49].

Non mancarono nella Parigi occupata dai tedeschi dei francesi che sollecitarono Vichy ad adottare misure antiebraiche più severe[50], ma le loro voci furono, tutto sommato, meno importanti di quelle di uomini e di donne di quasi tutte le nazioni europee che attivamente parteciparono alla soluzione finale, che aiutarono a rastrellare ebrei, o che lavorarono come guardie dei campi. Non vi fu mai scarsezza di collaboratori di questo tipo. Non tutti erano razzisti, ma molti erano cristiani che, seguaci di idee medievali mai scomparse, vedevano negli ebrei l'anticristo. A volte idee cristiane, medievali e razziste erano tanto intrecciate tra loro che non è possibile distinguere le une dalle altre. A questo proposito si verificò che nemmeno i più ferventi appelli del Vaticano riuscirono a ottenere che cosiddette nazioni cattoliche offrissero rifugio agli ebrei battezzati. Stati latini come l'Argentina o il Brasile fecero delle promesse al segretario di Stato del papa, cardinale Luigi Maglione, ma poi le ritirarono subito. Tipica delle tante risposte ricevute dal cardinale ai suoi sforzi per trovare un rifugio agli ebrei convertiti fu la lettera scritta il 5 giugno 1939 dall'incaricato d'affari vaticano in Bolivia: l'esasperazione popolare contro gli ebrei era così forte che poco poteva essere fatto; gli ebrei erano accusati di truffa, concorrenza sleale, immoralità e vilipendio della religione[51]. Evidentemente non interessava il fatto che la richiesta concerneva immigranti che erano, in realtà, cattolici. È significativo che in Cile i preti delle parrocchie fossero al primo posto nell'opposizione all'immigrazione dei loro confratelli cattolici: contava solo il fatto che essi erano « razzialmente » ebrei e gli ebrei in Cile erano accusati di rovinare l'agricoltura con l'usura [52].

La « soluzione finale » del problema ebraico non ha rappresentato solo il trionfo della pratica del razzismo, ma anche la sua vittoria come la più diffusa ideologia di quei tempi. Gli ebrei europei erano diventati dei paria. La gente poteva ben negare di essere razzista, in realtà essa usava la retorica razzista e spesso caratterizzava i suoi nemici secondo criteri razziali. I nazisti non hanno inventato il razzismo, essi lo hanno semplicemente messo in azione. Tuttavia il razzismo non sarebbe finito con Adolf Hitler. L'attuazione nazista della politica razziale fu in sostanza il momento culminante della lunga evoluzione che noi abbiamo analizzato risalendo alle sue origini nel secolo XVIII; e il suo corso continua a scorrere ancora verso il futuro.

XIV

UNA CONCLUSIONE CHE NON CONCLUDE

L'olocausto ha trasformato la teoria razziale in pratica. Il razzismo attuato con tanto successo da Hitler era l'esemplificazione estrema del « mistero della razza », ricolmo di segrete forze vitali e di idee di una guerra cosmica tra ariano ed ebreo. Gli ebrei furono i suoi nemici, l'unico popolo che egli volle sterminare: e non ci fu da sperare nel compromesso, nella carità o nelle norme del vivere civile. La sua fu proprio quella totale guerra razziale profetizzata da uomini come Houston Stewart Chamberlain e propagandata dalle piccole sette di Vienna e di Monaco la cui lezione Hitler aveva così ben appreso. Già quando stava preparando la seconda guerra mondiale Hitler pensava che gli obiettivi di conquistare alla Germania uno spazio vitale e di realizzare la « soluzione finale » per quel che riguardava gli ebrei fossero strettamente intrecciati tra loro. Ma lo sterminio degli ebrei ebbe la precedenza, perché in loro Hitler vedeva il vero nemico della Germania [1].

L'olocausto non avrebbe potuto essere realizzato senza fare uso della tecnologia moderna, senza un moderno stato centralizzato con i suoi schedari e sistemi di comunicazione e senza la brutalizzazione delle coscienze degli uomini provocata dalle esperienze della prima guerra mondiale durante la quale, per fare un solo esempio, la « fede nella Germania » fu identificata con la forza bruta [2]. Dietro lo schermo della seconda guerra mondiale avvennero assassinii di massa accompagnati dall'accusa, ripetuta da Hitler e da Himmler come una litania, che erano stati gli ebrei a provocarla e che essi ora ricevevano la meritata ricompensa. Al centro della giustificazione di Hitler e di Himmler per la soluzione finale vi era una profezia auto-realizzantesi: la colpa della guerra, scatenata dai nazisti, fu addossata agli ebrei, che Hitler aveva minacciato di morte se fosse scoppiata. Tuttavia, dietro tutti i tentativi di giustificazione, vi era una fede fanatica nelle idee razziste. Era un razzismo che nasceva dalle frange esterne del movimento, collegato con lo spiritualismo, le scienze segrete e le lotte cosmiche. Ma tali idee avevano preso il sopravvento nel pensiero di Hitler, che era nello stesso tempo un fanatico e un eccellente politico. Hitler fu sempre convinto che lo sterminio degli ebrei dovesse essere l'obiettivo ultimo del suo governo, eppure fu sempre pronto ad adeguare i tempi della sua politica alle necessità del momento e ad imparare dai suoi stessi passati errori, come nel caso del putsch del 1923.

Ma il razzismo in quanto visione del mondo non fu una prerogativa del pensiero e dell'azione di Hitler. Il « mistero della razza » che annebbiava la mente di Hitler non soppiantò mai tutte le altre varietà di razzismo da noi esaminate in questo libro. Hitler in realtà si giovò di un vantaggio comune a tutti i seguaci del razzismo, sia che ponessero l'accento sulle forze spirituali, sia che tentassero di collegarlo con la scienza. I miti razzisti non solo spiegavano il passato e aprivano una speranza per il futuro, ma dando rilievo agli stereotipi rendevano concreto ciò che era astratto. Gli stereotipi razzisti fecero sì che la teoria diventasse, in maniera semplice e diretta, qualcosa di vivo. Abbiamo visto che gli stereotipi della bellezza si erano formati sin dai primissimi tempi della storia del razzismo europeo: alla loro creazione avevano contribuito le idee estetiche del tempo ed essi fecero dell'apparenza esteriore dell'uomo un simbolo della condotta del suo animo. Dal secolo XVIII sino a quando i nazisti se ne servirono nella realizzazione dell'olocausto, questo stereotipo non è mai cambiato. Il paragone tra il tipo dell'uomo virile, ellenistico e quello dell'uomo malvagio e deforme, e la contrapposizione tra l'ariano dalle proporzioni greche e il malproporzionato ebreo fecero del razzismo un'ideologia incentrata sui fattori visivi; e questa insistenza sull'elemento visivo a sua volta, rese più facile alla gente comprendere la critica violenta dell'ideologia. Torna alla mente perciò l'osservazione fatta da Johan Huizinga a proposito del secolo XV, e cioè che « quando il pensiero, che ha riconosciuto all'idea una realtà indipendente, vuole tradursi in immagini, non lo può fare che col mezzo della personificazione » [3]

Lo stereotipo non è mai mutato, sia quando il razzismo ha
tentato di istituire un legame con la scienza attraverso l'antropologia o l'eugenetica e praticando la sperimentazione e l'osservazione scientifiche, sia quando ha postulato teorie su « sostanze
vitali » razziali che niente avevano a che fare con la scienza moderna (Hitler credeva che l'intera scienza dovesse tornare ad
essere scienza segreta, mistica) [4]. Al razzismo non mancarono mai
le prove che rendessero i suoi stereotipi convincenti, sia che li
traesse dall'antropologia, dalla frenologia o dal darwinismo, sia
che parlasse di « sostanze vitali » o di « balenio del sangue ». Le
diverse qualità attribuite sin dal principio allo stereotipo già presagivano il tentativo nazista di convertire il mito in realtà. Allo
stereotipo venivano attribuite qualità buone o cattive a seconda
che si scrivesse su una razza superiore o inferiore.

Il razzismo non ha avuto un padre fondatore e questa è stata
una delle sue forze. Esso si è alleato con tutte le virtù tanto
apprezzate dall'età moderna e le qualità da lui preferite furono
la pulizia, l'onestà, la serietà morale, il duro lavoro e la vita
familiare, quelle cioè che durante il secolo XIX assursero a simbolo degli ideali della classe media [5], e da quella classe esse si
diffusero negli strati superiori e inferiori di tutta la società
europea, soppiantando lo stile di vita frivolo, disonesto e pigro
che secondo i rispettabili uomini e donne del secolo XIX era
incarnato dai propri immediati ascendenti. Il razzismo si collegò
con queste virtù e non con le dottrine di un qualsiasi filosofo
o teorico sociale di qualche importanza, e se esso ebbe come
punti di riferimento personaggi come Gobineau, de Lapouge,
Weininger o Wagner, si trattava di pensatori, di pubblicisti, di
sintetizzatori di secondo piano. Lo stretto collegamento che spesso
è stato istituito con Darwin è stato un errore, perché come abbiamo visto il razzismo non fu semplicemente una forma di darwinismo sociale, ma un'ideologia composita, che aveva attribuito
le virtù, la morale e la rispettabilità dell'epoca ai suoi stereotipi
e le aveva ritenute qualità innate della razza superiore.

Il razzismo si è appropriato delle virtù dell'epoca ed ha condannato come degenerato tutto ciò che era l'esatto contrario di
tale rispettabilità. Non incarnare il tipo-ideale dell'« americano
tutto d'un pezzo » o dell'« inglese dalla vita onesta » era segno
di razza inferiore. Pur essendo spesso vago, il razzismo ha fatto
suoi tutti i valori della rispettabilità borghese e ha proclamato

di esserne il difensore. È vero che pochi all'inizio credettero in questa affermazione: per la grande maggioranza degli europei bastava essere un gentiluomo cristiano. Ma anche in questo caso il razzismo aveva a tal punto contagiato il cristianesimo che non si arrivò mai a uno scontro aperto tra l'uno e l'altro. Ambedue elogiavano le medesime virtù della classe media e vedevano il nemico negli stessi non conformisti, fossero essi zingari, massoni o ebrei. Il sostegno dato dal razzismo ad ideali che si opponevano a una minacciata degenerazione fu in pratica più importante di qualsiasi disaccordo tra razzismo e cristianesimo.

Il razzismo, con la sua vasta penetrazione, i suoi collegamenti e contagi, coinvolse spesso uomini e donne che non erano affatto razzisti o il cui razzismo era estremamente ambiguo; tuttavia esso, con la sua capacità di tutto raccogliere, si impossessò anche delle loro idee. Il razzismo dovette pur cercare da qualche parte i suoi stereotipi e la sua teoria dell'ereditarietà e a volte scelse ciò che vi era di meglio e questo a sua volta avrebbe conferito nuova rispettabilità all'ideologia. Darwin, Gall, Lavater, Lombroso e Galton non accettarono il razzismo come visione del mondo e io mi scuso con loro per averli messi in così cattiva compagnia. Ma le loro idee furono tanto importanti per il razzismo da dover essere incluse nella nostra storia del movimento, proprio come alcuni colti signori della Società antropologica francese o come quei tedeschi collegati con l'« Archiv für Rassen- und Gesellschafts Biologie » che diedero il loro contributo al razzismo malgrado il loro ambiguo atteggiamento allorché si trattò di accettare una concezione razzista del mondo. I confini del pensiero razziale sono sfuggenti e ingannevoli come l'ideologia nel suo complesso. Eppure, malgrado tutto ciò il mito *fu* effettivamente trasformato in realtà e non solo durante l'olocausto e nei campi, ma ovunque la gente comune abbia espresso sul proprio simile giudizi basati su una sottintesa accettazione dello stereotipo razziale.

L'olocausto è ormai avvenuto. La storia del razzismo da noi narrata ha contribuito a spiegare la soluzione finale. Ma il razzismo stesso è sopravvissuto e non è diminuito il numero di coloro che pensano secondo categorie razziali. Non vi è nulla di provvisorio nell'imperituro mondo degli stereotipi ed è questa l'eredità che il razzismo ha ovunque lasciato. Se, sotto lo shock dell'olocausto, il mondo postbellico ha proclamato una temporanea sospensione dell'antisemitismo, il nero è però in genere rimasto inchiodato in una collocazione razziale che non è mai molto cambiata dal secolo XVIII ai nostri giorni. In pratica tutti i neri sono rimasti lontani dalla portata di Hitler e perciò nei loro riguardi non vi è stato un brusco risveglio dal sogno razziale. Inoltre, nazioni che avevano combattuto contro il nazionalsocialismo hanno continuato ad accettare l'idea dell'inferiorità razziale dei neri ancora molti anni dopo la fine della guerra e non sembra che abbiano compreso che tutti i razzismi, siano essi diretti contro i neri o contro gli ebrei, sono sempre fatti della medesima stoffa.

Purtroppo questo libro deve avere una conclusione che non conclude: se grazie allo studio della storia noi possiamo meglio comprendere il mondo che l'uomo si è costruito, allora la storia del razzismo ci può spiegare perché questo atteggiamento verso la vita è stato così duraturo, perché è servito per più di un secolo a far fronte ai timori dell'uomo e a dargli speranza per il futuro. Interpretare correttamente la storia del razzismo significa anche meditare sulla storia d'Europa con la quale esso è così strettamente intrecciato. Troppo spesso il razzismo è stato trascurato perché immeritevole di uno studio serio, perché ritenuto una semplicistica e ingenua visione del mondo che può essere lasciata in un canto, una fede erronea, mentre gli storici rivolgono la loro attenzione a soggetti più complessi e affascinanti. Tuttavia per esorcizzare questo male, non sono necessari poteri occulti, ma solo lo sforzo di inserire lo studio del razzismo nel nostro studio della storia moderna dell'Europa. Non dobbiamo mai trascurare di cercare dove si trova chi accumula rifiuti sino a quando non gli è stata strappata la maschera e non è stato scoperto, anche là dove sembrava esserci solo virtù, bontà e verità.

Sebbene in pratica tutti i sistemi politici e culturali creati dall'Europa durante gli ultimi due secoli abbiano una maggiore consistenza intellettuale del razzismo, ciò non ci deve distogliere dal compito di analizzarlo con la stessa attenzione da noi dedicata al socialismo, al liberalismo o al conservatorismo. Forse il razzismo è stato, in ultima analisi, tanto efficace proprio perché era così banale ed eclettico, e perché, più di qualsiasi altro sistema del secolo XIX, si è adoperato con tanto successo a fondere il fattore visivo con quello ideologico. È avvenuto allora come se le stesse banalità di una vita morale e virtuosa, solo perché basate sul razzismo e protette da lui, acquistassero improvvisa vitalità sino ad assumere nuove e orrende dimensioni.

Ogni libro che analizzi un movimento per un periodo così lungo di tempo può perdere il senso delle proporzioni. Certo, alla fine il razzismo è riuscito a dominare l'Europa, ma sul continente esso ha sempre trovato di fronte a sé degli avversari. Non si deve sottovalutare l'antirazzismo liberale, socialista e persino cristiano. Sono esistite organizzazioni che hanno combattuto il razzismo ed esse non sono sempre state condannate all'impotenza. È bene ricordare tutto ciò perché, pur essendosi questo libro occupato del razzismo e non della tradizione antirazzista in Europa, le truppe per la vittoria sul razzismo sono esistite, per quanto assediate e sconfitte, in particolare negli anni tra le due guerre mondiali. Anche ora che esse si sono molto rinvigorite la lotta continua, ma con maggiore speranza di quanto mai vi sia stata in precedenza. Il primo passo verso la vittoria su questo flagello dell'umanità consiste nel rendersi conto di quale ne sia stata la causa, di quali aspirazioni e speranze esso abbia suscitato nel passato. Questo libro intende contribuire alla formulazione di una diagnosi del cancro del razzismo nelle nostre nazioni e persino in noi stessi.

NOTE

Capitolo I

[1] P. Gay, *The Enlightenment: An Interpretation*, I, *The Rise of Modern Paganism*, New York 1966, p. 185.

[2] Cit. in A. O. Lovejoy, *The Great Chain of Being*, New York 1960, p. 265. [Trad. it. Milano 1966.]

[3] F. Manuel, *The Eighteenth Century Confronts the Gods*, New York 1967, p. 77.

[4] P. Gay, *The Enlightenment: An Interpretation*, II, *The Science of Freedom*, New York 1969, p. 150.

[5] Gay, *The Enlightenment*, I, cit., p. 171.

[6] J. W. Goethe, *Faust*, I, 60.

[7] Si veda M. Eliade, *Myth and Reality*, New York 1963, pp. 6, 8. [Trad. it. Milano 1973.]

[8] Cit. in G. Kaiser, *Pietismus und Patriotismus im Literarischen Deutschland*, Wiesbaden 1961, p. 43.

[9] Novalis, *Christendom or Europe*, in *Hymns to the Night and Other Selected Writings*, trad. ingl. C. E. Passage, New York 1960, p. 48. [Trad. it. di *Europa oder die Christenheit*, Torino 1942.]

[10] G. Atkinsons, *Les relations des voyages du XVIIᵉ siècle et l'évolution des idées*, Paris s.d., p. 41.

[11] Ivi, p. 42.

[12] M. T. Ryan, « New Worlds of Pagan Religion in the Seventeenth Century », (tesi Ph. D. inedita, New York University 1974), p. 238.

[13] Manuel, *op. cit.*, pp. 11, 141.

[14] J. J. Winckelmann, *Winckelmanns Werke*, a cura di H. Meyer e J. Schulze, Dresden 1811, IV, p. 57.

[15] Ch. Meiners, *Grundriss der Geschichte der Menschheit*, Lengo 1785, p. 43.

[16] J. F. Blumenbach, *Über die Natürlichen Verschiedenheiten im Menschengeschlecht*, Leipzig 1798, p. 137.

[17] Meiners, *op. cit.*, pp. 76 sgg.

[18] W. D. Jordan, *White over Black: American Attitudes Toward the Negro, 1550-1812*, Chapel Hill, N. C., 1968, p. 30.

[19] W. W. Apploton, *A Cycle of Cathay: The Chinese Vogue in England During the Seventeenth and Eighteenth Centuries*, New York 1951, pp. 123-131.

[20] J. Walvin, *Black and White: The Negro and English Society. 1555-1945*, London 1973, p. 46.

[21] Ivi, p. 60.

²² J. F. Blumenbach, *De generis humani varietate nativa*, in *The Anthropological Treatises of Johann Friedrich Blumenbach*, London 1865, p. 305.

²³ A. Altmann, *Moses Mendelssohn*, University, Alabama, 1973, p. 465.

²⁴ G. Lavater, *L'Art de connaître les hommes par la physionomie*, a cura di M. Moreau, Paris 1820, pp. 11, 168.

²⁵ H. N. Fairchild, *The Noble Savage*, New York 1928, p. 78.

²⁶ Lovejoy, *op. cit.*, p. 265.

²⁷ E. Tyson, *Orang-Outang, Sive Homo Silvestris Or the Anatomy of a Pigmie Compared with that of a Monkey, an Ape, and a Man, etc.*, London 1699, pp. 9, 11, 12.

²⁸ H. Hastings, *Man and Beast in French Thought of the Eighteenth Century*, Baltimore and London 1936, p. 129.

²⁹ Si vedano le pp. 27-30.

³⁰ Meiners, *op. cit.*, p. 35.

³¹ L. Poliakov, *Il mito ariano*, trad. it. Milano 1976, pp. 189-91.

Capitolo II

¹ W. E. Mühlmann, *Geschichte der Anthropologie*, Frankfurt a. M. 1968, p. 13.

² J. Barzun, *Darwin, Marx, Wagner*, Boston 1946, p. 49.

³ J.-B.-P.-A. de Monet de Lamarck, *Zoological Philosophy*, London 1914, p. XIII.

⁴ G.-L. Leclerc, conte di Buffon, *Buffon's Natural History of Man*, London 1801, p. 54.

⁵ Si veda p. 60.

⁶ Linnaeus, *A General System of Nature Through the Three Grand Kingdoms of Animals, Vegetables and Minerals*, London 1806, I, « Mammalia ».

⁷ J. F. Blumenbach, *The Anthropological Treatises of Johann Friedrich Blumenbach*, London 1865, p. 306.

⁸ J. F. Blumenbach, *Über die Natürlichen Verschiedenheiten im Menschengeschlecht*, Leipzig 1798, pp. 137, 144.

⁹ Ivi, pp. 204, 206.

¹⁰ P. Camper, *Dissertation Physique de Mr. Pierre Camper etc.*, a cura di A. Gilles Camper, Utrecht 1791, p. 11.

¹¹ Ivi, p. 97; Camper, *Discours prononcés par feû Mr. Pierre Camper en l'Académie de Dessein d'Amsterdam*, Utrecht 1792, p. 35.

¹² Camper, *Dissertation* cit., pp. 97, 98.

¹³ Camper, *Discours prononcés* cit., pp. 94-6.

¹⁴ Ivi, p. 3.

¹⁵ Camper, *Dissertation* cit., p. 21.

¹⁶ *Physiognomie: Complexion und Art eins jeden Menschen aus Gestalt und Form des Angesichts, Glieder und allen Geberden zu Erlernen etc.*, s. l. 1541, s. n.

¹⁷ A. Altmann, *Moses Mendelssohn*, University, Alabama, 1973, pp. 261 e *passim*.

¹⁸ J. K. Lavater, *Johann Kasper Lavaters ausgewählte Schriften*, a cura di J. K. Orelli, III, Zürich 1844, p. 52.

¹⁹ Gaspard Lavater, *L'art de connaître les hommes par la physionomie*, a cura di M. Moreau, Paris 1820, p. 141.

²⁰ Lavater, *Johann Kaspar Lavaters ausgewählte Schriften*, ed. cit., IV, p. 55.

²¹ Ivi, III, p. 138.

²² Ivi, IV, pp. 60, 61.

²³ R. Zust, *Die Grundzüge der Physiognomik Johann Kaspar Lavaters*, Zürich 1948, p. 74.

²⁴ Lavater, *Johann Kaspar Lavaters ausgewählte Schriften*, ed. cit., IV, p. 49.

²⁵ Ivi, pp. 16, 33.

²⁶ Ivi, III, p. 115.

²⁷ G. E. Lessing, *Nathan the Wise*, Atto I, scena II.

²⁸ Altmann, *op. cit.*, p. 733.

²⁹ Giambattista Della Porta cit. in « The Phrenological Magazine », IV (1883), p. 495.

³⁰ Sir Walter Scott, *Ivanhoe*, New York, The American Library, 1962, pp. 205, 229, 466.

³¹ « The Phrenological Magazine », I (1880), p. 214.

³² D. Gall, *D. Gall's Vorlesungen über die Verrichtung des Gehirns*, Berlin 1805, p. 119; « The Phrenological Review », I (1880), p. 73.

³³ D. Gall, *D. Gall's Vorlesungen* cit., p. 126.

³⁴ A. C. Haddon, *History of Anthropology*, London 1949, p. 33.

³⁵ A. Krewald, *Carl Gustav Caro seine Philosophischen, Psychologischen und Charakterologischen Grundgedanken*, Berlin 1939, p. 57.

³⁶ C. G. Carus, *Symbolik der Menschlichen Gestalt*, a cura di Th. Lessing, Celle 1925, p. 140.

³⁷ Ivi, pp. 251, 277, 278, 323; Krewald, *op. cit.*, pp. 63, 65.

³⁸ Carus, *Simbolik der Menschlichen Gestalt*, cit., p. 265.

³⁹ Questa discussione sull'origine del « naso ebraico » si basa sul lavoro di Isaiah Shachar, e in particolare sul suo saggio *The Emergence of the Modern Pictorial Stereotype of the ' Jews ' in England*, in « Studies in the Cultural Life of the Jews in England; Folklore Research Center Studies », IV (1975), pp. 331-65. Il suo libro di prossima pubblicazione, *The Jew by His Looks*, conferirà nuove dimensioni alle nostre discussioni sulla razza e gli stereotipi. Si veda anche Johann Winckelmann, *Sämtliche Werke*, a cura di J. Eiselein, III, Donaueschingen 1825, p. 132; recentemente, Bernard Glassman, *Anti-Semitic Stereotypes Without Jews: Images of the Jews in England. 1290-1700*, Detroit 1975, p. 71, ha parlato del naso adunco o grosso come parte dello stereotipo ebraico elisabettiano usato da alcuni commediografi. Tuttavia lo stereotipo fisico di questo genere era tutt'altro che costante anche secondo le testimonianze portate da questo importante libro ed è lecito perciò metterne in dubbio la reale importanza prima del secolo XVIII. In questo periodo ciò che caratterizzava lo stereotipo anti-ebraico era la supposta avversione al cristianesimo, mentre l'apparenza vi svolgeva un ruolo secondario. Il libro di Th. W. Perry, *Public Opinion, Propaganda, and Politics in Eighteenth Century England: A Study of the Jew Bill of 1753*, Cambridge, G. B., 1962, sebbene ricco d'informazioni sulle polemiche scritte, ignora praticamente l'iconografia, tranne un cenno alla supposta « malevola cattiveria » celata negli occhi dell'ebreo, una leggenda dura a morire, e alla sporcizia della sua pelle, un altro pregiudizio profondamente radicato (p. 93). Ancora nel 1925 un manuale tedesco per attori dilettanti raccomandava che il trucco di un « usuraio ebreo » includesse un colorito pallido e malaticcio, sguardo da sciocco e occhi infossati; G. L. Mosse, *Die NS Kampfbühne*, in *Geschichte im Gegenwartsdrama*, a cura di R. Grimm e J. Hermand, Stuttgart 1976, p. 35.

[40] Lavater, citato in « Phrenological Magazine », II (1881), p. 13.

[41] Ivi, pp. 15-16.

[42] D. De Giustino, *Conquest of Mind: Phrenology and Victorian Social Thought*, London 1975, pp. 70, 74.

[43] « Berliner Illustrierte Nachtausgabe », 16 e 17 agosto 1935 (Wiener Library, Clipping Collection, London).

[44] Si veda p. 191.

[45] Cit. in Mühlmann, *op. cit.*, p. 57.

[46] I. Kant, *Von den Verschiedenen Rassen der Menschen*, in *Kants Werke, Akademie Textausgabe*, II, *Vorkritische Schriften*, Berlin 1968, pp. 11, 431, 432.

[47] W. C. Curry, *The Middle English Ideal of Personal Beauty, as Found in the Metrical Romances, Chronicles and Legends of the XIII, XIV and XV Centuries*, Baltimore 1916, pp. 3, 6, 7.

[48] J. G. von Herder, *Stimmen der Völker in Liedern*, in *Johann Gott-fried von Herder's Sämmtliche Werke zur Schönen Literatur und Kunst*, a cura di J. von Müller, I, Stuttgart e Tübingen, 1828, p. 15.

[49] W. D. Jordan, *White over Black: American Attitudes Toward the Negro. 1550-1812*, Chapel Hill, N. C., 1968, p. 17.

[50] Mühlmann, *op. cit.*, p. 59.

[51] Ph. D. Curtin, *The Image of Africa, British Ideas and Action. 1780-1850*, Madison 1964, p. 368.

[52] Ivi, p. 369.

Capitolo III

[1] G. Kaiser, *Pietismus und Patriotismus im Literarischen Deutschland*, Wiesbaden 1961, p. 143.

[2] Ivi, p. 79.

[3] Ivi, p. 76.

[4] Ivi, p. 164.

[5] J. G. Herder, *Zur Philosophie und Geschichte*, in *Johann Gottfried von Herder's Sämmtliche Werke zur Schönen Literatur und Kunst*, a cura di J. von Müller, VII, Stuttgart e Tübingen 1838, pp. 30, 23.

[6] Herder, *Ideen zur Geschichte der Menschheit*, in *op. cit.*, V, p. 64; ivi, VII, p. 43. [Trad. it. Bologna 1971.]

[7] J. G. Herder, *Abhandlung über den Ursprung der Sprache*, in *Werke in zwei Bänden*, I, München 1953, *passim*. [Trad. it. dell'*Abhandlung*, Mazara-Roma 1954.]

[8] E. Lemberg, *Nationalismus*, I, Hamburg 1964, pp. 138 sgg.

[9] G. L. Mosse, *La nazionalizzazione delle masse*, trad. it. Bologna 1975.

[10] L. Volkmann, *Egypten-Romantik in der Europäischen Kunst*, Leipzig 1942, p. 128.

[11] W. Jones, *The Works of Sir William Jones*, I, London 1794, pp. 11, 21, 273.

[12] Fr. Schlegel, *Über die Sprache und Weisheit der Inder*, in *Friedrich Schlegel's Sämmtliche Werke*, VII, Wien 1846, pp. 278, 294, 298.

[13] Ivi, p. 302.

[14] Ivi, pp. 308, 309, 369.

[15] Ch. Lassen, *Indische Altertumskunde*, I, parte 2, Leipzig 1877, pp. VII sgg., 11.

[16] F. M. Müller, *Three Lectures on the Science of Language*, Chicago 1895, p. 54.

[17] L. Poliakov, *Il mito ariano*, trad. it. cit., p. 218.

[18] S. Reinach, *L'origine des Aryens*, Paris 1971, p. 204.

[19] M. H. Kater, *Das ' Ahnenerbe' der SS, 1935-1945*, Stuttgart 1974, p. 79; per gli studenti, si veda « The Times » (London), 5 agosto 1943 (Wiener Library, Clipping Collection, London).

[20] Müller, *op. cit.*, pp. 45, 49.

[21] Ivi, pp. 55, 65.

[22] J. Walvin, *Black and White: The Negro and English Society. 1555-1945*, London 1973, p. 63.

[23] J. R. Barker, *Race*, London 1974, p. 204.

[24] R. Bollmus, *Das Amt Rosenberg und Seine Gegner*, Stuttgart 1970, pp. 154-62.

[25] E. Lunn, *Prophet of Community: The Romantic Socialism of Gustav Landauer*, Berkeley 1973, pp. 6 sgg.

[26] A. Rosenberg, *Der Mythus des 20. Jahrhunderts*, München 1935, pp. 28, 662.

[27] W. H. Riehl, *Land und Leute*, Stuttgart 1867, p. 17.

[28] E. Weymar, *Das Selbstverständnis der Deutschen*, Stuttgart 1961, pp. 30, 33, 73.

[29] W. Emmerich, *Zur Kritik der Volkstumsideologie*, Frankfurt a. M. 1971, p. 41.

[30] Fustel de Coulanges, *Questions contemporaines*, Paris 1917, p. 24.

[31] Th. Nipperdey, *Zum Jubiläum des Hermannsdenkmals*, in *Ein Jahrhundert Hermannsdenkmal 1875-1975*, Detmold 1975, p. 15.

[32] A. Hertzberg, *The French Enlightenment and the Jews*, New York and London 1968, p. 302.

[33] Questo aspetto di Herder è stato sottolineato da I. Berlin, *Vico and Herder*, London 1976.

Capitolo IV

[1] J.-A. de Gobineau, *Essai sur l'inegalité des races humaines*, Paris 1967, p. 121.

[2] Seguo l'interpretazione dell'*Essai* data da R. E. Dreher in « Arthur de Gobineau: An Intellectual Portrait » (tesi inedita Ph. D., University of Wisconsin, 1970). Per la citazione nel testo si veda p. 84.

[3] Cit. in M. D. Biddiss, *Father of Racist Ideology: The Social and Political Thought of Count Gobineau*, London 1970, p. 114.

[4] Gobineau, *op. cit.*, p. 658.

[5] Ivi, pp. 58, 59; Biddiss, *op. cit.*, p. 125.

[6] W. Schuler, *Der Bayreuther Kreis*, Münster 1971, p. 104; G. L. Mosse, *Le origini culturali del Terzo Reich*, trad. it. Milano 1968, p. 135.

[7] *Ibid.*

[8] Mosse, *op. cit.*, pp. 293 sgg.

[9] Schuler, *op. cit.*, p. 243.

[10] P.-M. Dioudonnat, *Je suis partout. 1930-1944*, Paris 1973, p. 220.

[11] A. de Candolle, *Histoire des sciences et des savants depuis deux siècles*, Genève-Bâle, 1885 (prima edizione 1873), pp. 172-82, 186-95, 199; sono debitore di questa indicazione a S. Drescher, *Alphonse de Candolle*

über die Judenfrage, in « Mitteilungen des Vereins zur Abwehr des Anti-semitismus », 25 luglio 1893, p. 294.

[12] G. Vacher de Lapouge, *Der Arier und seine Bedeutung für die Gemeinschaft*, Frankfurt a. M. 1939, pp. 224 sgg., 188 sgg.

[13] Ivi, p. 228.

[14] Ivi, pp. 234, 242, 254, 260.

[15] Ivi, pp. 306-16, 240, 242.

[16] Ivi, p. 307.

[17] G. Vacher de Lapouge, *Les sélections sociales*, Paris 1896, p. 488.

[18] Ivi, p. 488. Rivoluzione per Lapouge voleva dire trasferimento del potere da una razza all'altra: ivi, p. 251.

[19] Si vedano le pp. 87-8.

[20] J. M. Winter, *The Webbs and the Non-White World: A Case of Socialist Racialism*, in « Journal of Contemporary History », IX, gennaio 1974, pp. 190-1.

[21] H. Thomas-Chevalier, *Le racisme français*, Nancy 1943, p. XI.

[22] Ivi, p. XIX.

Capitolo V

[1] Cit. in P. Viereck, *Metapolitics from the Romantics to Hitler*, New York 1941, p. 4.

[2] Si veda *Moritz Lazarus und Hermann Steinthal*, a cura di I. Belke, Tübingen 1971, pp. 139, 450.

[3] Si veda R. Horsman, *Origins of Racial Anglo-Saxonism in Great Britain Before 1850*, in « Journal of the History of Ideas », XXXVII, luglio-settembre 1976, pp. 387-410.

[4] E. A. Freeman, *Lectures to American Audiences*, Philadelphia 1882, pp. 15, 33.

[5] R. Knox, *The Races of Men*, London 1862, pp. V, 57.

[6] Ivi, p. 50.

[7] Ivi, pp. 404, 287.

[8] Ivi, p. 447.

[9] Ivi, p. 194.

[10] Ivi, pp. 4, 196, 445.

[11] R. Blake, *Disraeli*, London 1966, p. 203.

[12] T. Carlyle, *Occasional Discourse on the Nigger Question*, London 1853, pp. 19, 33.

[13] J. Hunt, *On the Study of Anthropology*, in « Anthropological Review », I (1863), p. 4.

[14] J. Hunt, *Dr. Hunt's Farewell Address as President of the Anthropological Society*, London 1867, p. 21.

[15] Ivi, p. 17.

[16] Ivi, p. 19.

[17] J. Hunt, *On the Negro's Place in Nature*, London 1863, pp. 26, 37, 52, 58.

[18] Ivi, p. 58; Ch. Bolt, *Victorian Attitudes to Race*, London 1971, pp. 21-2.

[19] Ch. C. Gillispie, *The Darwinian Heritage*, in *The Making of the Modern World*, a cura di N. F. Cantor e M. S. Wertham, New York 1967, pp. 125 e *passim*.

[20] K. Pearson, *Charles Darwin. 1809-1882*, ristampato in *The Making of Modern Europe*, a cura di H. Ausubel, New York 1951, p. 760.

[21] Ivi, p. 761.

[22] Citato in C. P. Blacker, *Eugenics, Galton and After*, London 1952, p. 108.

[23] K. Pearson, *The Relative Strength of Nurture and Nature*, Cambridge, G. B., 1915, pp. 48 sgg.

[24] Blacker, *op. cit.*, p. 108.

[25] W. Hentschel, *Varuna*, Leipzig 1907, p. 274.

[26] Si vedano le pp. 234-5.

[27] *Speeches Delivered at a Dinner in University College, London, in Honour of Professor Karl Pearson, 23 april 1934*, Cambridge, G. B., 1934, p. 23.

Capitolo VI

[1] E. Fischer, *Begriff, Abgrenzung und Geschichte der Anthropologie*, in *Anthropologie*, a cura di G. Schwalbe e E. Fischer, Leipzig 1923, p. 10.

[2] « Archiv für Rassen- und Gesellschaftbiologie » (d'ora in poi citato « Archiv »), I (1904), pp. IV, VI.

[3] K. Pearson, *Über den Zweck und die Bedeutung den National-Eugenik für den Staat*, in « Archiv », V (1908), p. 91.

[4] K. Pearson, *The Moral Basis of Socialism*, London s.d., p. 5.

[5] L. Woltmann, *Politische Anthropologie*, a cura di O. Reche, Berlin 1936, pp. 388, 392.

[6] A. Nordenholz in « Archiv », VI (1909), p. 131.

[7] Si veda M. von Gruber, *Wilhelm Schallmayer*, in « Archiv », XIV (1922 e 1923), pp. 52-5; W. Schallmayer, *Der Krieg als Züchter*, in « Archiv », V (1908), pp. 388-99; F. Bölle, *Darwinismus und Zeitgeist*, in « Zeitschrift für Religion und Geistesgeschichte », XIV (1962), p. 167.

[8] A. Ploetz in « Archiv », I (1904), pp. 892, 893.

[9] A. Ploetz, *Die Tüchtigkeit unserer Rasse und der Schutz der Schwachen*, Berlin 1895, pp. 138-40; si vedano anche le pp. 91-2.

[10] A. Dodel, *Moses oder Darwin? Eine Schulfrage*, Stuttgart 1895, pp. 114, 116; G. Beck in *Antidodel* accusava Dodel di darwinismo; Dodel, *op. cit.*, p. 132.

[11] P. Näcke, *Zur Angeblichen Rasse der Romanischen Völker, Speziell Frankreich*, in « Archiv », III (1906), p. 380.

[12] A. Ploetz in « Archiv », VI (1909), p. 139.

[13] « Archiv », VI (1909), p. 280.

[14] A. Ploetz in « Archiv », XXVII (1933), p. 423. È un dato di fatto che l'antisemita casa editrice *volkisch* J. F. Lehmann di Monaco era l'editore ufficiale della Società per l'igiene razziale e anche negli anni '20 di Eugen Fischer.

[15] Ma anche in questo caso ciò si accompagnava all'elogio del sionismo: « Archiv », XXIX (1935), p. 457.

[16] E. Bauer, E. Fischer, F. Lenz, *Menschliche Erblichkeitslehre*, München, 1923, pp. 147, 148.

[17] Cit. in E. H. Ackerknecht, *Kurze Geschichte der Psychiatrie*, Stuttgart 1957, p. 51.

[18] Ivi, p. 52.

[19] Vi è solo una biografia moderna di Lombroso: G. Lombroso Ferrero, *Cesare Lombroso. Storia della vita e delle opere narrata dalla figlia*, Milano-Torino-Roma 1915; cfr. C. Lombroso e R. Laschi, *Il delitto politico e le rivoluzioni*, Torino 1890; C. Lombroso, *L'antisemitismo e le scienze moderne*, Torino-Roma 1894.

[20] C. Lombroso, *Entartung und Genie*, a cura di H. Kurella, Leipzig 1894, pp. 91 sgg. [L'ediz. it. di *Genio e degenerazione*, Palermo 1898.]

[21] Ivi, p. 94.

[22] C. Lombroso, *Introduction*, in G. Lombroso Ferrero, *Criminal Man According the Classification of Cesare Lombroso*, New York-London 1911, p. xv.

[23] Ivi, p. xviii.

[24] Si vedano le pp. 234, 235.

[25] M. Nordau, *Degeneration*, New York 1968,. p. 541.

[26] Ivi, p. 560.

[27] Ivi, p. 269.

[28] D. Gasman, *The Scientific Origins of National Socialism*, London e New York 1971: sul collegamento tra Haeckel e il razzismo, pp. 40 sgg.

[29] Ivi, p. 95.

[30] Ivi, p. 10.

[31] E. Haeckel, *Die Welträtsel*, Stuttgart s.d., pp. 126, 132, 174.

[32] A. Kelly, « Wilhelm Bölsche and the Popularization of Science in Germany », tesi inedita Ph. D. University of Wisconsin, Madison, 1975, pp. 195 sgg.

[33] P. Broca, *Histoire des travaux de la Société d'anthropologie (1859-1863)*, in « Mémoires de la Societé d'anthropologie de Paris », II (Paris 1865), p. ix.

[34] Ivi, p. xxvii.

[35] P. Broca, *Recherches sur l'ethnologie de la France*, ivi, I (Paris 1860-1863), pp. 3, 53.

[36] F. Pruner, ivi, I (Paris 1860), p. 333.

[37] J. A. H. Périer, *Les croisements ethniques*, ivi, II (Paris 1865), p. 371.

[38] J. Deniker, *Les races de l'Europe*, I, Paris 1899, p. 99; II, Paris 1908, pp. 123-4.

[39] J.-L. A. de Quatrefages, *Rapport sur les progrès de l'anthropologie*, Paris 1867, pp. 115, 151, 315.

[40] J.-L. A. de Quatrefages, *The Prussian Race, Ethnographically Considered*, London 1872, *passim*.

[41] E. H. Ackerknecht, *Rudolf Virchow*, Madison, Wis., 1953, pp. 209-10.

[42] Ivi, pp. 213-4. Solo una scuola ebraica diede la sua collaborazione. Si veda la dettagliata descrizione del progetto in « Archiv für Anthropologie », XVI (gennaio 1886), pp. 285-367.

[43] Si veda p. 186.

[44] Le statistiche sono tratte da Ackerknecht, *Rudolf Virchow*, cit., p. 214, e anche in G. Sergi, *Origine e diffusione della stirpe mediterranea*, Roma 1895, pp. 13-9.

[45] A. Ruppin, *The Jewish Fate and Future*, London 1940, p. 20.

[46] Ivi, p. 20.

[47] « Archiv für Anthropologie », XVI (gennaio 1886), p. 367.

[48] Per esempio in C. Paasch, *Geheimrath Professor Dr. Rudolf Virchow aus Schievelbein, Unser Grosser Gelahrter*, Leipzig 1892, *passim*.

[49] R. Virchow, *Rassenbildung und Erblichkeit*, in *Adolf Bastian als Festgruss*, s. l. 1896, pp. 17, 43.

Capitolo VII

[1] G. Trobridge, *Swedenborg. Life and Teaching*, London 1945, p. 186.

[2] Per tutto ciò e per quel che segue si veda G. L. Mosse, *The Mystical Origins of National Socialism*, in « Journal of the History of Ideas », XXII, n. 1 (gennaio-marzo 1961), pp. 81-96.

[3] G. L. Mosse, *Changes in Religious Thought*, in *The New Cambridge Modern History*, IV, Cambridge, G. B., 1970, pp. 173-5.

[4] Su Langbehn si veda G. L. Mosse, *Le origini culturali del Terzo Reich*, trad. it. cit., pp. 61-9.

[5] J. Baltzli, *Guido von List*, Wien 1917, pp. 26-7.

[6] Mosse, *Le origini culturali del Terzo Reich*, trad. it. cit., pp. 112-3, 442.

[7] Ivi, p. 438; W. Daim, *Der Mann der Hitler die Ideen Gab*, München 1958, *passim*; A. G. Whiteside, *The Socialism of Fools*, Berkeley 1975, pp. 248, 253-4.

[8] Mosse, *Le origini culturali del Terzo Reich*, trad. it. cit., pp. 50-61.

[9] C. Wagner, *Die Tagebücher*, I, *1869-1877*, a cura di M. Gregor-Dellin e D. Mack, München 1976, p. 378.

[10] Si veda ivi, p. 569.

[11] Questa analisi segue Mosse, *La nazionalizzazione delle masse*, trad. it. cit., pp. 116-24.

[12] Wagner, *op. cit.*, pp. 627, 744.

[13] Vedi p. 124.

[14] H. Kohn, *Martin Buber Sein Werk und Seine Zeit*, Köln 1961, p. 93.

[15] F. Gräfin Zu Reventlow, *Der Geldcomplex, Herrn Dames Aufzeichnungen, von Paul zu Pedro*, München 1958, p. 138. Questo libro contiene uno dei migliori ragguagli sui filosofi cosmici di Monaco, compresi Schuler e Stefan George.

[16] Si veda p. 63.

[17] Mosse, *La nazionalizzazione delle masse*, trad. it. cit., p. 121.

[18] Cit. ivi, p. 121.

[19] Si veda, per esempio, K. Kupisch, *The « Luther Renaissance »*, in « Journal of Contemporary History », II (ottobre 1967), pp. 39-49.

[20] H. S. Chamberlain, *Auswahl aus seinem Werken*, Breslau 1934, pp. 65-6, 68.

[21] O. Weininger, *Geschlecht und Charakter*, Wien e Leipzig 1920, in antifrontespizio. [Trad. it. Milano 1979².]

[22] Si veda J. Verdes-Leroux, *Scandale financier et antisémitique: le krach de l'Union Générale*, Paris 1969, pp. 113-6.

[23] C. Guillaumin, *L'idéologie raciste. Genèse et langue actuelle*, The Hague 1972, p. 37.

[24] Z. Sternhell, *Maurice Barrès et le nationalisme français*, Paris 1972, p. 264.

[25] Si veda « Judenkenner », serie 32 (25 settembre 1935), *passim*.

[26] Weininger, *op. cit.*, pp. 438-9.

[27] F. Heer, *Der Glaube des Adolf Hitler*, München 1968, p. 271.

[28] A. Hitler, *Mein Kampf*, München 1934, pp. 59-65.

[29] L'opera stimolante sulla storia del sesso e dell'odore che apre una nuova prospettiva sulla storia della cultura europea è di S. Kern, *Anatomy and Destiny: A Cultural History of the Human Body*, Indianapolis 1975.

[30] Ivi, pp. 50-1.

[31] A. Hagen (Ivan Bloch), *Die Sexuelle Osphresiologie*, Berlin 1906 pp. 179, 12. Sono debitore di questa informazione a Stephen Kern.

[32] J. Toury, *Der Eintritt der Juden ins Deutsche Bürgertum. Eine Dokumentation*, Tel Aviv 1972, p. 184.

Capitolo VIII

[1] *The Jews in Czechoslovakia*, The Society for the History of Czechoslovak Jews, Philadelphia-New York 1968, p. 152.

[2] Si veda, per esempio, J. Verdes-Leroux, *Scandale financier et antisémitique*, cit., p. 223.

[3] G. K. Anderson, *The Legend of the Wandering Jew*, Providence 1965, pp. 21-2.

[4] *Raemaekers Cartoons*, s. l. s. d., parte III, p. 69.

[5] J. Müller, *Die Entwicklung des Rassenantisemitismus in den Letzen Jahrzehnten des 19. Jahrhunderts*, Berlin 1940, pp. 25, 67; Müller esamina la « Antisemitische Correspondenz » circa dal 1887 al 1892.

[6] Cit. in H. Bernstein, *The History of a Lie*, New York 1921, p. 23.

[7] Ivi, p. 32.

[8] *Ibidem*.

[9] Ivi, p. 33.

[10] Si veda p. 32.

[11] N. Cohn, *Warrant for Genocide*, New York 1966, p. 43. Nel mio esame dei *Protocolli* ho seguito quest'opera classica.

[12] *Protocols of the Learned Elders of Zion*, Union, N. J., s. d., p. 25. È una ristampa moderna dell'edizione inglese del 1922.

[13] Ivi, p. 33: « Arbeiterzeitung » (Vienna), 3 dicembre 1933 (Wiener Library, Clipping Collection, London).

[14] H. Lutostanski, *The Talmud and the Jew*, s. l. 1876, *passim*.

[15] *Actes du premier congrès antimaçonnique international*, tenutosi dal 24 al 30 settembre 1894 a Trento, Fournay 1897, pp. 119, 124.

[16] P. W. Massing, *Rehearsal for Destruction*, New York 1967, p. 94.

[17] La polizia parigina li chiamò « confetti antiebraici », Archives de la Préfecture de Police, Paris, B. a/1341.

[18] « Schmeitzner's Internationale Monatsschrift », II (gennaio 1883), *passim*; ivi, II (maggio 1883), *passim*. Schmeitzner era il segretario del congresso.

[19] M. Zimmermann, *Gabriel Riesser und Wilhelm Marr in Meinungsstreit*, in « Zeitschrift des Vereins für Hamburgische Geschichte », vol. 61 (1975), pp. 59-84.

[20] M. D. Biddiss, *The Universal Races Congress of 1911*, in « Race », XIII (luglio 1971), p. 43.

[21] M. Jungmann, *Ist das Jüdische Volk degeneriert?*, in « Die Welt », a. 6, n. 24 (13 giugno 1902).

[22] Elias Auerbach, *Die Jüdische Rassenfrage*, in « Archiv für Rassen-und Gesellschaftbiologie », IV (1907), p. 333.

[23] J. M. Judt, *Die Juden als Rasse: eine Analyse aus dem Gebiet der Anthropologie*, Berlin 1903. Il libro fu pubblicato dalla casa editrice ebraica, Jüdische Verlag.

[24] R. Andree, *Zur Volkskunde der Juden*, Bielefeld e Leipzig 1881, pp. 3, 10, 25.

[25] I. Zollschan, *Das Rassenproblem unter Besonderer Berücksichtigung der Theoretischen Grundlagen der Jüdischen Rassenfrage*, Wien e Leipzig 1910, pp. 8, 235, 260 sgg., 427.

[26] I. Zollschan, *The Jewish Question*, New York 1914, p. 14.

[27] A. Böhm, *Die Zionistische Bewegung*, II, Tel Aviv 1937, p. 84.

[28] Non esiste alcuno studio su questo problema. Sono grato alla signorina Deborah Hershmann e al signor Warren Green per l'informazione che è alla base di questo esame dell'ebraismo ortodosso. Si veda, per l'osservanza alla legge di Noè come codice morale per i non ebrei in Germania, S. M. Bolkosky, *The Distorted Image: German Jewish Perceptions of Germans and Germany. 1918-1935*, New York 1975, p. 80.

[29] Theodor Herzl cit. in « Die Welt », XVIII (3 luglio 1914).

[30] A. Elon, *Herzl*, New York 1975, pp. 171, 251.

[31] M. Calvary in « Die Welt », XVII (7 novembre 1913), p. 540.

[32] R. Weltsch in « Die Welt », XVII (21 marzo 1913), p. 366.

[33] M. Fishberg, *Die Rassenmerkmale der Juden*, München 1913, pp. 49, 51; si veda anche Id., *Zur Frage der Herkunft des blonden Elementes in Judentum*, in « Zeitschrift für Demographie und Statistik der Juden », (1907).

[34] F. von Luschan, *Völker, Rassen, Sprachen*, Berlin 1922, pp. 25, 169.

[35] G. Krojanker, *Zum Problem des Neuen Deutschen Nationalismus*, Berlin 1932, pp. 17, 19.

Capitolo IX

[1] U. Enriques, *Religious Toleration in England. 1787-1833*, London 1961, p. 181.

[2] E. L. Schaub, *J. G. Fichte and Antisemitismus*, in « Philosophical Review », XLIX (1 gennaio 1940), p. 49. Tuttavia, persino quando si ritenevano gli ebrei partecipi del disegno divino, il loro presunto comportamento malvagio verso Cristo e il cristianesimo fu giudicato ingiustificabile. Fu per esempio soprattutto una tradizione cristiana a mantenere in vita l'antisemitismo nei secoli nei quali quasi nessun ebreo viveva in Inghilterra; B. Glassman, *Anti-Semitic Stereotypes Without Jews: Images of the Jews in England 1290-1700*, Detroit 1975, pp. 12, 144, e *passim*.

[3] E. Renan, *Das Leben Jesu*, Leipzig s. d., pp. 24, 29, 244, 293. [Trad. it., dall'orig. franc., Milano 1972.]

[4] D. K. Hase, *Das Leben Jesu*, Leipzig 1835, pp. 151-2; K. von Hase, *Ideale und Irrtümer*, Leipzig 1917, p. 170.

[5] Si vedano le pp. 115-7.

[6] W. Tilgner, *Volksnomostheologie und Schöpfungsglaube*, Göttingen 1966, p. 30.

[7] Ivi, p. 67.

[8] P. Relyea Anderson, *The Background of Anti-English Feeling in Germany. 1890-1902*, Washington, D. C., 1939, p. 151.

[9] Ivi, p. 360.

[10] Si vedano le pp. 107, 108, 110 e 111.

[11] Si veda, per esempio, H. Liebeschütz, *Das Judentum in deutschen Geschichtsbild von Hegel bis Max Weber*, Tübingen 1967, p. 99.

[12] Si veda K. Kupisch, *The Luther Renaissance*, in « Journal of Contemporary History », II (ottobre 1967), pp. 39-49.

[13] G. L. Mosse, *La nazionalizzazione delle masse*, trad. it. cit., pp. 89, 90.

[14] Cit. in J. Toury, *Der Eintritt der Juden ins Deutsche Bürgertum. Eine Dokumentation*, Tel Aviv 1972, p. 309.

[15] E. Sterling, *Judenhass*, Frankfurt a. M. 1969, pp. 162-3.

[16] J. Verdes-Leroux, *Scandale financier et antisémitique* cit., p. 214.

[17] A. Hudal, *Die Grundlagen des Nationalsozialismus*, Leipzig e Wien 1937, p. 86.

[18] W. Feldman, *Geschichte der politischen Ideen in Polen seit dessen Teilung*, Osnabrück 1964, p. 423.

[19] N. Cohn, *Europe's Inner Demons: An Enquiry Inspired by the Great Witch-Hunt*, New York 1975, p. 69.

[20] Verdes-Leroux, *op. cit.*, p. 214.

[21] U. Tal, *Christians and Jews in Germany*, Ithaca, N. Y., 1975, p. 89.

[22] Ivi, p. 88; Verdes-Leroux, *op. cit.*, pp. 226-7.

[23] Verdes-Leroux, *op. cit.*, p. 227.

[24] J. Puhle, *Agrarische Interessenpolitik und Preussicher Konservatismus im Wilhelminischen Reich*, Hannover 1967, p. 123.

[25] Per un'analisi di questi sindacati si veda A. Toussaint, *L'Union centrale des syndicats agricoles, ses idées directrices*, Paris 1920, ma in particolare H. de Gailhard-Bancel, *Quinze années d'action syndicale*, Paris 1900.

[26] R. O. Paxton, *La France de Vichy*, Paris 1973, pp. 175-7; X. Vallat, *La croix, les lys et la peine des hommes*, Paris 1960, pp. 184, 295.

[27] *Le sang chrétien dans les rites de la synagogue moderne*, Archives de l'Alliance Israélite, Allemagne: I. c. 2, Paris.

[28] Archives de l'Alliance Israélite, Allemagne: I. c. 2, Paris, Rapporto del 2 novembre 1885.

[29] Fr. Heer, *Der Glaube des Adolf Hitler*, München 1968, p. 66; W. Jochmann, *Struktur und Funktion des deutschen Antisemitismus*, in *Juden im Wilhelminischen Deutschland 1890-1914*, a cura di W. Mosse e A. Paucker, Tübingen 1976, p. 398.

[30] *Die Socialen Lehren des Freiherrn Karl von Vogelsang*, a cura di W. Klopp, St. Polen 1894, p. 184; W. Klopp, *Leben und Wirken des Sozialpolitikers Karl Freiherr von Vogelsang*, Vienna 1930, p. 70; A. G. Whiteside, *The Socialism of Fools*, cit., p. 87.

[31] *Die Socialen Lehren des Freiherrn Karl von Vogelsang*, cit., p. 194.

[32] I. Seipel, *Nation und Staat*, Wien e Leipzig 1916, pp. 3, 6.

[33] *Balthasar Schmids Verfasste und Ausgefürrte Reise-Beschreibung etc.*, a cura e con correzioni di P. M. Schleyer, Babenhausen 1723, pp. 413-4.

[34] Rapporto sui lavori del consiglio della comunità ebraica di Berlino, 9 settembre 1881, M/16 (Archivi nazionali ebraici, Gerusalemme).

[35] P. Sorin, *La croix et les Juifs*, Paris 1967, p. 141. Il *Talmud-Jude* ebbe sino al 1922 17 edizioni; un gruppo cattolico in Vestfalia ne distribuì 38.000 copie. I. A. Hellwing, *Der konfessionelle Antisemitismus im 19. Jahrhundert in Österreich*, Wien 1967, p. 90: è la migliore e la più esauriente analisi della questione Rohling.

[36] Hellwing, *op. cit.*, p. 107.

[37] Ivi, pp. 79-81, 87, 111-2.

[38] Si veda M. Marrus, *The Politics of Assimilation: A Study of the French Jewish Community at the Time of the Dreyfus Affair*, Oxford 1971, *passim*.

[39] H. S. Chamberlain, *Die Grundlagen des 19. Jahrhunderts*, I, München 1932, p. 486; A. Rosenberg, *Der Mythus des 20. Jahrhunderts*, München 1935, p. 463; Catalogo dell'*Exposition le Juif et la France au Palais Berlitz*, settembre 1941-gennaio 1942, p. 15.

[40] Sorin, *op. cit.*, p. 7.

[41] Si diceva che « liberale » fosse sinonimo di « ebreo liberale », « Mitteilungen des Vereins zur Abwehr des Antisemitismus », 26 ottobre 1895, p. 339.

[42] F. Czeike, *Liberale, Christlichsoziale und Sozialdemokratische Kommunalpolitik*, Wien 1962, *passim*.

[43] F. Stauracz, *Dr. Karl Lueger, Zehn Jahre Bürgermeister*, Wien e Leipzig 1907, pp. 151 sgg.

[44] Stauracz, *op. cit.*, p. 230; A. Hitler, *Mein Kampf*, München 1934, p. 131.

[45] E. Weber, *Action française*, Stanford, Calif., 1962, p. 198.

[46] Ch. Maurras, *Political and Critical Dictionary*, s. l. s. d., pp. 303-5.

[47] M. Pujo, *Les camelots du roi*, Paris s. d., *passim*.

[48] Ivi, p. 25.

[49] Th. I. Armon, *La Guardia di ferro*, in « Storia contemporanea », VII (settembre 1976), p. 513.

[50] « Cahiers du Cercle Proudhon », I (gennaio-febbraio 1912), p. 41; ivi (maggio-agosto 1912), pp. 158, 160; ivi (s. d.), p. 248. Z. Sternhell, *Anatomie d'un mouvement fasciste: le ' Faisceau ' de Georges Valois*, in « Revue Française de Science Politique », n. 1, vol. 26 (febbraio 1976), p. 7.

[51] « Cahiers du Cercle Proudhon », I (marzo-aprile 1912), p. 80; Sternhell, *op. cit.*, p. 8.

[52] Hudal, *op. cit.*, p. 244.

[53] Ivi, p. 90.

[54] Fr. Engel-Janosi, *Vom Chaos zur Katastrophe, Vatikanische Gespräche 1918 bis 1938*, Wien e München 1971, p. 188.

[55] Il Vaticano sconfessò il libro di Hudal. Si veda ivi, p. 186.

[56] G. Lewy, *The Catholic Church and Nazi Germany*, New York 1964, p. 301.

[57] P. W. Massing, *Rehearsal for Destruction*, New York 1967, p. 28; K. Kupisch, *Adolf Stoecker, Hofprediger und Volkstribün*, Berlin 1970, pp. 36 sgg.

[58] Massing, *op. cit.*, p. 31.

[59] Ivi, pp. 64 sgg.

[60] *Der Berliner Antisemitismusstreit*, a cura di W. Boehlich, Frankfurt a. M. 1965, p. 9. Vi sono pubblicati tutti i documenti relativi.

Capitolo X

[1] J. Verdes-Leroux, *Scandale financier et antisémitique*, cit., p. 12.

[2] *Edouard Drumont ou l'anticapitalisme national*, a cura di E. Beau Loménie, Paris 1968, p. 80.

[3] Per queste idee alla metà del secolo si veda G. Lichtheim, *Socialism and the Jews*, in « Dissent », luglio-agosto 1968.

[4] Alphonse de Toussenel, *Les Juifs, rois de l'époque. Histoire de la féodalité financière*, I, Paris 1947, p. 320.

[5] Cit in Lichtheim, *op. cit.*, p. 322.

[6] Ivi, p. 322.

[7] K. Marx, *A World without Jews*, a cura di D. D. Runes, New York 1959, p. 41.

[8] Ivi, p. 37.

[9] Per le conseguenze delle opinioni di Marx sugli ebrei, si veda G. L.

Mosse, *I socialisti tedeschi e la questione ebraica durante la Repubblica di Weimar*, in « Storia contemporanea », II, 1 (marzo 1971), pp. 17-51.
[10] *Edouard Drumont ou l'anticapitalisme national*, cit., p. 108.
[11] Ivi, p. 357.
[12] L. Furiette, *Drumont*, Puteaux 1902, p. 61.
[13] Ivi, p. xxi. La citazione è tratta dalla prefazione scritta da Drumont per questo libro, che fu pubblicato per la prima volta nel 1862.
[14] Ivi, p. iii.
[15] E. Drumont, Prefazione a H. Desportes, *Le mystère du sang*, Paris 1889.
[16] Sull'argomento vedi G. L. Mosse, *The French Right and the Working Classes: Les Jaunes*, [in seguito cit. *Les Jaunes*] in « Journal of Contemporary History », VII (luglio-ottobre 1972), pp. 185-208.
[17] G. Bernanos, *La grande peur des bien-pensants*, Paris 1931, pp. 16, 405. Bernanos ripeté l'elogio nel 1939 nel suo *Scandale de la vérité*. Si veda anche F. Field, *Three French Writers and the Great War*, Cambridge, G. B., 1975, pp. 168 sgg.
[18] P.-M. Dioudonnat, *Je suis partout. 1930-1944*, Paris 1973, p. 224.
[19] Mosse, *Les Jaunes*, cit., p. 191.
[20] H. de Bruchard, *Un héros de l'antisémitisme: le marquis de Morès*, in « Revue Critique des Idées et des Livres », XIII (aprile-giugno 1911), p. 274.
[21] Rapporto di polizia, Archives de la Préfecture de Police, Paris, B. a/1107.
[22] Ch. da Costa, *Les blanquistes*, Paris 1912, pp. 59 sgg.
[23] Mosse, *Les Jaunes*, cit., p. 192.
[24] La fonte più utile per quel che segue è M. Ansky, *Les Juifs d'Algérie, du Décret Crémieux à la Libération*, Paris 1950.
[25] L. Durieu, *Les Juifs algériens (1870-1901)*, Paris 1902, p. 87.
[26] Ansky, *op. cit.*, p. 59.
[27] G. Rouanet, *Discours prononcé à la Chambre des Députés, les 19 et 24 mai 1899*, Paris, s. d., pp. 82-3.
[28] Si veda Rapporto di polizia, Archives de la Préfecture de Police, Paris, B. a/1107.
[29] Si vedano, per un altro movimento antisemita a base popolare guidato da Karl Lueger a Vienna, le pp. 153 sgg.
[30] P. G. J. Pulzer, *The Rise of Political Anti-Semitism in Germany and Austria*, New York 1964, pp. 207-9.
[31] V. Bibl, *Georg von Schönerer ein Vorkämpfer des Grossdeutschen Reichs*, Leipzig 1942, p. 23; E. Mayer-Löwenschwerdt, *Schönerer der Vorkämpfer*, Wien e Leipzig 1939, pp. 87, 240. Il libro migliore su Schönerer è quello di A. G. Whiteside, *The Socialism of Fools*, cit., del quale sono molto debitore.
[32] A. G. Whiteside, *Austrian National Socialism Before 1913*, The Hague 1962, p. 91.
[33] Ivi, p. 105.
[34] Ivi, pp. 96, 100.
[35] Ivi, p. 102; Pulzer, *op. cit.*, p. 207.
[36] Dühring condannava Drumont, come condannava ogni possibile rivale: E. Dühring, *Die Judenfrage als Frage der Rassenschädlichkeit*, Berlin 1892, pp. 110-1.
[37] G. Albrecht, *Eugen Dühring. Ein Beitrag zur Geschichte der Sozialwissenschaft*, Jena 1927, p. 247.
[38] G. Mayer, *Friedrich Engels*, New York 1969, p. 238. [Trad. it. Torino 1969.]

[39] Albrecht, *op. cit.*, pp. 258, 265.

[40] R. Mack, *Antisemitische Bauernbewegung in Hessen (1887-1894)*, in « Wetterauer Geschichtsblätter », XVI (1967), p. 19.

[41] Ivi, p. 17 n. 49.

[42] E. Schmahl, *Die Antisemitische Bauernbewegung in Hessen von der Boeckelzeit bis zum Nationalsozialismus*, Giessen 1933; W. Seipel, *Entwicklung der Nationalsozialistischen Bauernbewegung in Hessen*, Giessen 1933, pp. 99-100.

[43] « Mitteilungen des Vereins zur Abwehr des Antisemitismus », vol. II, n. 26 (26 giugno 1892), p. 221; Schmahl, *op. cit.*, p. 106.

[44] R. S. Levy, *The Downfall of the Anti-Semitic Political Parties in Imperial Germany*, New Haven, Conn., 1977, pp. 90, 105, 106.

[45] Schmahl, *op. cit.*, p. 98.

[46] Mack, *op. cit.*, p. 35.

Capitolo XI

[1] E. Zechlin, *Die deutsche Politik und die Juden in Ersten Weltkrieg*, Göttingen 1969, p. 527.

[2] Ivi, p. 531, n. 74.

[3] Ph. Rudaux, *Les Croix de feu et le P.S.F.*, Paris 1967, p. 31; G. L. Mosse, *The Genesis of Fascism*, in « Journal of Contemporary History », I (1966), pp. 14-27; G. L. Mosse, *The Poet and the Exercise of Political Power: Gabriele d'Annunzio*, in « Yearbook of Comparative and General Literature », Bloomington, Ind., 1973, p. 24.

[4] Frances Conford citata in B. Bergonzi, *Heroe's Twilight. A Study of the Literature of the Great War*, London 1965, p. 36; O. Braun, *Aus Nachgelassenen Schriften Eines Frühvollendeten*, a cura di J. Vogelstein, Berlin 1921, p. 120; P. Fussell, *The Great War and Modern Memory*, New York e London 1975, pp. 275 sgg.

[5] E. Jünger, *Der Kampf als inneres Erlebnis*, Berlin 1922, p. 33.

[6] G. L. Mosse, *Tod, Zeit und Geschichte. Die völkische Utopie der Überwindung*, in *Deutsches utopisches Denken im 20. Jahrhundert*, a cura di R. Grimm e J. Hermand, Stuttgart 1974, p. 55.

[7] Ivi, p. 56.

[8] M. Ledeen, *D'Annunzio a Fiume*, trad. it. Roma-Bari 1975; è ora il miglior lavoro sul governo dannunziano a Fiume.

[9] K. Hammer, *Deutsche Kriegstheologie 1870-1918*, München 1974, p. 157.

[10] Qui mi sono basato su K. I. Nelson, *The Black Horror on the Rhine: Race as a Factor in Post-War I Diplomacy*, in « Journal of Modern History » (dicembre 1970), pp. 606-28; si veda anche A. Brie, *Geschändete deutsche Frauen. Wie die farbigen Franzosen in den besetzen Gebieten wüten*, Leipzig 1921, s. p.

[11] M. Sell, *Die Schwarze Völkerwanderung: Der Einbruch des Negers in die Kulturwelt*, Vienna 1940, p. 301.

[12] Lettera del dott. Engel, Amburgo, 22 gennaio 1914, n. 223, Akte 1889 (Hamburg), Archivi nazionali ebraici, Gerusalemme; n. 310, Akte 1889 (Hamburg), Archivi nazionali ebraici.

[13] G. L. Mosse, *Die deutsche Rechte und die Juden*, in *Entscheidungsjahr 1932*, a cura di W. Mosse, Tübingen 1966, p. 184.

[14] B. F. Smith, *Heinrich Himmler: A Nazi in the Making. 1900-1926*, Standford, Calif., 1971, p. 123.

[15] W. Laqueur, *Russia and Germany*, London 1965, pp. 50 sgg.

[16] N. Cohn, *Warrant for Genocide*, London 1966, p. 151.

[17] N. Davies, *Great Britain and the Polish Jews 1918-1920*, in « Journal of Contemporary History », VIII (aprile 1973), p. 126; G. M. Mitchell, *John Buchan's Popular Fiction, A Hierarchy of Race*, in « Patterns of Prejudice », VII (novembre-dicembre 1973), pp. 24-30.

[18] L. Fischer, *The Soviets in World Affairs*, New York 1960; p. 427; intervista con il biografo di Churchill M. Gilbert in « The Times », 10 gennaio 1977, p. 9.

[19] Cohn, *op. cit.*, p. 165.

[20] A. Bullock, *Hitler, A Study in Tyranny*, New York s. d., p. 589; *Hitler's Secret Conversations, 1941-1944*, a cura di H. R. Trevor-Roper, New York 1953, p. 65.

[21] G. L. Mosse, *Le origini culturali del Terzo Reich*, trad. it. cit., pp. 290 sgg.; *Native Fascism in the Successor States 1918-1945*, a cura di P. F. Sugar, Santa Barbara, Calif., 1971, p. 97.

[22] U. D. Adam, *Judenpolitik im Dritten Reich*, Düsseldorf 1972, p. 68.

[23] S. Ettinger, *Jews and Non-Jews in Eastern and Central Europe between the Wars: An Outline*, in *Jews and Non-Jews in Eastern Europe. 1918-1945*, a cura di B. Vago e G. L. Mosse, Jerusalem e New York 1974, pp. 10 sgg.

[24] G. Barany, *Magyar Jew or Jewish Magyar? Reflections on the Question of Assimilation*, ivi, pp. 56 sgg.

[25] H. M. Rabinowicz, *The Legacy of Polish Jewry*, New York e London 1965, *passim*.

[26] Adam, *op. cit.*, p. 200.

[27] E. D. Wynot, jr., « *A Necessary Cruelty* »: *The Emergence of Official Anti-Semitism in Poland, 1936-1939*, in « American Historical Review », LXXVI (ottobre 1971), pp. 1042, 1047, 1051; Rabinowicz, *op. cit.*, p. 58.

[28] L. S. Dawidowicz, *The War Against the Jews. 1933-1945*, New York 1975, p. 189.

[29] W. Jochmann, *Die Ausbreitung des Antisemitismus*. in *Deutsche Judentum in Krieg und Revolution 1916-1923*, a cura di W. E. Mosse e A. Paucker, Tübingen 1971, p. 457.

[30] Su questa società si vedano « Mitteilungen des Vereins zur Abwehr des Antisemitismus », 12 gennaio 1922, p. 4.

[31] E. von Salomon, *Die Geächteten*, Gütersloh 1930, p. 71.

[32] E. J. Gumbel, *Vier Jahre Politischer Mord*, Berlin 1922, *passim*; D. L. Niewyk, *Jews and the Courts in Weimar Germany*, in « Jewish Social Studies », XXXVII (primavera 1975), p. 111.

[33] Jochmann, *op. cit.*, pp. 464-5.

[34] E. J. Gumbel, *Vom Femenmord zur Reichskanzelei*, Heidelberg 1962, p. 50.

[35] Jochmann, *op. cit.*, p. 467.

[36] Mosse, *Le origini culturali del Terzo Reich*, trad. it. cit., pp. 356 sgg.

[37] Jochmann, *op. cit.*, p. 471.

[38] Fr. L. Carsten, *Reichswehr und Politik 1918-1933*, Köln 1964, p. 223.

[39] Per un eccellente esame di questo problema si veda Fr. L. Carsten, *Revolution in Central Europe: 1918-1919*, Berkeley e Los Angeles 1967, cap. 10.

[40] A. Paucker, *Der jüdische Abwehrkampf*, Hamburg 1968, pp. 96-7.

[41] G. L. Mosse, *I socialisti tedeschi e la questione ebraica*, art. cit., pp. 23 sgg.

[42] Ivi, p. 34.

[43] Ivi, pp. 34-43.

[44] Ivi, pp. 29-30.

[45] B. Vago, *The Attitude toward the Jews as a Criterion of the Left-Right Concept*, in *Jews and Non-Jews in Eastern Europe*, cit., p. 33.

[46] B. K. Johnpol, *The Politics of Futility, the General Jewish Workers Bund of Poland, 1917-1943*, Ithaca, N. Y., 1967, p. 193.

[47] L. Pisker, *Auto-Emancipation: An Appeal to his People by a Russian Jew* (1882) cit. in W. Laqueur, *A History of Zionism*, New York 1972, p. 72.

[48] Mosse, *Le origini culturali del Terzo Reich*, trad. it. cit., p. 450; L. F. Clauss, *Rasse und Seele, Eine Einführung in den Sinn der Leiblichen Gestalt*, Berlin 1933, *passim*.

[49] Mosse, *Le origini culturali del Terzo Reich*, trad. it. cit., pp. 449-50.

Capitolo XII

[1] Si veda G. L. Mosse, *La nazionalizzazione delle masse*, trad. it. cit., *passim*.

[2] L. Dawidowicz, *The War Against the Jews*, cit.

[3] W. F. Mandle, *Anti-Semitism and the British Union of Fascists*, London 1968, p. 23.

[4] Ivi, p. 37, n. 6.

[5] Ivi, p. 44, n. 4.

[6] S. G. Payne, *Falange. A History of Spanish Fascism*, Stanford, Calif., 1961, p. 126; J. J. Linz, *An Authoritarian Regime: Spain*, s. l., ciclostilato, 1963, p. 25.

[7] Cfr. *X Congrès Francisme, Paris 1, 2, 3, 4 juillet 1943*, Paris 1943, *passim*.

[8] E. Weber, *Action française*, Stanford, Calif., 1962, p. 190.

[9] R. J. Soucy, *The Nature of Fascism in France*, in « Journal of Contemporary History », I (1966), pp. 33-4.

[10] D. Wolf, *Die Doriot-Bewegung*, Stuttgart 1967, pp. 158-9, 162.

[11] M. Bucard, *L'emprise juive*, Paris 1938, p. 12.

[12] G. D. Allardyce, *The Political Transition of Jacques Doriot*, in « Journal of Contemporary History », I (1966), pp. 69-70.

[13] Ivi, p. 72.

[14] « L'Emancipation Nationale », 14 novembre 1936, p. 11.

[15] A. Hitler, dr. Goebbels, A. Rosenberg, J. von Ribbentrop, *L'avenir de l'Allemagne, précédé d'une étude par Y.-M. Sicard*, Paris 1937, p. 18.

[16] « L'Emancipation Nationale », 11 marzo 1944, p. 2; ivi, 29 gennaio 1944, p. 2. Sicard ha affermato di aver chiesto l'espulsione degli ebrei sin dal 1936, ma non trovo conferma a questa affermazione.

[17] Saint-Paulien, *Les maudits*, Paris 1958, pp. 12, 14.

[18] *Les Juifs*, numero speciale di « Je suis partout », 18 aprile 1938, p. 2.

[19] Ivi, p. 9.

[20] Ivi, p. 3.

[21] L. Rebatet, *Les décombres*, Paris 1942, pp. 35, 566.

[22] « Je suis partout », 11 dicembre 1942, p. 6.

[23] G. L. Mosse, *Fascism and the Intellectuals*, in *The Nature of Fascism*, a cura di S. J. Woolf, London 1968, pp. 212 sgg.

24 Ivi, *passim*.

25 S. Fischer-Galati, *Fascism, Communism and the Jewish Question in Rumania*, in *Jews and Non-Jews in Eastern Europe*. cit., pp. 167-8.

26 N. M. Nagy-Talavera, *The Green Shirts and the Others. A History of Fascism in Hungary and Rumania*, Stanford, Calif., 1970, p. 260.

27 C. Sburlati, *Codreanu il capitano*, Roma 1970, p. 200.

28 Nagy-Talavera, *op. cit.*, pp. 261, 254; Th. I. Armon, *La Guardia di ferro*, cit., p. 507.

29 R. Hilberg, *The Destruction of the European Jews*, Chicago 1961, p. 489.

30 Nagy-Talavera, *op. cit.*, pp. 114, 118.

31 Ivi, p. 184.

32 « Paix et Droit » (gennaio 1938), p. 4.

33 Si veda, per esempio, A. J. Sherman, *Island Refuge: Britain and the Refugees from the Third Reich*, Berkeley e Los Angeles 1973.

34 « Paix et Droit » (luglio 1938), p. 7.

35 L. Hory e M. Broszat, *Der Kroatische Ustascha-Staat 1941-1945* Stuttgart 1964, p. 92.

36 R. De Felice, *Storia degli ebrei italiani sotto il fascismo*, Torino 1961 pp. 347-50, 296.

37 L. Preti, *Impero fascista e ebrei*, Milano 1968, p. 87; M. Ledeen, *The Evolution of Italian Fascist Antisemitism*, in « Jewish Social Studies » XXXVII (gennaio 1975), pp. 3-17.

38 De Felice, *op. cit.*, p. 510.

39 J. Evola, *Sintesi della dottrina della razza*, Milano 1941, per es. pp. 70 sgg.

40 Ivi, pp. 256 sgg.; « La vita italiana » (agosto 1938), p. 172.

41 J. Evola, *Il cammino del Cinabro*, Milano 1963, pp. 172-4. Anche in seguito egli ha accusato Mussolini di aver confuso il concetto di razza con il semplice nazionalismo; J. Evola, *Il fascismo*, Roma 1964, p. 89.

42 G. L. Mosse, *Le origini culturali del Terzo Reich*, trad. it. cit. pp. 359 sgg.

43 Si veda, per esempio, U. D. Adam, *Judenpolitik im Dritten Reich* Düsseldorf 1972, pp. 61, 115.

44 J. Goebbels, *Der Nazi-Sozi, Fragen und Antworten für den Nationalsozialisten*, München 1931, p. 12.

45 L'incidente è riferito da A. Speer, *Spandauer Tagebücher*, Frankfurt a. M. 1975, p. 463. [Trad. it. Milano 1978.]

46 Adam, *op. cit.*, p. 114, n. 2.

47 Ivi, p. 128.

48 Si vedano le pp. 232-4.

49 Ho espresso la mia opinione sugli obiettivi di Hitler in *Le origini culturali del Terzo Reich*, trad. it. cit.; sulla sua faziosità in materia di razzismo vedi le pp. 442 sgg.; e il cap. VIII di *La nazionalizzazione delle masse*.

50 Memorandum di Friedrich Krohn, Zs. nr. 69 (Archivio dell'Institut für Zeitgeschichte, München), 5-11. Sono debitore dell'indicazione al prof. Rudolph Binion che ringrazio sentitamente. Krohn era il direttore dello « Starnberger Seebote » che pubblicava articoli favorevoli al nazionalsocialismo e all'antisemitismo. G. Fr. Willing, *Krisen-Jahr der Hitler-Bewegung, 1923*, Preussisch Oldendorf 1975, p. 132.

51 Speer, *Spandauer Tagebücher*, cit., p. 174.

52 M. Plewnia, *Auf dem Weg zu Hitler, der « Völkische » Publizist Dietrich Eckart*, Bremen 1970, p. 56.

53 Ivi, p. 47.

54 A. Hitler, *Mein Kampf*, cit., p. 418.

[55] Ivi, p. 395.

[56] A. Speer, *Erinnerungen*, Frankfurt a. M. 1969, p. 34. La testimone era la madre di Speer.

[57] G. L. Mosse, *I socialisti tedeschi e la questione ebraica*, art. cit., pp. 23 sgg.

[58] K. A. Schleunes *The Twisted Road to Auschwitz. 1933-1939*, Urbana, Ill., 1970, p. 70.

[59] Adam, *op. cit.*, p. 125.

[60] Ivi, p. 50.

[61] *Das Reichministerium des Inneren und die Judengesetzgebung. Aufzeichnungen von Dr. Bernhard Lösner*, in « Viertljahrshefte für Zeitgeschichte », IX (1961), pp. 266, 268.

[62] Adam, *op. cit.*, p. 125.

[63] Per l'esame delle leggi di Norimberga ho seguito Adam, *op. cit.*, pp. 114 sgg.

[64] Ivi, p. 130.

[65] Ivi, p. 143.

[66] Ivi, pp. 130, 155.

[67] Cit. ivi, p. 125, n. 63.

[68] Schleunes, *op. cit.*, p. 226.

[69] Adam, *op. cit.*, p. 200.

[70] S. Adler-Rudel, *Ostjuden in Deutschland 1880-1940*, Tübingen 1959, pp. 112 sgg.

[71] Hitler, *op. cit.*, pp. 54-61.

[72] Adam, *op. cit.*, pp. 170-1.

[73] Ivi, pp. 196-7.

[74] V. Reimann, *Innitzer, Kardinal zwischen Hitler und Rom*, Wien e München 1967, pp. 59, 236.

[75] L. Kochan, *Pogrom 10 november 1939*, London 1957, pp. 11, 76.

[76] H. Krausnick, H. Buchheim, M. Broszat e A.-A. Jacobsen, *Anatomy of the SS State*, New York 1968, p. 458.

[77] Adam, *op. cit.*, p. 207 sgg.

[78] Ivi, pp. 210, 219.

[79] Ivi, p. 235.

[80] Questo accadde nel discorso di Hitler del 30 gennaio 1944, proprio quando si stava effettivamente procedendo all'annientamento degli ebrei europei, là dove egli affermò che gli ebrei erano pronti a celebrare la devastazione dell'Europa con un secondo Purim. *Ursachen und Folgen vom deutschen Zusammenbruch 1918 und 1945*, XIX, a cura di H. Michaelis, E. Schraepler e G. Scheel, Berlin s. d., p. 275.

[81] Ivi, p. 417.

Capitolo XIII

[1] L. Dawidowicz, *The War Against the Jews*, cit., p. 129.

[2] *Gesetz zur Verhütung erbranken Nachwuchs vom 14 Juli 1933, nebst Ausführungsverordnungen*, a cura di A. Gutt, E. Rudin e F. Tuttke, München 1936, pp. III, 176.

[3] G. Schmidt, *Selektion in der Heilandstalt 1939-1945*, Stuttgart 1965, pp. 42-3.

[4] W. V. Bayer, *Die Bestätigung der NS - Ideologie in der Medizin*

unter besonderer Berücksichtigung der Euthanasie, in *Nationalsozialismus und Universität*, Berlin 1966, p. 64.

[5] K. Binding e A. Hoch, *Die Freigabe der Vernichtung Lebensunwertes Lebens; ihr Mass und ihre Form*, Leipzig 1920, p. 29.

[6] Schmidt, *op. cit.*, pp. 42-3.

[7] Ivi, pp. 124-5.

[8] Cit. in *Ursachen und Folgen vom deutschen Zusammenbruch 1918 und 1945*, cit., pp. 518, 520.

[9] E. Leiser, *Nazi Cinema*, New York 1974, pp. 91 sgg., 145.

[10] Si veda, per esempio, U. D. Adam, *Judenpolitik im Dritten Reich*. cit., p. 125.

[11] Dawidowicz, *op. cit.*, p. 133.

[12] L. V. Thompson, *Lebensborn and the Eugenics Policy of the Reichsführer SS*, in « Central European History », IV (1971, pp. 57-71.

[13] R. L. Koehl, *RKFDV: German Resettlement and Population Policy. 1939-1945*, Cambridge, Mass., 1957, *passim*.

[14] C. Lombroso, *Introduction* a G. Lombroso Ferrero, *Criminal Man*, cit., p. XVI.

[15] *Illustrations of Phrenology, Being a Selection of Articles from the Edinburgh Phrenological Journal and the Transactions of the Edinburgh Phrenological Society*, Baltimore 1832, p. 179; M. Benedict, *The Psychology of Crime and Criminals*, in « The Phrenological Review », vol. I, n. 3 (ottobre 1905), p. 38.

[16] Si vedano le pp. 92 sgg.

[17] L. Chevalier, *Laboring Classes and Dangerous Classes*, New York 1973. p. 411. [Trad. it. Roma-Bari 1976.]

[18] E. Justin, *Lebensschicksale artfremd erzogener Zigeunerkinder und ihrer Nachkommen*, Berlin 1944, pp. 3, 7.

[19] M. H. Kater, *Das « Ahneherbe » der SS 1935-1945*, Stuttgart 1974, pp. 206-7.

[20] R. Hilberg, *The Destruction of the European Jews*, Chicago 1961, p. 218.

[21] D. H. Boyajian, *Armenia, the Case for a Forgotten Genocide*, Westwood, N. J., 1972, p. 127; Y. Ternon, *Les Arméniens, histoire d'un génocide*, Paris 1977, pp. 201 sgg.

[22] A. Hitler, *Mein Kampf*, cit., p. 197; K. Prümm, *Die Literatur des soldatischen Nationalismus der 20er Jahre*, I, Kronberg 1974, pp. 38 sgg.

[23] Cit. in Dawidowicz, *op. cit.*, p. 106.

[24] H. Himmler, *Geheimreden 1939 bis 1945*, a cura di B. F. Smith e A. F. Petersen, Frankfurt a. M. 1974, p. 202.

[25] E. Kolb, *Bergen-Belsen*, Hannover 1962, p. 273.

[26] R. Höss, *Kommandant in Auschwitz*, a cura di M. Broszat, München 1963, pp. 111-2.

[27] Ivi, p. 133.

[28] Si veda, per esempio, Y. Bauer, *Flight and Rescue: Bricha*, New York 1970.

[29] Interrogatorio di R. Höss in *Ursachen und Folgen vom deutschen Zusammenbruch*, cit., XIX, p. 504.

[30] Adam, *op. cit.*, pp. 31 sgg.; Dawidowicz, *op. cit.*, p. 117.

[31] L'opera più autorevole su questo argomento è ora I. Trunk, *Judenrat*, New York 1972.

[32] Dawidowicz, *op. cit.*, p. 206.

[33] Hilberg, *op. cit.*, p. 151.

[34] Adam, *op. cit.*, pp. 291-2.

[35] Hilberg, *op. cit.*, p. 218.

[36] Dawidowicz, *op. cit.*, p. 403.

[37] Höss, *op. cit.*, p. 18.

[38] Kater, *op. cit.*, pp. 245, 246 sgg.

[39] Si veda p. 91.

[40] *Ursachen und Folgen vom deutschen Zusammenbruch*, cit., XIX, pp. 538-44.

[41] Si vedano le pp. 212-3.

[42] Si veda, per esempio, B. Vago e G. L. Mosse, *Jews and Non-Jews in Eastern Europe. 1918-1945*, cit., p. 171.

[43] Fr. B. Chary, *The Bulgarian Jews and the Final Solution*, Pittsburgh 1972, pp. 141, 189.

[44] Y. Jelinek, *The Vatican, the Catholic Church, the Catholics and the Persecution of the Jews during World War II: The Case of Slovakia*, in *Jews and Non-Jews in Eastern Europe*, cit., pp. 221-57.

[45] Si vedano le pp. 214 sgg.

[46] Si vedano le pp. 215, 216.

[47] X. Vallat, *Le problème juif*, Paris, s. d., p. 8. Ma egli è assolutamente poco chiaro sul concetto di razza e lo confonde con l'idea di nazionalità: vedi per esempio p. 11.

[48] *Le complot juif, les Protocoles des sages de Sion*, prefazione di Darquier de Pellepoix, Paris 1939 (?), *passim*.

[49] R. O. Paxton, *La France de Vichy*, Paris 1973, p. 180. Vi era compreso un piccolo numero di ebrei francesi.

[50] Si vedano le pp. 207 sgg.

[51] *Le Saint Siège et les victimes de la guerre, mars 1939-décembre 1940; Actes et documents du Saint Siège relatifs à la seconde guerre mondiale* a cura di P. Blet, e altri, VI, Roma 1972, p. 94.

[52] Ivi, p. 222.

Capitolo XIV

[1] Su questo argomento si veda R. Binion, *Hitler Among the Germans*, New York 1976.

[2] H. Zöberlein, cit. K. Prümm, *Das Erbe der Front*, in *Die Deutsche Literatur im Dritten Reich*, a cura di H. Denkler e K. Prümm, Stuttgart 1976, p. 149.

[3] J. Huizinga, *L'autunno del Medioevo*, trad. it. Firenze 1942, p. 281.

[4] H. Rauschning, *Gespräche mit Hitler*, New York 1940, p. 40.

[5] W. E. Mosse, *Liberal Europe*, London 1974, p. 54; G. L. Mosse, *The Culture of Western Europe*, Chicago 1974, pp. 94 sgg.

INDICE DEI NOMI

Ackerknecht, E. H., 263-4.
Adam, U. D., 272, 274-6.
Adelman, A., x.
Adler-Rudel, S., 275.
Ahlwardt, H., 131.
Albrecht, G., 270.
Allardyce, G. D., 273.
Altmann, A., 258-9.
Anderson, G. K., 266.
Andree, R., 134, 266.
Ansky, M., 270.
Antonescu, I., 212-3, 244, 246.
Apploton, W. W., 257.
Arminio, 56, 75.
Armon, Th. I., 269, 274.
Asburgo, famiglia, 176.
Atkinsons, G., 257.
Auerbach, Elias, 134, 136-8, 266.
Ausubel, H., 262.

Baal, 151.
Badeni, K., 176.
Baeck, L., 196.
Baltzli, J., 265.
Balzac, H. de, 235.
Barany, G., 272.
Barker, J. R., 261.
Barrès, M., 64, 120.
Barzun, J., 258.
Bauer, B., 142.
Bauer, E., 263.
Bauer, M., 186.
Bauer, Y., 276.
Baumgarten, M., x.
Bayer, W. V., 275.
Beau Loménie, E., 269.
Bebel, A., 178.
Bechstein, H., 109.
Beck, G., 263.
Beethoven, Ludwig van, 93, 117.

Belke, I., 262.
Benedict, M., 276.
Benn, G., 211.
Berger, B., 242.
Bergonzi, B., 271.
Bergson, H., 137.
Berlin, I., 261.
Bernanos, G., 171-2, 270.
Bernstein, E., 178.
Bernstein, H., 266.
Berthe, E., 157.
Besant, A., 133.
Bettelheim, B., viii.
Bibl, V., 270.
Biddis, M. D., 261, 266.
Biétry, P., 170.
Binding, K., 231, 233, 276.
Binion, R., 274, 277.
Bismarck, Otto von, 148.
Blacker, C. P., 263.
Blake, R., 262.
Blanqui, A., 173.
Blavatsky, H. P., 105-7.
Blet, P., 277.
Bloch, I. (Hagen, A.), 122, 266.
Bloch, J., 153.
Blum, L., 208.
Blumenbach, J. F., 15, 18, 20, 26-7, 39, 51, 257-8.
Böckel, O., 179-81.
Böhm, A., 267.
Böhme, J., 106-7.
Bolkosky, S. M., 267.
Bölle, F., 263.
Bollmus, R., 261.
Bolt, Ch., 262.
Borgia, Cesare, 62.
Boris III, re dei Bulgari, 244.
Bormann, M., 198.
Bötticher, P. A., v. P. A. de Lagarde.

Boyajian, D. H., 276.
Brandt, R., 242.
Brasillac, R., 210.
Braun, O., 187, 271.
Brie, A., 190, 271.
Broca, P., 40, 98-9, 264.
Brod, M. 137.
Brooke, R., 187.
Broszat, M., 274-6.
Bruchard, H. de, 270.
Bry, de, 13.
Buber, M., 53, 114, 137.
Bucard, M., 273.
Buchan, J., 193.
Buchheim, H., 275.
Buffon, G.-L., Leclerc conte di, 8, 19, 20, 24-5, 42, 258.
Bullock, A., 272.
Burke, 75.

Calvary, M., 267.
Cam, 39.
Camper, A. G., 258.
Camper, P., 19, 27-32, 40, 76, 95, 99, 258.
Canaan, 39.
Candolle, A. de, 65, 261.
Cantor, N. F., 262.
Carlyle, T., 78, 262.
Carol II, re di Romania, 212.
Carsten, Fr. L., 272.
Carus, C. G., 34-5, 41, 259.
Céline, L. F., 171, 210-1.
Chamberlain, H. S., 97, 111, 115-8, 120, 134-5, 138, 142, 153, 158, 169, 179, 220-1, 248, 265, 268.
Chary, Fr. B., 277.
Chesterton, G. K., 193.
Chevalier, L., 276.
Churchill, M. G., 272.
Churchill, W., 193.
Clauss, L. F., 204, 273.
Codreanu, C. Z., 212.
Cohn, N., 266, 268, 272.
Cornford, F., 187, 271.
Costa, Ch. da, 270.
Costeau, P.-A., 65.
Coty, F., 208.
Cruikshank, G., 36.
Curry, W. C., 38, 260.
Curtin, Ph. D., 260.
Czeike, F., 269.

Daim, W., 265.
D'Annunzio, G., 187, 189.
Darquier de Pellepoix, L., 246, 277.
Darwin, C., 38, 40, 65-6, 69, 78-82, 84, 87, 122, 250-1.
Davies, N., 272.
Dawidowicz, L. S., 204, 272-3, 275-7.
De Felice, R., 274.
Defoe, D., 12.
De Giustino, D., 260.
Della Porta, G. B., 32, 35, 259.
Deniker, J., 99, 264.
Denkler, H., 277.
Desportes, H., 270.
Dewey, J., 133.
Dickens, C., 78.
Dinter, A., 190.
Dioudonnat, P.-M., 261, 270.
Disraeli, B., 78.
Dodel, A., 90, 263.
Dohm, W. C., 18.
Doriot, J., 207-9, 211.
Dreher, R. E., 261.
Drescher, S., 261.
Dreyfus, A., 120, 128-9, 152, 155, 163, 182.
Drumont, E., 68, 130, 147-8, 152-153, 155, 164, 166, 168-75, 177-9, 181, 208-9, 270.
DuBois, W. E. B., 133.
Dühring, K. E., 177-80, 270.
Du Mun, A., 150.
Durieu, L., 270.

Ebert, F., 199.
Eckart, D., 198, 203, 220-1, 246.
Edwards, W. F., 98.
Ehrhardt, A. M. J., 199.
Eiselein, J., 259.
Eisenmenger, J. A., 150.
Eisner, K., 191.
Eliade, M., 257.
Elon, A., 267.
Emmerich, W., 261.
Engel, dottor, 271.
Engel-Janosi, F., 269.
Engels, F., 177-8, 202.
Enriques, U., 267.
Ermanno, *v.* Arminio (Ermanno), 56, 75.
Erzberger, M., 198.

Ettinger, S., 272.
Evola, J., 216, 274.

Fairchild, H. N., 258.
Farinacci, R., 216.
Feldman, W., 268.
Fertig, H., x.
Fichte, J. G., 140.
Field, F., 270.
Fischer, E., 82, 85, 91, 243, 263.
Fischer, L., 272.
Fischer-Galati, S., 274.
Fishberg, M., 138, 267.
Fontenelle, B., 13-4.
Fourier, C., 165, 167.
Francesco Giuseppe II, imperatore, 154.
Franco, F., 207.
Franz, C., 73.
Freeman, E. A., 74-5, 262.
Freud, S., 93.
Furiette, L., 270.
Fussel, P., 27.
Fustel de Coulanges, N. D., 55, 261.

Gailhard-Bancel, H., 148-9, 268.
Galen, C. A., 232-3.
Gall, D., 259.
Gall, F. J., 33-4, 36, 235, 251.
Galton, F., 81-5, 87, 91, 251.
Gasman, D., 264.
Gautier, T., 46.
Gay, P., 257.
Gellion-Danglar, F., 120.
George, S., 114, 265.
Gideon, S., 36.
Gillispie, Ch. C., 262.
Gillray, J., 36.
Giovanna d'Arco, 155.
Giovanni XXIII, papa, v. A. G. Roncalli.
Giuda, 146.
Giulio II, papa, 62.
Giuseppe II, d'Austria, 45.
Glassman, B., 259, 267.
Gobineau, J.-A., conte di, 17, 20, 50, 57-69, 73, 75-7, 80, 87, 92, 98, 115, 133-4, 148, 153, 158, 169, 250, 261.
Gobineau, famiglia, 58.
Goebbels, J., 217, 228-9, 273-4.

Goedsche, H., (Sir John Redcliffe), 127-8.
Goethe, J. W., 10, 30, 32, 190, 257.
Göring, H., 225, 228-9, 238.
Gräfin Zu Reventlow, F., 265.
Granger, E., 173.
Green, W., 267.
Gregor-Dellin, M., 265.
Grimm, R., 259, 271.
Grimm, W. e J., 54.
Gruber, M. von, 263.
Grünspan, H., 227.
Guérin, J., 132, 172.
Guglielmo II, imperatore, 126, 159.
Guillaumin, C., 265.
Gumbel, E. J., 272.
Günther, H. F. K., 204.
Gutt, A., 275.

Haddon, A. C., 259.
Haeckel, E., 96-8, 102, 264.
Hagen, A., v. I. Bloch.
Hakluyt, Richard, 13.
Halbach, F., 193.
Hammer, K., 271.
Harden, M., 198.
Hare, 75.
Hase, D. K., 267.
Hase, K. A. von, 142, 267.
Hastings, H., 258.
Heer, F., 149, 265, 268.
Hegel, G. F. W., 48, 141.
Heinemann, editore, 118.
Hellwing, I. A., 268.
Hentschel, W., 84, 235, 263.
Herder, J. G. von, 38-9, 42-6, 52-3, 55, 57, 260-1.
Hermand, J., 259, 271.
Hershmann, D., 267.
Hertzberg, A., 261.
Herzl, T., 137, 267.
Heydrich, R., 228-9, 238, 240.
Hilberg, R., 274, 276.
Himmler, H., 50, 52, 84, 192, 224, 228-9, 234, 236, 238, 242-3, 248, 276.
Hirt, A., 242.
Hitler, A., 53, 85, 90, 94, 109, 110, 115, 118, 121, 131-2, 150, 155, 164, 177, 193, 198-9, 203, 207, 212, 214-5, 217-25, 227-31,

233-4, 238, 243-50, 252, 265, 273-6.
Hoch, A., 231, 233, 276.
Hogarth, William, 36.
Horsman, R., 262.
Horthy, N., 196, 213, 244.
Hory, L., 274.
Höss, R. 198, 239, 241-2, 276-7.
Hossbach, Friedrich, 225.
Hudal, A., 146, 158, 268-9.
Huizinga, J., 249, 277.
Hulsius, 13.
Hunt, J., 78-80, 86, 262.

Iafet, 39.
Innitzer, T., 227.

Jacobsen, A.-A., 275.
Jäger, G., 122.
Jelenski, J., 147.
Jelinek, Y., 277.
Jochmann, W., 268, 272.
Johnpol, B. K., 273.
Jones, Sir W., 46-7, 260.
Jordan, W. D., 257, 260.
Judt, J. M., 134, 266.
Jünger, E., 188, 271.
Jungmann, M., 266.
Justin, E., 236, 276.

Kaiser, G., 257, 260.
Kant, I., 37, 39, 82, 105, 116, 260.
Kapp, W., 198-9.
Kater, M. H., 261, 276-7.
Kautsky, K., 200-1.
Kelly, A., 264.
Kern, S., 265-6.
Klopp, W., 268.
Knox, R., 28, 75-9, 98-9, 262
Kochan, L., 275.
Koehl, R. L., 276.
Kohn, H., 265.
Kolb, E., 276.
Kossinna, G., 52.
Krausnick, H., 275.
Krewald, A., 259.
Krohn, F., 274.
Krojanker, G., 267.
Krupp, A., 88.
Kun, B., 191.

Kupisch, K., 265, 267, 269.
Kurella, H., 264.

Lagarde, P. A. de (P. A. Bötticher), 110-1, 143.
Lamarck, J.-B.-P.-A. de Monet de, 20, 23-4, 29, 42, 258.
Landauer, G., 53.
Langbehn, J., 107-8, 111, 143, 220-1, 265.
Laqueur W., 272-3.
Laschi, R., 264.
Lassen, C., 48-9, 260.
La Tour du Pin, R., 150.
Laval, P., 69.
Lavater, J. K., 18, 27, 30-4, 36-7, 43, 66, 93, 251, 258-9.
Ledeen, M., 271, 274.
Lehmann, J. F., 263.
Leiser, E., 276.
Lemberg, E., 260.
Lenin, Vladimir I., 203.
Lenz, F., 90, 263.
Leese, A., 207.
Leone XIII, papa, 130.
Lessing, G. E., 32, 259.
Lessing, Th., 259.
Levi, H., 112.
Levy, R. J., 271.
Lewy, G., 269.
Lichtheim, G., 269.
Liebenfels, J. L. von, 109, 219.
Liebeschütz, H., 267.
Liebknecht, K., 178.
Linneo (Linné, C. von), 25-6, 52, 258.
Linz, J. J., 273.
List, G. von, 108, 110, 219.
Locke, J., 14, 20.
Lombroso, C., 92-7, 169, 234-5, 251, 263-4, 276.
Lombroso Ferrero, G., 263-4, 276.
Lovejoy, A. O., 257-8.
Ludendorff, E., 186.
Lueger, K., 153-5, 159, 162, 170, 219-20, 270.
Lunn, E., 261.
Luschan, F. von, 138, 267.
Lutero, M., 116, 118, 144.
Lutostanski, H., 266.

Mack, D., 265.
Mack, R., 271.

Maglione, L., 246.
Mandle, W. F., 273.
Manuel, F., 257.
Marr, W., 131-2, 179.
Marrus, M., 268.
Marx, K., 98, 167-8, 178, 200-2, 269.
Massing, P. W., 266, 269.
Maurenbrecher, M., 220.
Maurras, C., 155, 157, 160, 207-9, 269.
Mayer, G., 270.
Mayer-Löwenschwerdt, E., 270.
Meiners, C., 15-6, 20, 39, 257-58.
Mendelssohn, J. L. F., 112.
Mendelssohn, Moses, 30.
Meyer, H., 257.
Meyerbeer, J., 112.
Michaelis, H., 275.
Michelangelo Buonarroti, 117.
Michelet, J., 49.
Michel, L., 173.
Mitchell, G. M., 272.
Molière, 93.
Moreau, M., 258.
Morel, B. A., 92, 95.
Morel, J-B., 169.
Morès, marchese di, 172.
Möser, J., 11, 43.
Mosley, Sir O., 196, 206.
Mosse, G. L., 259-61, 265, 267, 270-5, 277.
Mosse, W. E., 268, 271-2, 277.
Mousseaux, G. de, 128.
Mühlmann, W. E., 258, 260.
Müller, F. M., 49-51, 55-6, 260-1.
Müller, H., 190.
Müller, J. von, 260, 266.
Mussolini, B., 214-6, 245, 274.

Näcke, P., 263.
Nagy-Talavera, N. M., 274.
Napoleone I, 45, 143.
Napoleone III, 59.
Nelson, K. I., 271.
Neumann, H., 201.
Nicola I, zar, 130.
Nicostenski, 220.
Niemayer, A. H., 54.
Nietzsche, F., 119.
Niewyk, D. L., 272.
Nipperdey, Th., 261.
Noè, 136, 267.
Nordau, M., 92, 94-6, 264.

Nordenholz, A., 88, 263.
Novalis (F. P. von Hardenberg), 12, 257.

Olcott, H. S., 105.
Orelli J. K., 258.
Ostara, 109.

Paasch, C., 264.
Paolo, san, 110, 116, 143.
Passage, C. E., 257.
Paucher, A., 268, 272.
Pavelic, A., 214.
Paxton, R. O., 268, 277.
Payne, S. G., 273.
Pearson, K., 69, 81-5, 87-8, 262, 263.
Percy, T., 74.
Périer, J. A. H., 99, 264.
Perry, Th. W., 259.
Pétain, H., 244, 246.
Petersen, A. F., 276.
Pictet, A., 49.
Pilsudski, J., 195-6, 202, 214.
Pio IX, papa, 150.
Pisker, L., 203, 273.
Plewnia, M., 274.
Ploetz, A., 85, 88-91, 243, 263.
Poliakov, L., 258, 260.
Pope, A., 13.
Pound, E., 211.
Preti, L., 274.
Preysing, K. von, 232.
Preziosi, G., 216.
Prichard, J. C., 79.
Pringsheim, A., 112.
Proudhon, P.-J., 157, 165-7.
Prümm, K., 276, 277.
Pruner, F., 80, 99, 264.
Puhle, J., 268.
Pujo, M., 269.
Pulzer, P. G. J., 270.
Purchas, Samuel, 13.

Quatrefages de Bréau, J.-L.-A. de, 99-100, 122, 264.

Raabe, W., 127.
Rabinowicz, H. M., 272.
Radek. K., 201.
Rath. E. vom, 218, 227-28.

Rathenau, W., 198.
Rauschning, H., 277.
Rebatet, L., 210, 273.
Reche, O., 263.
Redcliffe, Sir J., *v.* H. Goedsche.
Régis, M., 174.
Reimann, V., 275.
Reinach, S., 261.
Relyea Anderson, P., 267.
Rembrandt, H. van Rijn, 107-8.
Renan E., 97, 141-2, 267.
Retzius, A., 34.
Reventlow, E. von, 190.
Ribbentrop, J. von, 273.
Riehl, W. H., 53, 261.
Robespierre, M.-F.-I. de, 174.
Roche, E., 173.
Rochefort, H., 173.
Rodin, A., 95.
Rohling, A., 150-3, 16ᶜ, 197, 220, 268.
Roncalli, A.G. (papa Giovanni XXIII), 244.
Roque, F. de la, 187.
Rosenberg, A., 52-3, 153, 158, 203, 210, 221, 261, 268, 273
Rothschild, famiglia, 51, 164-5.
Rouanet, G., 270.
Rousseau, J.-J., 12-3, 39.
Rowlandson, Thomas, 36.
Runes, D. D., 269.
Rubinstein, A., 112.
Rudaux, Ph., 271.
Rudin, E., 275.
Ruppin, A., 102, 136, 264.
Ryan, M. T., 257.
Saint-Just, L. de, 174.
Saint-Paulien, *v.* M.-I. Sicard.
Salomon, E. von, 272.
Savonarola, Girolamo, 62.
Sburlati, C., 274.
Schallmayer, W., 88-9, 263.
Schaub, E. L., 267.
Scheel, G., 275.
Scheemann, L., 63.
Scheidemann, P., 198.
Schirach, B. von, 218.
Schirach, signora, moglie del precedente, 218.
Schlageter, A. L., 201.
Schlegel, A. W., 48.
Schlegel, F., 47-8, 60, 260.
Schleunes, K. A., 275.
Schleyer, M., 151, 268.

Schmahl, E., 271.
Schmeitzner, 266.
Schmidt, G., 275-6.
Schönerer, G. R. von, 109, 175-6, 181, 219, 270.
Schraepler, E., 275.
Schröder, L., 115.
Schudt, J., 35.
Schuler, A., 108-9, 265.
Schuler, W., 261.
Schulze, J., 257.
Schwalbe, G., 263.
Scott, Sir W., 33, 74, 259.
Seipel, I., 150, 196, 268.
Seipel, W., 271.
Sell, M., 271.
Sem, 39.
Sergi, G., 264.
Serpaille, C., 65.
Shachar, I., 259.
Shakespeare, W., 117.
Shellard, P., x.
Sherman, A. J., 274.
Sicard, M.-I. (Saint-Paulien), 209-210, 273.
Sima, H., 212.
Simone di Trento, san, 125.
Smith, B. F., 272, 276.
Sorel, G., 156, 210.
Sorin, P., 268.
Soucy, R. J., 273.
Speer, A., 274-5.
Stahl, J., 160.
Stalin, J., 201.
Stauracz, F., 269.
Steiner, R., 106.
Sterling, E., 268.
Sternhell, Z., 265, 269.
Stoecker, A., 132, 156, 159-60, 162, 175.
Strauss D. F., 97, 141, 142.
Streicher, J., 225.
Stubbs, W., 55.
Sue, E., 126, 235.
Sugar, P. F., 272.
Swedenborg, E., 105.
Swift, J., 13.
Szálasi, F., 213.

Tacito, Cornelio, 54-5, 75.
Tal, U., 268.
Tausig, K., 112.
Ternon, Y., 276.
Thalmas, prof., 155.

Thomas-Chevalier, H., 262.
Thompson, L. V., 276.
Tilgner, W., 267.
Tiso, J., 244-5.
Tolstoj, Leo, 95.
Toury, J., 266, 268.
Toussaint, A., 268.
Toussenel, A. de, 165-7, 169, 180, 269.
Treitschke, H. von, 160-1, 220.
Trevor-Roper, H. R., 272.
Trobridge, G., 265.
Trotskij, L., 201.
Trank, I., 276.
Tuttke, F., 275.
Tyson, E., 19, 258.

Uran. S., x.

Vacher de Lapouge, G., 65-70, 77, 250, 262.
Vacher de Lapouge, figlio del precedente, 69.
Vago B., 272-3, 277.
Vallat, X., 149, 245, 268, 277.
Valois, G., 157, 207.
Vercingetorige, 56.
Verdes-Leroux, J., 265-6, 268-9.
Viereck, P., 262.
Virchow, R., 100-3, 136, 264.
Vogelsang, K. von, 150, 154, 162.
Vogelstein, J., 271.
Volkmann, L., 260.
Voltaire, 5, 9, 40, 57.

Wagner, C., 63, 111-3, 115, 265.
Wagner, R., 63, 73, 111-5, 118, 166, 178, 220.
Wagner, W., 111-2, 250.
Wahrmund, A., 126.
Walvin, J., 257, 261.
Webb, B., 69.
Webb, S., 69.
Weber, E., 269, 273.
Weininger, O., 111, 118-21, 250, 265.
Weismann, A., 82.
Weltsch, R., 137, 267.
Wertham, M. S., 262.
West, B., 29-30.
Weymar, E., 261.
Whiteside, A. G., 265, 268, 270.
Willing, G. Fr., 274.
Winckelmann, J. J., 14, 28-9, 31, 35, 38, 41, 44, 257, 259.
Winter, J. M., 262.
Witkowski, G., 257.
Wolf, D., 273.
Woltmann, L., 63, 88, 263.
Woolf, S. J., 273.
Wurm, T., 232.
Wynot, E. D. jr., 272.

Ysabeau, A., 33.

Zechlin, E., 271.
Zimmermann, M., 266.
Zöberlein, H., 277.
Zola, E., 120, 220.
Zollschan, I., 134-5, 137, 267.
Zust, R., 259.

INDICE DEL VOLUME

Introduzione   v

Parte prima Le origini   3

    I.   Le basi settecentesche   5
    II.   Dalla scienza all'arte: la nascita degli stereotipi   22
    III. Nazione, lingua e storia   42
    IV. Da Gobineau a de Lapouge   58

Parte seconda La penetrazione   71

    V.   L'Inghilterra dà il suo contributo   73
    VI.   La scienza della razza   86
    VII. Il mistero della razza   104
    VIII. Gli ebrei: mito e contro-mito   124
    IX.   Cristianesimo infetto   140
    X.   La nascita del nazionalsocialismo   163

Parte terza L'esecuzione   183

    XI.   Guerra e rivoluzione   185
    XII. Dalla teoria alla pratica   205
    XIII. Razzismo e assassinio di massa   230
    XIV. Una conclusione che non conclude   248

Note   255

Indice dei nomi   279

Rej. 12000

« Il razzismo in Europa »
di George L. Mosse
Oscar saggi
Arnoldo Mondadori Editore

Questo volume è stato stampato
presso Arnoldo Mondadori Editore S.p.A.
Stabilimento Nuova Stampa - Cles (TN)
Stampato in Italia - Printed in Italy

N. 0010340

36452
1998

1 9 APR. 2000